Sparfeld, Edu

Gustav Adolph, König von Schweden

Sparfeld, Eduard

Gustav Adolph, König von Schweden

Inktank publishing, 2018

www.inktank-publishing.com

ISBN/EAN: 9783747704547

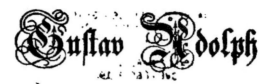

Gustav Adolph

König von Schweden,

der

heldenmüthige Kämpfer

für

Deutschlands Religionsfreiheit.

Ein Volksbuch für alle Stände.

Von

Eduard Sparfeld,

confirm. Lehrer an der ersten Bürgerschule zu Leipzig.

Leipzig,
Verlag von Robert Friese.
1845.

4

Den

Gründern sowie den Mitgliedern

der

Gustav - Adolph - Stiftung

aus

vollster und freudigster Theilnahme an ihrer segensreichen Wirksamkeit

gewidmet.

Google

Die

hochverehrten Gründer

sowie

alle verehrte Mitglieder und Förderer

der

Gustav - Adolph - Stiftung

haben ein Werk begonnen, welches weit hinaus
in die kommenden Jahrhunderte seinen Segen
und Glanz verbreiten wird. Sie haben dem
heldenmüthigen Kämpfer für Deutschlands Reli=
gionsfreiheit ein Denkmal gestiftet, wie es kein
bleibenderes, kein schöneres geben kann. Wenn
dort das stolze Denkmal über dem Schwedenstein
dem Tode des Heldenkönigs gilt, so gilt die
Gustav=Adolph=Stiftung seinem Leben.
Nie wohl ist in gleicherem Sinne und Geiste

geſtrebt und gehandelt worden, als es von Gu‑
ſtav Adolph geſchah, und von der nach ihm
benannten Stiftung geſchieht.

Unterſtützung und Hülfe bedräng‑
ten Glaubensbrüdern zu bringen —
das war es, was der große, fromme König wollte,
und durch ſein Siegesſchwert erkämpfte.

Eben dieſes will auch, in demſelben Geiſte
handelnd, die zum Andenken Guſtav Adolph's
gegründete Stiftung. Nur die Mittel zur

Erreichung des von dem königlichen Helden ererb=
ten Zweckes sind verschieden. Jetzt gilt es, durch
Rath und mit Weisheit vertheilte milde Gaben
bedrängten Glaubensbrüdern das zu sichern und
zu erhalten, was ihnen Gustav Adolph erwerben
und erkämpfen mußte.

Mögen diese Bogen — durch neue Verge=
genwärtigung dessen, was der glaubensmuthige
König für die Sicherstellung der heiligsten Gü=
ter seiner deutschen Brüder that, ja mit dem

Tode besiegelte — dazu beitragen, daß von allen Seiten der Stiftung, die sein Geist in's Leben rief, auf der sein Geist sichtbarlich mit Segen ruht, die freudigste, thätigste Theilnahme zugemendet werde!

Der Verfasser.

Vorwort.

Selten sind die Verdienste eines Mannes um Mit= und Nachwelt freudiger und dauernder anerkannt worden, als die, welche sich Gustav Adolph um die Religionsfreiheit seiner protestantischen Brüder in Deutschland erwarb.

Auf's Neue hat unsere Zeit begonnen, durch eine Stiftung, würdig durch ihren Zweck des Namens, den sie trägt, des königlichen Glaubenshelden Namen zu verherrlichen und mit Segen gekrönt auf die Nach= welt zu bringen.

Um so dringender scheint es aber auch von Nöthen zu sein, daß Jedem das Leben Gustav Adolph's genau bekannt sei, der sich der durch ihn erkämpften Religions=

unb Glaubensfreiheit rühmt unb erfreut. In keinem Hause sollte das Buch von dem Leben des größen Königs fehlen, damit auch schon die Jugend erfahre, wie theuer durch die Väter das heilige Gut der Freiheit des Glaubens erkauft wurde.

Unb, wenn zu irgend einer Zeit, so thut es jetzt noth, das Bild Gustav Abolph's vor allem Volke wieder einmal aufzufrischen, durch treue, lebensvolle Darstellung bessen, was er that. Unb wer sein Bild fest anschaut, unb treu im Herzen trägt, bem wird er heute noch mitkämpfen helfen gegen jeglichen Feind in Sachen der Religion unb des Glaubens.

Scheint doch heute noch schon sein Name bei den Feinden der Glaubensfreiheit dasselbe Schrecken zu verbreiten, welches einst seine Gegner vor seinem glaubensfreudigen unb blitzenden Auge unb vor seinem flammenden Siegesschwert fliehen hieß.

Dieses sind die Gründe, welche den Verfasser dieses Buches, bei dem wirklichen Mangel einer volksthümlichen Lebensbeschreibung Gustav Abolph's, zur Herausgabe desselben veranlaßten.

Aus dem Zwecke des Buches ergeben sich von selbst die Grundsätze, nach welchen es bearbeitet wurde.

Möge es genügen, in einigen wenigen Andeutungen dieselben darzulegen und zu rechtfertigen.

Was zunächst den Stoff anbelangt, so ging der Verfasser von der Ansicht aus, daß es sich bei der Beschreibung des Lebens Gustav Adolph's für Deutsche und seiner Verdienste um dieselben, namentlich um die Darstellung dessen handele, was Gustav that, nachdem er seinen Fuß zur Befreiung seiner deutschen Glaubensbrüder auf deutsche Erde gesetzt hatte. Natürlich muß dieses unbeschadet der Vollständigkeit des in sich organisch verbundenen Ganzen geschehen.

Es galt hier, auf der einen Seite nicht zu ausführlich in der Darstellung dessen zu werden, was Gustav als König von Schweden vor dem Jahre 1630 that; auf der andern Seite aber, die Geschichte nicht zu reich an Erwähnung der Begebenheiten oder Ereignisse des 30jährigen Kriegs werden zu lassen, welche mit Gustav in keiner direkten, unmittelbaren Beziehung stehen.

Es würde dem Zwecke unsrer Schrift zuwider sein, hier etwas weiteres über die Fundgruben des Stoffes, die Quellen, zu sagen. Das Buch ist auf dem Grunde der Wissenschaft erwachsen, wie Niemandem entgehen wird. Es würde aber unserer Absicht entgegen gewesen sein, dieses durch die Form auf andere Weise hervortreten zu lassen, als es eben geschehen ist. Es handelte sich namentlich um eine fruchtbare Zusammenstellung der Thatsachen. Das höhere pragmatische Moment, welches seine volle Befriedigung ohnehin noch aus den Archiven erwartet, mußte dabei in den Hintergrund treten, oder wenigstens verdeckt werden.

Der Verfasser ist, ohne Aufgebung eigner Selbstständigkeit im Urtheil, den bewährtesten Forschern gefolgt, fand es aber mit dem Zwecke des Buches nicht vereinbar, weiter in historische Conjecturen einzugehen, wie er denn auch die Verdächtigungen unberücksichtigt ließ, durch welche man, in neuerer Zeit besonders, den Mann herabzuziehen suchte, welcher heute vor zweihundert und dreizehn Jahren freudig Leben und Krone einsetzte, um Sachsen vor dem Schicksale Magdeburg's zu bewahren.

Leipzig, am 7. Sept. 1844.

Der Verfasser.

Geschichte

Gustav Adolph's,

Königs von Schweden.

Erstes Buch.

Geschichte Gustav Adolph's bis zu seinem Aufbruche nach Deutschland, Mai 1630.

Erster Abschnitt.

Das Haus Wasa.

Einzig steht Gustav Adolph in der Weltgeschichte da. Nicht etwa aber allein durch seine Fürstentugenden, seinen Heldenmuth, seine Feldherrntalente; oder durch die Größe seiner Thaten, durch das Gewichtvolle ihrer Erfolge: in allen diesen Dingen haben es ihm Andere theils gleich gethan, theils ist er wohl sogar in Manchem übertroffen worden. Das ist es nicht, was Gustav Adolph groß und unsterblich machen mußte und machte.

Die Idee, für welche Gustav das Schwert zog, ist es, die seine Schläfe mit dem Kranze unvergänglichen Ruhmes umwand.

Nicht Eroberungssucht, nicht eitle Ruhm- oder Herrschbegierde trieb ihn von seinem vaterländischen Boden über's Meer herüber in Deutschlands Gauen: sein fester Glaube an die Reinheit der Christuslehre im evangelischen Bekenntniß, seine Liebe zu diesem Glauben, sein heißer Wunsch, den in Deutschland vergebens nach Hülfe zur Befreiung von neuem Glaubens- und Gewissenszwange sich bang umsehenden Brüdern zu helfen — Das war es, was ihm sein Land, sein Volk, seine Krone, ja sein Kind vergessen ließ, und in den Kampf für Deutschlands Religionsfreiheit trieb, aus welchem er als Sieger hervorging, mit freudiger Hingabe seines Lebens.

Und deshalb ist ihm auch unvergänglicher Ruhm zu Theil geworden, und eine Liebe seiner deutschen Glaubensbrüder, die nur durch die übertroffen wird, welche er zu denselben hatte, da sie ja des eigenen Lebens nicht schonte.

Bevor wir aber beginnen, das Leben Gustav Adolph's darzustellen, wird es nöthig sein, einen Blick in die Geschichte seiner Ahnen zu werfen. Denn, wie die Pflanze in der fruchtreichen Erde wurzelt, so wurzelt der Mensch in der Vergangenheit. Und, zu den Schicksalen einzelner Menschen, wie ganzer Völker, wurde nicht selten der Keim Jahrhunderte vorher ausgestreut.

König Gustav der Erste.

Schwer lastete zu Anfang des sechszehnten Jahrhunderts die Hand Christian II., Königs von Dänemark, auf Schweden. All' die traurigen Folgen, welchen ein Wahlreich — und ein solches war Schweden, vor Gustav I. — früher oder später unterliegt, waren nicht ausgeblieben. Eifersucht und Zwietracht zwischen Adel und der reichen und mächtigen Geistlichkeit hatten dem armen, schwer belasteten Lande das traurigste Loos bereitet. Durch den Einfluß des Klerus wurde jener Christian von Dänemark 1520 auf den Thron Schwedens berufen. Zum Glück der Menschheit hat die Geschichte neuerer, christlicher Zeit nur wenig Beispiele der grenzenlosen Tyrannei, dem kalten Blutdurst und der rücksichtslosen Verfolgungswuth Christian des Zweiten von Dänemark an die Seite zu stellen. Stockholm war mehr als einmal Zeuge der fluchwürdigsten Hinrichtungen. Blut- und Greuelscenen aller Art wechselten mit einander ab. Kein Stand, kein Alter, kein früheres Verdienst schützte vor dem schmachvollen, oft noch martervollen Tode durch Henkershand. Der Adel des Landes, wie die Geistlichkeit, der Bürger, wie der Landmann, waren dem sein Tyrannenziel mit blutiger Consequenz verfolgenden Wütherich gleich willkommene Opfer. Doch auch ihm sollte der Rächer nicht fehlen.

Gustav Erichson, aus dem Hause Wasa, war mit noch fünf Jünglingen aus den angesehensten Familien Schwedens als Geißel an den Hof des Dänenkönigs geschickt worden. Sowohl die knechtische Behandlung, welche denselben hier widerfuhr, als der Angstschrei des mit dem Blute seiner Edelsten getränkten Vaterlandes, veranlaßte Gustav das gefährliche Mittel der Flucht zu ergreifen. Nach glücklich überstandenen Gefahren langte er in Schweden an, nach-

2

dem kurz vorher auch das Haupt seines Vaters unter
dem Henkerbeile gefallen war.

Unter dem Volke, namentlich unter den soge-
nannten Thalbewohnern (Dalekarlier) Schwedens, warb
sich Gustav die ersten Freunde und Bluträcher. An
ihrer Spitze, nur vertrauend der inneren Kraft und
dem rüstigen Arm, nicht unterstützt von den künstlichen
Mordwaffen der neueren Zeit, wagte er es, sein Vaterland von der Knechtschaft, unter welcher es blutete
und seufzte, zu befreien. Und es gelang ihm. Noch
ehe zwei Jahre vergangen waren, verließ Christian
Schweden, den Schauplatz seiner fluchwürdigen Thaten.
Wie schwer er später dieselben büßen mußte, hat die
Geschichte aufbewahrt. Bereits im Jahre 1523 wurde
Gustav Wasa von den Ständen Schwedens aus
Liebe und Dank zum König erwählt. Bescheiden
lehnte er diesen Namen ab und wollte nur Verweser
des Reichs sich nennen lassen. Erst im Jahre 1529
gab er nach und ließ sich feierlich krönen. Mit ihm
stieg auch zugleich das evangelisch-protestanti-
sche Glaubens-Bekenntniß auf den Thron,
welches von jetzt an in Schweden sich immer mehr und
mehr zur Freude und zum Segen des Volkes ausbreitete.
In der letzten Hälfte seiner Regierung, 1544, gelang es ihm, Stände und Volk zu dem Beschluß zu
veranlassen, aus dem Wahlreich ein Erbreich zu
schaffen, und es wurde einmüthig beschlossen, daß die
Krone Schwedens in Zukunft bei dem Hause Wasa
verbleiben solle.

Geliebt und tief betrauert von seinem Volke starb

Gustav I. am 29. September 1560. Ihm verdankt Schweden seine Wiedergeburt und „die Befreiung von dem Joche des Papstes," wie der große König sich aussprach.

König Erich.

Erich, ein Sohn Gustav's aus seiner ersten Ehe mit Katharina von Sachsen-Lauenburg, bestieg zufolge des neuen Thronfolgegesetzes und der letztwilligen Verordnung des verstorbenen Königs den Thron seines Vaters. Eine finstre, jähzornige Gemüthsart hatte ihm schon das Herz des Vaters abgewendet. Später gesellten sich dazu noch Ausbrüche wirklichen Wahnsinnes. Nur aus Rücksicht auf die neue Dynastie, und um neuen Zerwürfnissen vorzubeugen, hatte ihm Gustav, unter Befolgung des Hausgesetzes, die Krone zugewendet. Seinem zweiten Sohne Johann bestimmte er das Herzogthum Finnland, seinem dritten Sohne Karl aber Südermannland, und dem vierten, Magnus, Ostergothland.

Erich war mit diesen Verfügungen keineswegs zufrieden. Bald nach Gustav's Tode ließ er den Brüdern seine Obergewalt fühlen. Johann widersetzte sich anfangs seinen Bedrückungen; unterlag aber bald, und wurde gefangen genommen. Erich wüthete gegen dessen Anhänger, und von Neuem floß Blut. Reue und Wahnsinn des Königs öffneten kurz hierauf Johann's Kerker, im August 1567. Mit ihm vereinigten sich sein Bruder Karl und die Großen des Reichs. Erich

2*

wurde besiegt, Stockholm öffnete Johann die Thore, und die Stände erklärten König Erich der Regierung für unfähig, 1569, die sie sofort Johann übertrugen, welcher den entthronten Bruder in dasselbe Gefängniß setzen ließ, in welchem er selbst geschmachtet hatte. Die Kinder Erich's wurden wegen der geringen Abkunft ihrer Mutter von der Thronfolge ausgeschlossen. Die Unternehmungen der Anhänger König Erich's, sein Anhang im Volke, das mit Liebe an dem ritterlichen König hing, ohne seine Geistesverwirrung und die daraus entstehenden Handlungen recht zu würdigen, mochten wohl König Johann, im Einverständnisse mit dem Adel und der Geistlichkeit, zu einem Mittel nöthigen, über welches die Geschichte lieber schweigt. Erich starb im Februar 1577 im Gefängniß durch Gift. Doch trug diese blutige Saat, durch welche sich Johann allerdings die Krone sicherte, später böse Früchte, und keinen seiner Nachkommen schmückte der so theuer erkaufte Purpur.

König Johann III.

König Johann III. berechtigte, als er den Thron bestieg, sein Volk zu den schönsten Erwartungen, die er auch in den ersten Jahren seiner Regierung erfüllte. Bald aber schwand die Hoffnung, daß er die Absichten Gustav des Ersten der Vollendung entgegenführen werde. Ein unglückseliger Hang, sich in theologische Grübeleien und Streitigkeiten einzulassen, gab seinem Glauben eine falsche Richtung, die sich bald durch sein offenbares Hinneigen zum Katholicismus kund gab. Nicht wenig Einfluß mochte auf ihn seine Gemahlin Katharina aus dem Hause der Jagellonen haben, welche aus ihrer Heimath, Polen, in Begleitung von Jesuiten, in Schweden ankam. König Johann selbst soll durch den Jesuit Possevin heimlich in den Schooß der römischen Kirche aufgenommen worden sein.

Bereits im Jahre 1576 veröffentlichte Johann seine von ihm selbst entworfene neue Liturgie, welche unverkennbar die Spuren seiner Hinneigung zum Papismus an sich trug. Bald ging sein Eifer in Verfolgung gegen die lutherischen Prediger über. Nun schwand das Vertrauen des Volkes und wendete sich dem dritten Sohne Gustav des Ersten, Karl, dem Herzoge von Südermannland, zu, welcher die verfolgten Prediger in seinem Gebiete aufnahm, und ihnen, sowie dem protestantischen Bekenntnisse, seinen Schutz zusagte. Seit dem Jahre 1583, nach dem Tode seiner Gemahlin, erkaltete Johann's Eifer für den Katholicismus. Er vertrieb sogar die Jesuiten aus dem Lande, beharrte aber mit Starrsinn auf der Beibehaltung der von ihm ausgegangenen Liturgie. Alle, die sich dagegen auflehnten, wurden mit Härte verfolgt.

Im Jahre 1585 verehelichte sich König Johann zum zweiten Male, mit Gunnila Bielke, der Tochter eines Reichsrathes, wodurch der Einfluß der aristokratischen Partei nicht wenig vermehrt wurde, zugleich aber auch die feindselige Spaltung zwischen König Johann und Herzog Karl wuchs.

Inzwischen trat ein Ereigniß ein, welches auf

die nächste Zukunft Schwedens von dem größten Einflusse war. König Johann hatte zwei Söhne; aus der ersten Ehe Sigismund, zu dessen Gunsten Herzog Karl auf die Krone bereits verzichtet hatte, aus der zweiten Johann, Herzog von Ostgothland, welcher schon 1618 starb. Sigismund war Katholik, und nahm in Folge geheimer Umtriebe der schwedischen Großen die Krone von Polen an; er wurde in Krakau am 27. December 1587 gekrönt. In Folge dessen mußte er sein Vaterland verlassen und nach Polen abreisen. Hatte Prinz Johann schon ungern in die Abreise seines Sohnes gewilligt, so drang er bald darauf auf dessen Rückkehr, die aber von jenen Reichsständen, welche Sigismund die polnische Krone verschafft hatten, hintertrieben wurde. Herzog Karl nahm bereits vom Jahre 1589 mehr oder weniger Theil an der Regierung, welche Theilnahme sich besonders nach Sigismund's Abreise steigerte. Obschon im Innern der königlichen Brüder, namentlich in Johann's Herzen, der Groll noch nicht gedämpft war, so söhnte sich doch der König vor seinem Ende noch mit Karl, wenigstens zum Schein, aus.

König Sigismund und Herzog Karl.

Kaum hatte König Johann die Augen geschlossen, 17. November 1592, als Herzog Karl die Regierung provisorisch übernahm. Auf einem Reichstage 1590 war das Recht der Nachfolge zunächst Sigismund, dann dem zweiten Sohn Johann's, Johann,

und nach beider Ableben erst dem Herzog Karl zuge=
sprochen worden. Karl stellte dem versammelten Senat
vor, wie sehr man Gefahr laufe, die theuere Reli=
gionsfreiheit unter Sigismund's Scepter zu verlieren,
und wie sich dieser, durch seinen offnen Uebertritt zum
Katholicismus, nach den bestehenden Reichsgesetzen und
den letztwilligen Verfügungen Gustav des Ersten des
Rechtes auf den Thron verlustig gemacht habe. Man
beschloß die Entscheidung der Sache von einer all=
gemeinen Versammlung der Reichsstände abhängig
zu machen, zu größerer Sicherstellung hinsichtlich der
Religion aber eine Synode zu Upsala abzuhalten.
Während nun Karl in die Pläne seines Vaters,
Gustav des Ersten, eingehend, Freiheit der Reli=
gion und Anerkennung des protestantischen Bekenntnis=
ses eben sowohl, als Freiheit unter dem Gesetze in po=
litischen Angelegenheiten zu fördern suchte, fand die
Versammlung der Reichsräthe, Bischöfe, Geistlichen
und der Repräsentanten der übrigen Stände zu Up=
sala im November 1593 statt. Es wurde festge=
stellt, daß die augsburgische Confession und der
Katechismus Luther's die alleinige Richtschnur in Sa=
chen des Glaubens sein solle; Keiner, der sich nicht zu
ihr bekenne, sollte weder Würde noch Amt im Reiche be=
kleiden. Dieser Beschluß wurde von den Ständen des
Reichs bestätigt und Sigismund bekannt gemacht.
Diese Herstellung des Protestantismus konnte den Bei=
fall des katholischen Polenkönigs nicht finden. Er
protestirte gegen den Upsala=Beschluß, während
sich die Augen des Volkes auf den Statthalter des

Reichs, auf Karl, wendeten. Noch in demselben Jahre, 1593, kam Sigismund in Begleitung vieler seiner Confession ergebenen Theologen und des päpstlichen Nuntius Malaspina in Stockholm an. Ganz entgegengesetzt dem Beschluß von Upsala war seine Ansicht, weshalb ihm auch die Krönung verweigert wurde. Erst nachdem er diesen Beschluß anerkannt und bestätigt hatte, wurde er im Juni 1594 gekrönt, worauf er nach Polen zurückreiste, und die Verwaltung des Reichs in den Händen seines Onkels Karl ließ. Doch waren die Feindseligkeiten sowohl zwischen Sigismund und Karl, als auch zwischen den verschiedenen Ständen des Reichs keineswegs ausgeglichen.

In dieser Zeit innerer Unruhen und Stürme wurde zu Stockholm, am 9. December 1594, Gustav Adolph geboren. Herzog Karl, sein Vater, hatte sich zum zweiten Male, bereits im August 1592, mit Christine von Holstein vermählt. Immer mehr wurde Herzog Karl in der Erreichung seiner auf Religionsfreiheit und das Wohl des Landes berechneten Absichten durch den Reichsrath gestört, welcher ganz dem Einflusse Sigismund's ergeben war. Erst mit Gewalt erzwang Karl endlich die Versammlung der Stände zu Söderköping — October 1595. — Durch die Beschlüsse von Söderköping wurde das Ansehen Karl's bedeutend befestigt. Namentlich aber wußte er das Volk von nun an für immer an sich zu fesseln. Müde endlich der Hemmnisse, welche ihm der Reichsrath und Sigismund offen und heimlich entgegensetzten, erklärte Karl, am 2. November 1596, er

wolle abbanken, aber die Regierung in die Hände der
Stände niederlegen. Dieselben wurden deßhalb zu einer Versammlung nach Arboga, auf den 13. Januar 1597, einberufen. Von allen Seiten her, namentlich aber aus dem Volke, ließen sich Stimmen
gegen die Abbankung Karl's vernehmen. Ungeachtet
des Verbotes Sigismund's und des Reichsrathes
kam die Ständeversammlung zu Arboga zu Stande,
auf welcher die Beschlüsse von Söderköping bestätigt wurden, und Karl die Regierung wieder übernahm.
Die meisten Reichsräthe flohen aus dem Lande zu Sigismund. Sigismund glaubte nun auch andere Maßregeln
ergreifen zu müssen, und landete am 30. Juli 1598
in Schweden, begleitet von polnischen Truppen. Es
kam zwischen Karl und Sigismund zu Unterhandlungen, und endlich zum offenen Kampf. Am 25. September 1598 wurde das Heer Sigismund's in der
Schlacht von Stångebro geschlagen. Am 28. September wurde ein Vergleich abgeschlossen und festgesetzt, daß die Regierung an Sigismund übergeben werden sollte, sobald er die Beschlüsse von Söderköping
bestätige. Hierauf segelte er ab und kam nach Danzig.
Somit hatte Sigismund sich eigentlich schon seiner Ansprüche auf den Thron begeben. Eine Ständeversammlung zu Stockholm, 24. Juli 1599, machte
ihm bekannt, daß, wenn er nicht seinen Sohn Wladislaus nach Schweden schicke, um in der evangelischen Lehre erzogen zu werden, sein ganzes Haus auf
immer des Rechts auf Schwedens Krone verlustig sei.

Zugleich wurde Herzog Karl wiederholt zum regierenden Erbfürsten erklärt.

König Karl IX.

Obschon Karl erst im Jahre 1604 die Krone annahm, so ist er doch von jetzt schon als selbstständiger
Fürst zu betrachten und in der Geschichte vorzuführen.
Sigismund hatte noch Plätze in Schweden, die
ihm treu geblieben waren, er forderte die Befehlshaber derselben auf, sich gegen jede Gewalt zu vertheidigen. Bei allen Fürsten Europas verbreitete er die
heftigsten Schmähschriften gegen seinen Onkel Karl.
Die Plätze in Schweden, die noch in Sigismund's
Händen waren, wurden bald erkämpft, wie Calmar
1599; eben so eroberte Karl in demselben Jahre
Finnland.

Blutige, nicht zu billigende Abrechnung hielt Karl
mit seinen Gegnern aus dem Reichsrathe. Auf dem
Reichstage zu Linköping, Mai 1600, ward das Urtheil gesprochen, welches Vielen, ohne Ansehung des
Standes, den Tod brachte. Karl hatte dabei allerdings nur die Absicht, endlich dem Parteienkampfe zum
Wohle des Landes ein Ende zu machen, und die durch
Gustav Wasa dem Throne errungenen Rechte zu
sichern. Doch war weder Karl noch dem Lande Ruhe
verliehen. Im Jahre 1600 und 1601 führte Karl einen anfangs glücklichen, am Ende aber ihm nachtheiligen Krieg in Liefland. Im folgenden Jahre begab
er sich wieder nach Finnland, wo er Unordnung und

das tieffte Elend des Landvolkes vorfand. Daheim aber wüthete Hungersnoth und pestartige Seuche.

Endlich im Jahre 1604 nahm, durch die Stände und ihre Bitten veranlaßt, Karl die Krone an, als auserwählter König und Erbfürst der Schweden, Gothen und Wenden. Gustav Adolph wurde als Kronprinz anerkannt. Im Jahre 1607 erfolgte mit aller Pracht die feierliche Krönung in Upsala. Die noch übrige Zeit seiner Regierung mußte König Karl faft in ununterbrochenen Kriegen verbringen, welche das ermüdete Land nicht wenig drückten. Der Kampf in Liefland gegen Polen dauerte fort (1605). Auch wurde Schweden in einen Krieg mit Rußland verwickelt, wozu die dort herrschenden Erb-ftreitigkeiten Anlaß gaben. Im Jahre 1611 kam noch ein Krieg mit Dänemark hinzu, dessen Ausgang, so wie auch das Ende der vorher erwähnten Kriege, Karl nicht erleben sollte. Er starb am 30. October 1611, indem er vertrauensvoll die Beseitigung aller inneren und äußeren Zerwürfnisse seinem Sohne Gustav Adolph überließ, dessen künftige Größe er mit pro-phetischem Auge längst erschaut zu haben scheint.

Zweiter Abschnitt.

Gustav Adolph bis zu seinem Regierungsantritt
am 13. December 1611.

Gustav Adolph's Jugend.

Inmitten der größten Zerwürfnisse und Bedräng-
nisse des Reichs, ward Gustav Adolph, wie wir
bereits oben erwähnt *), am 9 December 1594 auf
dem Schloße zu Stockholm geboren. Seines Vaters
Karl, Herzog von Südermannland und Erbfürsten
des Reiches, ist bereits genugsam Erwähnung gethan
worden. Seine Mutter, die zweite Gemahlin Karl's,
war Christine, Tochter des Herzog Adolph von
Schleswig-Holstein. Die herrlichsten Anlagen
des Geistes und Herzens waren Gustav Adolph zu
Theil geworden; und damit ihrer Entwickelung sich
nichts entgegenstellen konnte, hatte ihm die Natur einen kräftigen Körper verliehen, dessen Anmuth das königliche Kind schon in früher Jugend zu einem Gegenstande bewundernder Liebe machte. Die Güte seines Herzens, der Scharfsinn seines Geistes, der innere,
wahrhaft königliche Adel seiner Seele that sich schon früh
kund. Die Entwickelung seiner seltenen Anlagen berechtigte bald zu den schönsten und größten Hoffnungen.

---

*) Vergl. S. 24.

Wenn der greise König Karl, in Berathung mit seinen Räthen, an der Ausführung irgend eines Planes
zweifelte, weil die Schwierigkeiten sich zu groß herausstellten, so legte er ruhigen Auges seine Hand auf
das Haupt Gustav's und sprach, mit weissagendem
Blick in die Zukunft schauend: „Dieser wird es ausführen." Die Geschichte hat uns einige Züge aus der ersten
Jugend Gustav's aufbewahrt, die, so unbedeutend sie auch
scheinen mögen, doch tiefe Blicke in sein Inneres thun
lassen. Wir wollen sie daher auch dem Leser nicht vorenthalten. In seinem siebenten Jahre war er einmal in der
Nähe der schwedischen Flotte im Hafen zu Calmar.
Ein Officier fragte ihn, welches Schiff ihm am besten
gefalle? „Dieses da," antwortete Gustav, und zeigte
auf den „schwarzen Ritter," das größte Schiff im Hafen. Auf die Frage, warum er dieses den andern
vorzöge, war seine Antwort: „Weil es die meisten Kanonen hat." — Ein Bauer aus Oeland brachte ihm
eines Tages eins von den kleinen, niedlichen Pferden,
die dort angetroffen werden. „Ich werde euch das
Pferd bezahlen," sprach der Prinz, „denn ihr braucht
Geld, und könnt es nicht verschenken." Und als er
dieses gesprochen, zog er einen kleinen Beutel mit Ducaten
hervor, und schüttete sie in die Hand des erstaunten Land-
mannes. Ein andermal ging er mit seinem Vater auf den
Wiesen bei Niköping spazieren. Herzog Karl ließ den
Prinzen sich ein wenig auslaufen, der, seine Freiheit
benutzend, einem Gebüsche zueilte. Man wollte ihn
durch den Vorwand, daß sich dort große Schlangen
befänden, davon abhalten. „So gebt mir einen Stock,"

rief Guſtav, „damit ich ſie tödten kann." Lächelnd ſagte Karl zu ſeiner Umgebung: „Ihr glaubtet, der Knabe würde ſich fürchten; allein ich kann euch verſichern, daß er nichts von Furcht weiß." Auf ſeinem Zuge nach Finnland hatte Herzog Karl ſeine Gemahlin und den ſechsjährigen Prinzen mitgenommen. Eines Morgens war das Schiff im Hafen eingefroren, und der junge Prinz machte ohne alle Beſchwerde den Zug über das Eis an's feſte Land mit. Sobald Guſtav Adolph die Jahre der erſten Kindheit überſchritten hatte, vertraute König Karl die Erziehung und Ausbildung des Prinzen zwei Männern an, welche die ungemeine Wichtigkeit dieſes Geſchäftes eben ſo erkannten, wie ſie derſelben in jeder Hinſicht auch gewachſen waren. Es waren dieſes der vielgereiſte und hochgebildete Hofmarſchall Otto von Mörner, als Hofmeiſter, und Johann Skytte, Secretair in der Reichskanzelei, einer der gelehrteſten Männer ſeiner Zeit. Guſtav Adolph erhob ihn ſpäter, in dankbarer Anerkennung ſeiner Verdienſte um ihn, zur Würde eines Reichsrathes. Skytte und der Kanzler Axel Orenſtierna wurden die vertrauteſten Miniſter Guſtav's. Von dem ernſten, kriegeriſch-muthigen Charakter Karl's ließ es ſich kaum anders erwarten, als daß er ſeinem Sohne nicht eine ernſte Erziehung hätte geben laſſen ſollen. Auch theilte dieſe Anſicht ſeine Gemahlin Chriſtine, die eben ſo ſchön und anmuthig an Geſtalt, als edlen und hohen Sinnes war. Guſtav Adolph wurde ernſt, faſt ſtreng, und früh zur Thätigkeit, Mäßigkeit in jeder Hinſicht, zur Tugend und

Männlichkeit erzogen. Skytte unterrichtete den Prinzen vorzugsweise in den Sprachen und in der Geschichte
seines Landes. Bereits in seinem zwölften Jahre hatte
Gustav sich Kenntnisse in der lateinischen und den vorzüglich-
sten neueren Sprachen erworben, welche Bewunderung er-
regten. Frühzeitig machte Karl seinen Sohn mit seinem
künftigen hohen Berufe bekannt. Schon vor seinem
zehnten Jahre wohnte Gustav den allgemeinen Bera-
thungen bei und hörte dieselben mit an. Auch wurde
er zu den Audienzen von seinem Vater gezogen, oder
zu den Besprechungen, wenn Gesandtschaften zugegen
waren, und bald forderte ihn Karl auf, Antwort zu
ertheilen, um ihn früh mit der Behandlung der Geschäfte bekannt zu machen.

Die damaligen Kriegszustände führten häufig die
Anwesenheit fremder Officiere herbei. Nicht selten war
der Hof Karl's von deutschen, französischen, englischen,
niederländischen, italiänischen und spanischen Kriegs-
männern besucht. Diese veranlaßte der König, sich
dem Prinzen zu nähern, dessen Wißbegierde in den
Gesprächen über andere Völker, Kriege, Schlachten,
zu Land und zur See, volle Befriedigung fand. Natürlich wurde die Neigung des Prinzen zu einem tha-
tenreichen Leben dadurch noch mehr angefacht. Nächst-
dem aber beschäftigte er sich auch früh mit den
Kriegswissenschaften auf die ernsteste Weise, wozu ihm
der berühmte Feldherr Jakob de la Gardie Anleitung gab.

Im funfzehnten Jahre wurde Gustav Adolph von
seinem Vater zum Großfürst von Finnland, zum Herzog von Estland und Westmanland ernannt; zugleich

erhielt er die Stadt Westerås in Besitz und den größeren Theil von Westmanland.

Wie sehr die Erziehung Gustav's dem König Karl
am Herzen lag, davon giebt einen schönen Beweis
sein: „Gedenkzettel für meinen Sohn Gustav Adolph,"
in dem es unter anderem hieß: „Vor Allem fürchte
Gott, ehre Vater und Mutter, beweise deinen Ge-
schwistern brüderliche Liebe; liebe die treuen Diener
deines Vaters; belohne sie nach Gebühr, sei gnädig
gegen deine Unterthanen, strafe das Böse, liebe das
Gute und Milde, trau' Allen wohl, doch nach Maß-
gabe, und lerne erst die Person kennen; halte über
dem Gesetz ohne Ansehen der Person; kränke keines
Mannes wohlerworbene Privilegien, insoweit sie mit
dem Gesetz übereinkommen; schmälere deinen fürstlichen
Unterhalt nicht, oder nur mit der Bedingung, daß die,
denen es zu gute kommt, mögen dessen eingedenk sein,
woher sie es bekommen haben."

Goldene Worte eines Fürsten an seinen Sohn! —
So erzog König Karl seinen Gustav. Von der größten Wichtigkeit war vorzüglich die bereits erwähnte
frühe Theilnahme an den Regierungsangelegenheiten.
Abgesehen davon, daß Gustav früh in den Geschäfts-
gang eingeweiht wurde, und die Zustände des Landes
nach innen und außen kennen lernte, wurde er auf
diese Weise dem Volke frühzeitig bekannt. Er wuchs,
im eigentlichen Sinne des Wortes, unter den Augen des Volkes auf, welches mit Stolz und Freude
auf die Entwickelung ihres künftigen Fürsten blickte,
auf den allein die Hoffnung Aller sich stützte.

Als Gustav kaum das vierzehnte Jahr überschritten hatte, empfing er am 12. Juli 1608 von seinem
Vater einen Brief, in dem es heißt: „Sei denen ge-
wogen, die deine Hülfe suchen, so daß du sie nicht
trostlos von dir gehen läßt; versäume nicht, wenn
Jemand dir eine gegründete Klage zu erkennen giebt,
daß du sie anhörest und Uns sie vernehmen lassest, und
so viel auf dir beruht, jedem zu seinem Rechte verhel-
fest, und solches fleißig betreibst bei unsern Statthal-
tern, Voigten und Beamten, so wird dir Glück mit
Gottes Hülfe."

Nicht nur in seinem eigenen Herzogthum besorgte
Gustav Adolph in dieser Jugend schon die Regierungs-
geschäfte selbst, sondern auch überhaupt im Dienst für
den König.

Als im Jahre 1611 der Krieg mit Dänemark
ausgebrochen war (vergl. S. 27), erklärte König Karl
am 24. April auf dem Reichstage seinen Sohn Gustav Adolph nach der Väter Sitte für tüchtig, das
Schwert zu tragen, welches ihm auf feierliche und
prachtvolle Weise übergeben wurde. Und er hat ihm
Ehre gemacht! In dem neu ausgebrochenen Kriege
mit den Dänen übergab Karl seinem Sohne ein kleines Corps zu eigner Anführung. Er wohnte mit demselben allen Vorfällen des Feldzuges bei, oft dieselben
leitend. Gustav nahm den Dänen die Insel Oeland
wieder und gewann durch List und Muth die Stadt
Christianopel. Die Besatzung dieser Stadt hoffte,
wie Gustav erfahren hatte, auf Verstärkung. Gustav
ließ 500 seiner Reiter dänische Uniformen anziehen,

3

näherte sich Nachts der Stadt, die Thore werden geöffnet und Gustav dringt mit seinen Schweden in die Stadt und bemächtigt sich der Festung. Doch gerieth Gustav schon bei dieser ersten Kriegsthat durch seinen Muth in die größte Lebensgefahr. Er hatte Schweden den wichtigsten Waffenplatz der Dänen wieder erobert. Von der weiteren Verfolgung seines Sieges riefen ihn die Nachrichten der gefährlichen Erkrankung seines Vaters ab.

Es ist jetzt wieder Zeit, noch einen Blick in die Familienverhältnisse und Gesetze des Hauses Wasa zu werfen.

König Johann hatte außer seinem Sohn Sigismund noch einen zweiten Sohn aus der Ehe mit Gunnila Bielle (vergl. S. 21) hinterlassen, Johann, Herzog von Ostgothland. Dem Erbvertrage zufolge hatte dieser Prinz allerdings die nächste Anwartschaft auf die Krone. Allein er hatte bereits, bevor Herzog Karl 1604 die Krone annahm, durch den Norköpingischen Erbvertrag, auf den Thron verzichtet. Einige Jahre später bot ihm Karl die Krone von Neuem an, die er jedoch abermals ausschlug. So ging nun nach Karl's Tode ganz folgerecht und gesetzlich das Recht der Nachfolge auf Gustav Adolph über.

Karl hatte alle seine Pflichten gegen den jungen Herzog auf das Heiligste erfüllt. Er wurde mit der größten Liebe von ihm behandelt und mit Gustav Adolph zugleich erzogen. Später, 1613, verehlichte er sich aus wahrhafter Liebe und Neigung mit dessen Schwester Maria Elisabeth.

Ungeachtet der wiederholten Verzichtleistung Her= zog Johann's auf die Krone Schwedens, hatte doch König Karl in seinem Testamente den Ständen des Reichs die Wahl zwischen Johann und Gustav Adolph gelassen. „Johann soll die Krone erben" — sagt er in seiner letzten Verfügung — „es sei denn, daß die Stände des Reichs sich auf keine Weise von ihren gefaßten Beschlüssen abbringen lassen."

Eine anderweite letztwillige Verfügung betraf den Regierungsantritt Gustav Adolph's. Durch den schon erwähnten Norköpinger Erbvertrag war die Volljäh= rigkeit des Erbprinzen auf das 24. Jahr festgesetzt. Wie sehr nun auch König Karl seinen Gustav liebte, und dessen ausgezeichnete, bereits hinlänglich erprobte Herrscherkraft anerkannte, so bestimmte er doch in sei= nem Testament, daß „die Königin Wittwe nebst Her= zog Johann und sechs Reichsräthen die Regentschaft bis zu Gustav's Volljährigkeit führen sollten."

Gustav Adoph wurde, um in der Erzählung wei= ter fortzufahren, in seinem Siegeslaufe nach der Erobe= rung von Christianopel durch die Nachricht von der Erkrankung seines Vaters unterbrochen. Er eilte so= fort nach Norköping, wo er König Karl's Leben verlöschen sah, am 30. October 1611.

Noch auf seinem Sterbelager erhielt Karl die Nachricht, daß Jakob de la Gardie in Rußland be= deutende Vortheile erkämpft habe, in Folge derer die Russen beschlossen hätten, Karl's jüngsten Sohn, Karl Philipp als Großfürst anzuerkennen. Fast mit bre= chendem Auge antwortete Karl: „Um irdische Dinge

3*

kümmere ich mich nicht mehr; diese lasse ich in besseren
Händen" — und deutete mit dem letzten Blick der Liebe
auf Gustav Adolph.

Gustav Adolph's Regierungsantritt.

Nach König Karl's Tode übernahm, seiner Verfügung gemäß, die Königin Wittwe und Herzog Johann im Verein mit sechs Reichsräthen die Regierung.
Es wurde sofort ein Reichstag nach Nyköping ausgeschrieben, welcher am 10. December eröffnet wurde.

Die eingesetzte Regentschaft sowohl, als die Stände
des Reiches sahen unter den vorliegenden so ungünstigen Umständen — wo im Innern noch Parteiwuth
glühete, nach Außen aber nicht geringe Kämpfe zu bestehen waren, ja der Feind von den Grenzen des Reiches
abgehalten werden mußte — wohl ein, daß die Zügel
der Regierung nur einer und zwar einer kräftigen
Hand anvertraut werden müßten.

Die Königin Wittwe und Herzog Johann ent-
sagten am 17. December der Vormundschaft und Regierung, die sie Gustav Adolph übertrugen. Die
Stände bestätigten die Erklärung seiner Volljährigkeit.
Am 26. December nahm Gustav Adolph in Gegenwart der Stände die ihm übertragene Regierung an,
als „Auserwählter König und Erbfürst der Schweden,
Gothen und Wenden." Einen Monat vorher hatte er
sein achtzehntes Jahr angetreten.

Gustav Adolph gelobte bei der Uebernahme der
Krone „das Reich in der evangelischen Religion

und dem bestehenden Glaubensbekenntnisse zu erhalten;
die Ausübung einer andern Religion sollte weder öffentlich noch heimlich gestattet werden; Allen, die nicht
dem evangelischen Bekenntnisse zugethan seien, sollte nur
der Aufenthalt im Lande gestattet, nie ihnen aber ein
Amt übertragen werden. Ferner versprach Gustav, alle
Stände, besonders den Adel, in Ehren zu halten und
ihre Privilegien zu schützen, ohne Einwilligung des
Reichsrathes und der Stände kein Gesetz abzuschaffen
oder einzuführen, keinen Krieg anzufangen, keinen Frieden oder Bündniß zu schließen, und keine Steuern aus-
zuschreiben.

Nachdem Gustav Adolph, diese und andere Stücke
der Verfassung — durch welche die Stände, namentlich der Adel, jedem Uebergriff in ihre Rechte vor-
beugen wollten — beschworen hatte, erfolgte die allgemeine Huldigung des neuen Herrschers. Die Krönung blieb auf ruhigere Tage ausgesetzt und erfolgte
erst sechs Jahre später.

Bevor wir in der Darstellung der Geschichte Gustav
Adolph's weiter gehen, dürfte es nicht unangemessen
sein, wenigstens in einigen Zügen ein Bild von der
Lage der Dinge und den Zuständen des Landes zu entwerfen, dessen Krone das jugendliche Haupt
Gustav's schmückte. Was der große König fast zwanzig Jahre später in Deutschland und für Deutschland
that, die Klarheit seines Blickes auch in die dunkel-
sten Verhältnisse, sein Heldenmuth und seine Festigkeit
auch in der größten Gefahr, sein unerschütterliches
Vertrauen zu dem himmlischen Lenker aller irdischen

Dinge, kurz Alles, was Gustav Adolph so groß und unsterblich machte — erwarb er sich in den Kämpfen für sein Vaterland, in der Entwirrung der Verhält=nisse Schwedens. Die ersten achtzehn Jahre seiner Regierung sind, nächst seiner natürlichen Befähigung und Erziehung, der Grund und Boden, aus dem die spätern Thaten ersproßten, durch welche er das Staunen der Mitwelt und den Segen der Nachwelt erndtete.

Unter den schwierigsten Verhältnissen bestieg Gu=stav Adolph den nicht blutfreien väterlichen Thron. Seit der Wiederherstellung Schwedens durch Gustav den Ersten, seit länger als einem halben Jahrhundert hatte Schweden des Friedens sich nicht erfreuen kön=nen. Nach Gustav Wasa's Tode herrschte im Innern des Reiches Unruhe und Kampf jeder Art. Der feind=selige Bruderzwist, der Kampf zwischen den Ständen und der Krone, der Kampf um den Glauben — wie viel Blut hatten sie gekostet!

Kein Wunder, wenn sich das Land in den Zu=ständen der größten Erschöpfung befand. Es ist That=sache, daß Gustav Adolph, kurz vor seiner Thronbe=steigung, einem Lieferanten der Armee nicht 18 Tha=ler baar auszuzahlen im Stande war, sondern die Schuld durch eine Anweisung decken mußte. Die Städte waren in die größte Armuth versunken, und konnten kaum noch die geringen monatlichen Geldver=willigungen aufbringen, welche für Stockholm z. B. nur 175 Thlr., für Upsala 28 Thlr. 2c. betrugen. Obgleich Schweden durch seine Verfassung nach und nach fast ein Militärstaat geworden war, so mußten

doch die unausgesetzten Kriege das an Menschen nicht
überreiche Land ungemein drücken.

Und Gustav Adolph erhielt als Erbe von seinem
Vater die Fortsetzung dreier Kriege. In dem Kriege
mit Dänemark mußte Gustav seine Krone erst auf
schwedischem Boden erobern. Zu gleicher Zeit kämpfte
ein schwedisches Heer in Liefland gegen die Russen.
Der unversöhnlichste aller Feinde aber war Sigismund,
König von Polen. Und durch diese Kämpfe sollte Gustav Adolph, bei so geschwächten und der Uebermacht
seiner Feinde keineswegs gewachsenen Kräften, gehen,
um der Erretter Deutschlands zu werden!

Theils dieser sichtbare und von ihm wenigstens
nicht herbeigeführte Nothstand, in welchem sich Gustav
Adolph befand, noch mehr aber die Milde und Weisheit, die man längst an ihm erkannt hatte, erwarb
ihm die Theilnahme und Liebe des Volkes, welches
fortan auch die härtesten Opfer nicht scheute, um sie
in die Hand ihres jugendlichen Heldenkönigs niederzulegen.

Eine der ersten Handlungen Gustav's als König
war die Erwählung Axel Orenstierna's zu seinem ersten Minister. Der Kanzler Orenstierna war
zwar erst 28 Jahr alt, aber geprüft an Einsicht und
Weisheit. Ihm am nächsten, doch nicht gleich an Einfluß, stand dem König sein früherer Lehrer, Johann
Skytte.

Dritter Abschnitt.

Gustav Adolph bis zum Frieden zu Stolbowa, am
27. Februar 1617.

Der dänische Krieg.

Alle Versuche Gustav's nach seinem Regierungsantritt sofort mit Dänemark, auch unter drückenden
Bedingungen Frieden, zu schließen, waren vergebens.
Die Forderungen Dänemarks waren zu überspannt, als
daß sie hätten mit Ehre angenommen werden können.

Gustav Adolph rüstete sich zum Krieg. Alle
Stände eiferten, sich in den Opfern, die sie zur Füh-
rung des Krieges freiwillig brachten, zu überbieten.
Von dem hohen Staatsbeamten an, welcher seine Kost-
barkeiten brachte, bis zu dem Geringsten herab war
Keiner, der dem König sich nicht bereitwillig erwies.

Gustav eröffnete den Feldzug im Jahr 1612 mit
einem Einfall in die dänische Provinz Schoonen, die
er zwar eroberte, aber auf dem Rückzuge von der dänischen Uebermacht überfallen wurde. Am 11. Februar
fand eine für Gustav unglückliche Schlacht statt, in
welcher er sein in höchster Gefahr schwebendes Leben
nur dem Muthe zweier seiner Getreuen zu verdanken hatte.

Im Sommer desselben Jahres, 1612, rüsteten sich beide Theile zu neuem Kampfe. Schweden konnte, bei seinen Kämpfen mit Rußland und Polen, dem Feinde nicht gleiche Macht entgegenstellen. Besonders drohend erschien die mächtige dänische Flotte, welcher Gustav Adolph die seinige kaum entgegenzuführen wagen durfte. Die dänische Armee war in zwei Hauptabtheilungen eingerückt; die eine unter König Christian selbst, die andere unter seinem Feldmarschall Gerd Ranzon. Die wichtige Festung Elfsborg mußte am 24. Mai capituliren; eben so am 1. Juni Gullberg. Eine große Menge Waffen und Vorräthe fielen in dänische Hand. König Christian zog sich zwar bald, durch Hunger und Seuche veranlaßt, zurück; desto ärger aber wüthete Ranzon, gegen den sich nun Gustav Adolph kehrte. Einen entscheidenden Kampf konnte er mit seinen geringen Kräften nicht wagen Sein scharfer Blick fand das rechte Mittel. Der kleine Krieg war es, durch welchen er, zunächst mit Hülfe des Bauernstandes, die großen Pläne des Feindes zerstörte. Ranzon zog sich bei Annäherung Gustav's übereilt und mit großem Verluste zurück, und auch König Christian begab sich in die Grenzen seines Gebietes. Nun wollte er durch seine Flotte ausrichten, was ihm durch die Landarmee nicht gelungen war. Mit mehr als 30 Segeln näherte er sich, im September, Stockholm, und verbreitete Schrecken in der Hauptstadt und dem ganzen Lande. Gustav eilt mit Blitzesschnelle herbei; bietet alles auf, was waffenfähig ist und stellt sich dem Feinde auf der Seeküste entgegen. Doch die

Dänen, welche ihren Plan durch Gustav's Ankunft vereitelt sahen, waren bereits wieder abgesegelt.

Schweden mußte bei dem Zustande seiner Erschöpfung Frieden wünschen, wenn die Bedingungen nur irgend ehrenvoll wären; auch Christian von Dänemark hatte gute Gründe, aus denen er den Krieg abgebrochen sehen mochte. Auswärtige Mächte waren bereits vermittelnd eingetreten, und so geschah es, daß Unterhandlungen angeknüpft wurden, welche am 18. Januar 1613 mit dem Frieden zu Knäröd endigten. Schweden mußte große Opfer bringen, namentlich durch eine große Ausgleichungssumme für die festen Plätze Calmar und Elfsborg, die es ohne Schmach und Nachtheil nicht in den Händen der Dänen lassen durfte.

Wenn schon dieser Krieg mit Dänemark für Schweden keinen günstigen Ausgang hatte, so blieb doch Gustav Adolph das Verdienst unbestritten, unter den vorliegenden höchst ungünstigen Verhältnissen, dem Glücke noch die meiste Gunst abgezwungen zu haben. Sein persönlicher Muth, seine Umsicht, sein sichrer scharfer Blick gaben sich überall kund, und ließen errathen, was er unter besseren Verhältnissen leisten würde. Und diesen Erwartungen fehlte der Erfolg nicht; denn glänzender sollte Gustav's Stern in dem nun folgenden Kampfe mit Rußland aufgehen.

Ebba Brahe.

Bevor wir in der Darstellung der ernsten Kriegsbegebenheiten fortfahren, wollen wir nicht unterlassen,
auch der ersten Liebe Gustav's zu erwähnen, um keinen Zug in dem Gemälde unseres Helden zu vergessen, namentlich da das Aufflammen dieses rein menschlichen Gefühles seinem Herzen wiederum zum Ruhme
gereicht.

Gustav Adolph, mit dem hohen Schwunge seines
Geistes, begabt mit jener schöpferischen Kraft der Phan-
tasie, die allen Geistern höheren Adels eigen ist, zugänglich für jedes menschliche Gefühl — konnte in den
schönsten Blüthenjahren seines Lebens nicht von jener
Leidenschaft unberührt bleiben, die ihrem Ursprunge
nach eben so rein und menschlich ist, wie jede andere
Herzensregung, und nur durch Zügellosigkeit sich zum
Unheil wendet.

Gustav sah am Hofe der Königin Mutter die
junge Gräfin Ebba Brahe, einer der ersten, selbst
dem königlichen Hause verwandten Familie angehörend,
und bald ergriff ihn eine heftige Leidenschaft zu derselben. Gustav Adolph's Liebe konnte nur auf einen ihr
würdigen Gegenstand fallen. Wenn die Züge des wun-
derlieblichen Gemäldes von Ebba Brahe im Lustschloß
Rosenberg bei Stockholm nicht lügen, so war dieselbe
wohl würdig, in dem Herzen des jugendlichen Heldenkönigs zu wohnen.

Gustav's Liebe blieb nicht unerwiedert; doch dürfte
Ebba's Liebe weniger der königliche Rang Gustav's

erweckt haben, als die rein menschlichen Vorzüge, welche Gustav in so großem Maaße besaß, und welche ihm Aller Herzen zuwandten.

Ebba Brahe's Ehre war Gustav heilig; er sah sie sehr selten und vermied sorgfältig Alles, was auch nur im Entferntesten Grund zu übler Nachrede hätte geben können. Für diesen Zwang entschädigten sich die Liebenden durch ihren Briefwechsel. Noch sind mehrere Briefe Gustav's vorhanden, die das schönste Zeugniß von seinem edlen, großen Herzen, seinem wahrhaft königlichen Rittersinn und zugleich von seiner einfach-kindlichen Gottesfurcht ablegen. Aus den Briefen Gustav's an seine Ebba geht ganz unzweideutig hervor, daß Gustav die ernstesten Absichten hatte, und Ebba Brahe, wie sie bereits sein Herz besaß, so auch den Thron mit ihm theilen sollte. Selbst auf dem sofort zu beschreibenden Kriegeszuge sandte er ihr mitten aus dem Kampfgetümmel süße Lieder seiner Liebe, wie er denn auch Freund von Musik und Gesang war, ja selbst trefflich auf der Laute spielte.

Der Königin Mutter Beifall hatte die Liebe Gustav's nicht; sie war ihrem maßlosen Stolze entgegen; auf Gustav selbst übte diese einen sehr bedeutenden Einfluß aus, da derselbe auch den geringsten Schein einer Verletzung seiner kindlichen Pflichten scheute. Gustav Adolph beschloß endlich, den Willen seiner Mutter zu vernehmen, und beauftragte zu diesem Zwecke den Herzog von Sachsen-Lauenburg*), mit der Königin

*) Es ist derselbe, den wir auf dem von Gustav's Blute getränkten Schlachtfelde bei Lützen in so falschem Lichte stehend

Mutter zu verhandeln. Obschon dieselbe der Verbindung Gustav's mit Ebba ganz entgegen war, so schien es ihr doch angemessen, dieses jetzt nicht kund zu geben. Sie billigte scheinbar Gustav's Liebe, erhob Ebba's Vorzüge und bat nur, ihr königlicher Sohn möchte, unter Berücksichtigung seiner Jugend und des noch durch Krieg zerrütteten Landes, die Verbindung noch einige Jahre aufschieben.

Gustav sah das Richtige der Gründe ein, und erkannte in der Verzögerung, wie er an seine Ebba schreibt, nur eine Gelegenheit, seine Standhaftigkeit zu beweisen. Wahrhaft rührend sind die Briefe, welche er in dieser Zeit an Ebba geschrieben hat, durch die immer und überall durchleuchtende Frömmigkeit Gustav's, durch welche er auch dieses Verhältniß verklärte und heiligte.

Kurz darauf zog Gustav in den Kampf gegen Rußland. Seine Liebe zu Ebba Brahe erlosch nicht, obschon ihn die Rücksichten, die er als Fürst seines Volkes zu nehmen hatte, und die großartigen Verhältnisse, in welche er bald verwickelt wurde, veranlaßten, seinen Entschluß, Ebba auf den Thron zu heben, aufzugeben.

Ebba wurde die Gemahlin des berühmten Feldherrn Jakob de la Gardie.

---

wieder finden. Er war der erste Verkündiger von Gustav's Liebe, und — von seinem Tode an Wallenstein!

De la Garbie schloß einen Vertrag mit der Provinz Nowgorod, zu Folge deffen ein schwedischer Prinz zum Großfürsten von Rußland gewählt werden sollte. König Karl erhielt, wie bereits (vergl. S. 37) gemeldet, diese Nachricht auf seinem Sterbelager.

Dieses war die Lage der Dinge, als Gustav Abolph den Thron bestieg. Im dänischen Kriege begriffen und unter weiser Beurtheilung der Verhältnisse, lehnte er das glänzende Anerbieten Rußlands sowohl für sich, als seinen Bruder ab, obgleich anfangs nicht offenkundig, denn am 18. Juni 1613 reiste Herzog Karl Philipp nach Wiborg zu neuen Unterhandlungen ab. Inzwischen aber setzten die Ruffen Michael Febrowitsch Romanow auf den Thron. Die Provinz Nowgorod war dieser Wahl, wenn auch nur scheinbar, noch nicht beigetreten, und suchte Karl Philipp immer noch zu veranlaffen, ihre auf ihn gefallene Wahl zu genehmigen. Jetzt schickte der neue Czaar Michael Truppen gegen sie, und de la Garbie, der vorher wieder große Vortheile erlangt hatte, und in den Besitz mehrerer festen Plätze gekommen war, fand sich in die Nothwendigkeit versetzt, Anstalten zur Vertheidigung gegen die Ruffen zu treffen. Die Feindseligkeiten waren ausgebrochen.

Zu Anfange des Jahres 1614 hatte Gustav einen Reichstag zu Oerebro zusammenberufen, auf dem er die Ansichten der Stände über den Krieg mit Polen und Rußland vernehmen wollte. Schon hatte sich die Meinung verbreitet, daß er aus Kampfeslust den Krieg nur des Krieges wegen führe. Gustav trat diesem

Vorurtheil in seiner Eröffnungsrede entgegen, und erklärte, daß er nur dann seine Ruhe vergessen, seine
Gesundheit, selbst sein Leben aufopfern werde, wenn es
sich darum handle, der Krone eine rechtmäßige Genugthuung zu verschaffen. Und dieser Fall fände jetzt Rußland gegenüber statt.

Die Stände erklärten, daß sie allerdings Frieden
oder dauernden Waffenstillstand wünschen müßten; zugleich aber auch gelobten sie, Gut und Blut einzusetzen,
wenn der Feind nicht das gewähren wolle, was Schweden nach Recht und Gesetz gebühre. Die Entscheidung
überließen sie des Königs höherer Weisheit.

Gustav Adolph rief nun sofort seinen Bruder
Karl Philipp aus Wiborg zurück, und setzte mit
seinem Heere nach Esthland über, wo er sich mit de
la Gardie vereinigte. Trotz des Mangels an den nö-
thigsten Bedürfnissen betrieb er die Kriegsrüstungen
eifrig. Am 14. Juli 1614 schlugen die Schweden die
Haupttheerabtheilung der Feinde, wodurch sie mehrere
feste Plätze gewannen, und am 10. September zog
Gustav Adolph mit Sturm gegen die Festung Augbow,
welche sich bald ergab. „Insonders danke ich seiner
göttlichen Allmacht" — schrieb er von hier aus an
Ebba Brahe — „die mir den Ruhm hat zukommen
lassen, daß ich in Eurer Gunst meine Feinde überwun-
den habe."

Gustav Adolph kehrte, auf die Vorstellungen
des Reichsrathes, in Begleitung de la Gardie's, nach
Schweden zurück, um den Feldzug im nächsten Jahre
fortzusetzen, wenn die Russen nicht durch seine Siege

4

zu den verlangten Friedensbedingungen vermocht werden sollten. Ewert Horn trat an de la Gardie's Stelle, und verbrachte den Winter mit der schwedischen Armee in Nowgorod.

Die Friedensunterhandlungen zerschlugen sich, und wir finden am 8. Juli 1615 Gustav Adolph in Begleitung de la Gardie's in Narwa. Er näherte sich sofort der wichtigen Stadt Pleskow und belagerte sie. Feldmarschall Ewert Horn blieb gleich beim ersten Ausfall der Russen, tief betrauert von seinem König. Die Belagerung ging langsam von statten; englische Friedensvermittler hatten neue Unterhandlungen eingeleitet, in Folge deren Gustav mit der Belagerung nicht fortfahren konnte, die er endlich, durch Krankheiten genöthigt, aufhob, und Ende Octobers nach Liefland und Finnland ging, wo er den Winter zubrachte. Endlich wurde am 27. Februar 1617 der Frieden zu Stolbowa geschlossen, welcher den zehnjährigen Kampf beendigte, unter Bedingungen, die für Schweden nur ehrenvoll und vortheilhaft waren. Außer Geldentschädigungen gewann Schweden neues Gebiet, namentlich wichtige Festungen, als Schutzmauer gegen Rußlands Einfälle. „Rußland" — sagt Gustav Adolph — „ist nun von der Ostsee ausgeschlossen und hoffe ich zu Gott, es wird den Russen von nun an schwer sein, über diesen Bach zu springen."

Der Grund und Boden, auf dem sich jetzt die stolze Czaarenstadt St. Petersburg erhebt, war durch den Frieden zu Stolbowa schwedisch geworden, und auf der Grenze erhob sich ein Denkstein mit den drei Kronen Schwedens und der Inschrift: „Hier hat der König von Schweden, Gustav Adolph, die Grenzen des Reiches gesetzt. Möge sein Werk, unter Gottes Obhut, von Dauer sein."

Obschon der Friede zwischen Schweden und Rußland in Zukunft nicht wieder gebrochen wurde, so unterließ doch Gustav nicht, stets mit wachsamem Auge Rußland zu beobachten. Durch den Frieden zu Stolbowa hatte Gustav Adolph die Blicke von ganz Europa auf sich gerichtet. Der Reichsrath, Johann Skytte, welcher 1617 als Gesandter nach Dänemark, Lübeck, den Niederlanden und England abging, berichtet heim: „daß er überall seines Königs Ruhm vernehme und sein Vaterland glücklich preisen müsse."

Vierter Abschnitt.

Zustände des Friedens. Die Krönung. Gustav Adolph's erste Reise nach Deutschland. Seine Vermählung.

Obschon es nicht in dem Zwecke unserer Schrift liegen kann, tiefer in die inneren Zustände Schwedens einzugehen, so können wir doch nicht umhin, einen Blick wenigstens auf dieselben zu werfen, um das hervorzuheben, was durch Gustav Adolph für die Wohlfahrt des Reiches geschah. Abgesehen davon, daß wir dadurch unsern Helden auch als Fürst des Friedens kennen lernen, so stehen manche von ihm getroffene Einrichtungen in ~~den innigsten~~ Beziehungen zu den Begebenheiten, welche wir im Folgenden zu erzählen haben.

Die Regierung Gustav Adolph's war in Hinsicht auf die inneren Zustände des Landes, auf Gewerbe, Handel, Gesetzgebung, Verwaltung und Erziehung von der segensreichsten Wichtigkeit.

Gustav suchte den bei seinem Regierungsantritt gesunkenen Handel zu heben, und Ausländer nach Schweden zu ziehen, wobei er weniger auf die Religion derselben, als auf ihren sittlichen Ruf Rücksicht nahm. Den fremden wie den eingeborenen Kaufleuten verlieh er bedeutende Vorrechte, wie zum Beispiel Be-

freiung berfelben, in den Seeftädten, von aller Ein=
quartierung. So errichtete er auch eine allgemeine
Handelsgefellfchaft auf Actien, welcher er große
Vorrechte bewilligte. Sie hob fich bald fo, daß
fpäter der fo wichtige Kupferhandel ganz in ihre
Hände kam.

Die Auflagen wurden durch Guftav gleich=
mäßiger vertheilt, und namentlich der Bauernftand
von mancher drückenden Laft befreit. Im Bereiche der
Rechtspflege nahm Guftav höchft wichtige und fe=
gensreiche Veränderungen vor, welche bezweckten, jede
Willkür zu verhindern, und die Dauer und Koften der
Proceffe zu verringern. Die Unabhängigkeit des
Richterftandes, welche Guftav herzuftellen fuchte, giebt
einen neuen Beweis, eben fo von feinem richtigen
Blick in das, was dem Volke noth thut, als von fei=
nem edlen Charakter.

Kirche und Schule hatte Guftav ftets im Auge,
und forgte für beide durch eben fo weife, als wohl=
thätige Einrichtungen. So verdankt ihm die Hoch=
fchule zu Upfala ihren fpätern Glanz. Guftav Adolph
ift auch der erfte Gründer der Gymnaften des
Reiches; das erfte Gymnaftum in Schweden gründete
er 1620 zu Wefterås, das zweite 1626 zu Strengnäs,
das dritte 1629 in Linköping, und in demfelben Jahre
das zweite Gymnafium in Finnland zu Abo. Die
Saat, welche Guftav auf diefem Boden ausftreute,
trug fpäter die fchönften Früchte, und Schweden hat
ihm in diefer Beziehung für alle Zeiten ungemein viel
zu danken.

Während des Kriegs mit Rußland, 1815, als Gustav nach Schweden zurückgekehrt war, erschien bei ihm eine Gesandtschaft der Universität Heidelberg, an deren Spitze Professor David Pareus stand, woraus hervorgeht, daß schon damals die Protestanten ihre Blicke nach dem Glaubenshelden im Norden geworfen hatten. Die unseligen Zwistigkeiten unter den Lutheranern und Reformirten hatten eine Höhe erreicht, die der kaum errungenen Glaubensfreiheit mehr Gefahr zu bringen drohete, als die Angriffe des römischen Kaisers. Vergebens waren alle Versuche zu einer Vermittelung, selbst von Seiten protestantischer Fürsten gewesen. Die Universität zu Heidelberg ersah endlich Gustav Adolph aus, das Werk der Vereinigung zu Stande zu bringen. So angenehm es auch Gustav sein mußte, daß die Protestanten in Deutschland seine Vermittlung in Anspruch nahmen, und ihm dadurch ein nicht geringes Ansehen zuerkannten, so begnügte er sich doch damit, die Gesandtschaft glänzend aufzunehmen, und mit Geschenken überhäuft zu entlassen. „Theologische Streitigkeiten getraue er sich nicht zu schlichten" — war seine Antwort — „wobei von jeher die Fürsten wenig Dank verdient hätten. Er sei zufrieden, die Wahrheit in den Quellen der Offenbarung zu suchen, und bitte zu Gott dem Herrn, daß es ihm gefallen möge, die Menschen durch Liebe zu vereinigen, weil dieses durch den Glauben, der zu dunkle Punkte umfasse, allein nicht geschehen könne."

Mit diesem Bescheide kehrte die Gesandtschaft wieder heim.

Zu derselben Zeit erging eine Aufforderung des Landgrafen von Hessen, Moritz, an Gustav Adolph, dem Bündnisse beizutreten, welches die Protestanten in Deutschland zu ihrer gemeinschaftlichen Vertheidigung schließen wollten. Gustav lehnte auch diese Einladung ab, da er zu Hause schon durch den russischen und polnischen Krieg in zu viele Händel verwickelt sei.

Die späteren Erfahrungen rechtfertigten Gustav's Ansicht von der Unentschiedenheit, dem Neide und der Gewinnsucht der deutschen Fürsten unter sich nur zu sehr. Als Glied des Bundes würde er jetzt wenig oder nichts gewirkt haben. Es fehlte dem Bunde jetzt, wie später, das Haupt, welches die einzelnen Kräfte und Bestrebungen einigte. Und dazu war er berufen.

Noch war an Gustav Adolph die feierliche Krönung nicht vollzogen worden. Jetzt, nach dem so ruhmvollen und glänzenden Schluß des Krieges mit Rußland, hielt es Gustav für angemessen, eine Ceremonie an sich vollziehen zu lassen, die zu jener Zeit, und namentlich in seinem Verhältnisse zu König Sigismund von Polen, nicht ohne Bedeutung war.

Am 26. August 1617 eröffnete Gustav den nach Stockholm berufenen Reichstag mit einer Rede, in welcher er die Vortheile des abgeschlossenen Friedens für Schweden auseinander setzte, pries den Allmächtigen, dessen Gnade alle diese Wohlthaten verliehen habe, und dankte den Unterthanen für ihren Eifer und ihre Treue.

Am folgenden Tage setzte Gustav Adolph die
Ursachen auseinander, weshalb ihm die Krönung jetzt
wünschenswerth sei, und berührte dabei mit Würde
und jener liebenswürdigen Bescheidenheit seine Verdienste um Reich und Volk.

Begleitet von seinem Hofe und den Ständen begab sich der König Gustav nach Upsala, wo die
Krönung unter den üblichen Feierlichkeiten an ihm
vollzogen wurde. Nachdem er dem Volke den Eid
geleistet, schwuren ihm zuerst die Erbfürsten, dann
die Reichsstände, worauf die Stände ihre Huldigung
leisteten.

Es kamen jetzt für Schweden einige Jahre der
Ruhe, die dem erschöpften Lande um so wohlthätiger
waren, je mehr sie Gustav benutzte, die weisesten Einrichtungen in der Verwaltung zu treffen. Besondere
Erwähnung verdient die im Jahre 1617 von Gustav
ausgegangene neue Reichstags-Ordnung, durch
welche der König nur der Krone das Recht, Vorschläge
zu machen, zuerkannte. Den Ständen war allerdings
ein großer Theil ihres bisherigen Einflusses genommen, doch rechtfertigen die bestehenden Verhältnisse
und der Erfolg Gustav's Maßregel vollkommen. Auch
der Reichsrath, welcher der königlichen Macht oft
hemmend in den Weg trat, erhielt in demselben Jahre
eine neue, zweckmäßigere Organisation, durch welche
dem König in allen Angelegenheiten die höchste Entscheidung zuerkannt wurde.

Gustav Adolph war durch diese Veränderungen
in der Verfassung der That nach allerdings ein

fast unumschränkter Herrscher und die noch bestehende Constitution wenig mehr, als nur Form. Doch lehrte die Zukunft, daß er die sich angeeignete Macht keineswegs zu mißbrauchen Willens gewesen war; nur unbeschränkt und unbeengt bei der Ausführung der großen Thaten wollte er sein, die wohl jetzt schon in seiner Seele keimten.

Einen vortrefflichen Eifer legte Gustav während der Friedensjahre noch in der Herstellung der schwedischen Seemacht an den Tag. Bald hatte er sie aus dem Zustande ihrer Unbedeutendheit soweit erhoben, daß sie im baltischen Meere den ersten Rang einnahm. Auch die Kriegswaffen erhielten wesentliche Verbesserungen. Gustav legte Waffenfabriken an, welche bald emporblüheten und dem Lande die großen Summen erhielten, die bisher in das Ausland gegangen waren.

Längst schon war Gustav Adolph von seinem Volke mit der Bitte angegangen worden, sich zu vermählen. Gustav beschloß jetzt, diese Bitten zu erfüllen. Die meisten Vortheile, in politischer Hinsicht, bot eine Verbindung mit Churbrandenburg dar. Für Gustav war aber eine Vermählung nicht blos eine Sache der Politik, sondern auch seines Herzens, welches für den Verlust von Ebba Brahe entschädigt sein wollte. Der Churfürst Johann Sigismund von Brandenburg hatte eine Tochter, deren Schönheit allgemeiner Gegenstand der Bewunderung war. Gustav's Agent in Berlin und die überschickten Gemälde strasten den Ruf von der Schönheit Marie,

Eleonoren's keineswegs Lügen. Gustav beschloß, sich in dieser so wichtigen Sache Ueberzeugung zu verschaffen, und reiste am 8. August 1619 in größter Stille nur von wenig Dienern begleitet nach Berlin ab. Unerkannt sah er Marie Eleonore und sein scharfer Blick ließ ihm ihren Werth sofort erkennen. Die Unterhandlungen wurden eröffnet und erfuhren keine besondern Schwierigkeiten. Gustav war bereits am 20. August wieder in Stockholm eingetroffen, und traf sofort die nöthigen Vorkehrungen zu seiner Vermählung.

Am 28. April 1620 reiste er, in Begleitung seines Schwagers, des Pfalzgrafen Johann Casimir, wieder nach Deutschland. Im strengsten Incognito kam er in Berlin an.

Es finden sich noch Bruchstücke aus einem Tagebuche vor, welches Gustav Adolph während dieser Reise führte. In mehr als einer Hinsicht ist es eben so anziehend, als den Character des großen Königs bezeichnend, Blicke in dieses Tagebuch zu thun, aus dem wir dem Leser einiges nicht vorenthalten möchten.

„Als ich in Berlin" — erzählt Gustav Adolph — „an einem Sonntage früh unerkannt ankam, ging ich in die Kirche, wo sich der Hof befand, und wo ich bereits den Prediger auf der Kanzel antraf. Ich mischte mich mitten unter die Cavaliere und Hofbediente, von denen mich jeder mit einer solchen Neugierde ansah, die genugsam zu erkennen gab, man möchte gern wissen, wer ich wäre. Ich setzte mich nieder, und hörte ruhig dem Prediger zu. Er sprach

über das Gleichniß vom reichen und armen Mann.
Im Eingange zeigte er, daß die Welt eine Art von
Schaubühne sei, auf welcher Jeder von uns seine
Rolle spiele, je nachdem sie ihm Gott ertheilt habe.
Er bewies solches mit den beiden im Gleichniß angeführten Personen, und ermahnte alle Christen, hierauf
aufmerksam zu sein, und auf der Schaubühne der
Welt ihre Rolle gut zu spielen, damit wir, wenn der
Tod den Vorhang herablasse und das Schauspiel ge-
endigt sei, von dem Herrn des Schauspiels — nämlich Gott — die Krone der Ehre, und von den Zu-
schauern — den Engeln und Heiligen — den Beifall, den die Gerechten verdienen, erhalten möchten.
Er theilte hierauf die Predigt in zwei Theile; im ersten untersuchte er die Natur des Lasters, das dem
reichen Manne Verdammniß zugezogen habe; im zweiten wollte er zeigen, wie das Betragen des Lazarus
beschaffen sei. Er verschob aber die Ausführung auf
ein andermal, weil ihm die Zeit nicht erlaube, seine
Betrachtung weiter fortzusetzen."

„Nach der Predigt wurden alle unnütze Personen
entlassen, und man führte mich in das Zimmer der
Churfürstin Mutter, die mich sehr gnädig empfing.
Von da wurde ich in das Zimmer des Herzogs von
Churland geleitet, wo meine Reise Gegenstand der
Unterhaltung war. Ich speiste mit der Churfürstlichen
Familie, und außer dem Herzog von Churland und
mir, war kein Fremder bei der Tafel. Ich saß zwi-
schen den beiden Churfürstinnen.".

Gustav lebte nun in Berlin dem Gegenstande

seiner Liebe, während sein Schwager, der Pfalzgraf, seine Reise nach der Rheinpfalz und Zweibrücken fortsetzte. Gustav hatte ihm versprochen, bald nachzukommen, und reiste auch nach einigen Wochen nach Heidelberg ab, wo er unerkannt ankam und verweilte.

Als Gustav bei seiner Anwesenheit in der Pfalz mit Bewunderung eine Menge schöner Landgüter erblickte, fragte er, wem sie angehörten. Man sagte ihm, daß sie meistens Geistlichen zu Besitzern hätten. „Wenn diese Priester unter mir ständen" — erwiderte er — „so würde ich sie schon längst gelehrt haben, daß Bescheidenheit, Demuth und Gehorsam den wesentlichen Character ihres Standes ausmache."

Bei seiner Durchreise durch Erfurt — erzählt Gustav selbst — habe er einem katholischen Priester einen Dukaten gegeben, um die Messe anzuhören, deren Ceremonien er kennen lernen wollte. Der Priester, fährt Gustav fort, habe ihm auch ohne allen Anstand für diesen geringen Preis alle Geheimnisse seiner Religion verkauft, woraus man die Gesinnung und die Sitten dieser Priester abnehmen möge.

Gustav trat von Heidelberg aus seine Rückreise nach Schweden an, und traf bereits Anfangs Juli 1620 wieder in Stockholm ein. Kurz darauf ging eine glänzende Gesandtschaft — der Reichskanzler Oxenstierna an der Spitze, nach Berlin ab, um den Ehecontract abzuschließen und die Königsbraut heimzuführen. Oxenstierna war von Gustav angewiesen, über Nebendinge, als Aussteuer ꝛc. keine Zeit zu verlieren, und lieber ein Opfer zu bringen. Schweben übernahm die reiche Ausstattung der königlichen Braut; die Flotte holte sie auf der deutschen Küste ab, und sie landete, in Begleitung ihrer Mutter und eines dürftigen Gefolges am 7. October 1620 in Colmar, wo sie Gustav empfing. Am 25. November war der prächtige Einzug in Stockholm; die Krönung der neuen Königin erfolgte im nächsten Jahre.

Die Ehe Gustav Adolph's ist in jeder Hinsicht eine sehr glückliche zu nennen. Er liebte Marie Eleonore mit aller Zärtlichkeit; diese aber, obschon nicht von jener geistigen Kraft und Fülle des Gemüthes begabt, hing an Gustav mit herzlicher, treuer Liebe, so daß sie auch eine kurze Abwesenheit von ihm kaum ertragen konnte, und ihm, wenn es irgend möglich war, nachreiste, wie wir sie denn auch in der Nähe des blutigen Schlachtfeldes, welches Gustav's Sterbelager sein sollte, finden werden.

Fünfter Abschnitt.

Der Krieg mit König Sigismund von Polen.

Wir begleiten nun Gustav Adolph in seinen Kampf gegen Polen, der ihn über zehn Jahre beschäftigte, und seine Talente als Feldherr zu der Höhe entwickelte, von welcher aus er später den gefeiertsten Kriegshelden der damaligen Zeit den Sieg aus den Händen und die wohlverdienten, wenn auch mit Blut befleckten Lorbeeren von der Stirn zu nehmen wußte.

Die Saat zu dem Kriege mit König Sigismund von Polen war schon vor Gustav Adolph's Geburt ausgestreut worden, wie wir bereits berichtet haben. Der Schauplatz des Krieges, welchen Schweden mit Polen vor Gustav geführt hatte, war Liefland gewesen. In schwedischer Hand waren die Hauptfestungen Reval, Narwa und Wittstein; in polnischer: Riga, Dünamünde und Kochenhausen.

Als König Karl von Schweden starb (vergl. S. 28.), dauerte der Waffenstillstand noch bis zum Juni des Jahres 1612; von da an wurde er bis 1. October 1613 verlängert, und endlich bis zum 20. Januar 1616. Jetzt fingen die Umtriebe Sigismund's wieder an. Ferdinand, später Kaiser, und König Phillipp III. von Spanien, waren seine Schwäger.

Diese wußte er dahin zu vermögen, daß sie alle schwedische Schiffe und Ladungen in spanischen Häfen und Fahrwassern für Kriegsbeute erklärten. Sigismund beschloß nun Schweden anzugreifen. Aus Deutschland wurde ein Heer erwartet; Spanien wollte eine Flotte schicken; die Stände Polens hatten Unterstützung zugesagt; die Hansestädte wurden ermahnt, alle Gemeinschaft mit Schweden abzubrechen. Schmähschriften gegen König Karl und Gustav Adolph wurden in Schweden verbreitet, das man zum Aufruhr zu bewegen suchte. Alle diese niedrigen Mittel wendete König Sigismund an, um den verhaßten Sohn des „Thronenräubers" zu stürzen. Aber, es fehlte ihm an Kraft zum Handeln. Er war nichts weniger, als Krieger. Durch Jesuiten geleitet, verbrachte er seine Zeit theils mit religiösen Beschäftigungen, theils mit Musik und Studien in der Alchymie und Goldmacherkunst, nach dem Geschmacke jener Zeit.

Gustav Adolph erklärte bereits den Ständen des Reiches auf demselben Reichstage, wo er den Frieden mit Rußland bekannt machte (vergl. S. 57.), die Nothwendigkeit, Rüstungen gegen Polen vorzunehmen. Sie wurden bewilligt; mittlerweile verlängerte Sigismund, durch andere Verhältnisse vom Krieg abgehalten, den Waffenstillstand wieder bis Michaelis 1620. Inzwischen aber wurden die Feindseligkeiten in Aestland nie ganz eingestellt, und die wichtigen Plätze wanderten aus einer Hand in die andere, wie denn auch Dünamünde in die Hände der Schweden gekommen war.

Nach Ablauf des letzten Waffenstillstandes ließ

Guſtav noch einmal den Verſuch machen, mit Sigismund zu unterhandeln, und ſtellte dabei die billigſten
Bedingungen. Dieſer aber gab keinen Vorſtellungen
Gehör, obgleich der Sultan Osmann II. ſo eben in
Begriff ſtand, Polen mit einem ungeheuren Heere anzugreifen.

Um ſich vor Europa zu rechtfertigen, deſſen Für
ſten in Guſtav Adolph drangen, Polen in dieſem
Augenblicke zu ſchonen, erklärte er nun nicht mehr
Sigismund, ſondern dem polniſchen Reichstage: „daß
er nur mit großem Schmerz jetzt, wo Polen den Erbfeind der Chriſtenheit bekämpfe, die Waffen ergreife;
daß er ſofort bereit ſei, ſie niederzulegen, wenn man
ſeine billigen Bedingungen eingehen wolle. Alles war
aber vergebens.

Jetzt beſchloß Guſtav nicht länger zu zögern. Er
verſammelt den Reichsrath, und weiſet die Nothwendigkeit nach, Krieg gegen einen unverſöhnlichen Feind
zu führen, der nichts Geringeres beabſichtige, als ihm
die Krone zu entreißen. Für die Zeit ſeiner Abweſenheit wurde eine Regentſchaft in Stockholm niedergeſetzt,
und Guſtav zog ſein ſchönes, wohlgerüſtetes und
kampfesluſtiges Heer, über 20,000 Mann, bei Elfsnaben
zuſammen. Hier fertigte er noch vor der Einſchiffung
ſeine Kriegsartikel aus, wodurch er dem Kriegsweſen eine ganz neue Organiſation gab, die ſich vor
allen andern damaliger Zeit auszeichnete, namentlich
durch den Geiſt des Geſetzes, der Sittlichkeit und Religioſität, der darinnen wohnte. Dieſer neuen Einrichtung, welche Guſtav als ſein Werk in's Leben rief,

verdankte er später manchen Sieg, manche Thräne des Dankes der von den Banditenschaaren Tilly's und Wallenstein's blutig gemißhandelten Bewohner Deutschlands.

Auf der Wiese von Arsta wurden dem versammelten Heere die neuen Kriegsartikel in Gegenwart des ganzen königlichen Hauses von dem Reichskanzler Orenstierna vorgelesen. Marie Eleonore, Gustav's Gemahlin, war durch den Abschied von ihm so angegriffen, daß sie an demselben Tage, wo er absegelte, am 24. Juli 1621, mit einer todten Tochter niederkam. Auf 158 Fahrzeugen erfolgte die Einschiffung. Schweden hatte nie eine schönere Flotte gesehen.

Um den Blick in diesen achtjährigen, durch Waffenstillstände oft unterbrochenen Kampf immer frei und sicher zu haben, lassen wir ihn in zwei Perioden oder Abschnitte zerfallen.

Die erste Periode umfaßt die Feldzüge von dem Jahre 1621 bis März 1626, deren Schauplatz Liefland, Kurland und Litthauen ist.

Mit dem 15. Juni 1626 beginnt die zweite Periode des Kriegs gegen Polen, der preußische Krieg, dessen Schauplatz die preußischen Provinzen waren, welche unter polnischer Lehnsherrschaft standen.

5

Die Feldzüge vom Jahre 1621 bis mit März 1626.

Die Ueberfahrt war nicht ganz günstig; die Schiffe wurden zerstreut; doch fanden sie sich wieder, und am 5. August stand Gustav Adolph mit seinem Heere vor Riga, der Hauptstadt Lieflands, der jede Hülfe von außen abgeschnitten war, da Gustav, im Besitz von Dünamünde, auch Herr des Stromes war, und die Flotte alle Zufuhr zur Stadt verhinderte.

Riga, die Hauptstadt von Liefland, in einer großen Ebene fast zwei Meilen von der Ausmündung der Düna in die Ostsee gelegen, schon seit langen Zeiten einer der wichtigsten Handelsplätze für den Norden, stand, mit Beibehaltung ihrer alten Rechte, unter polnischer Landeshoheit. Bereits 1566 war das Erzbisthum aufgehoben worden, nachdem der Rath und die Geistlichkeit sich dem lutherischen Bekenntnisse zugewendet hatten. Später mußte sich die Stadt von Polen Jesuiten aufdrängen lassen, welche ein Collegium bauten. Die Stadt war zu Gustav's Zeiten wohl befestigt, und mit hinreichenden Streitkräften versehen; auch fehlte es nicht an Eifer für Sigismund's Sache, der denselben aber nicht unterstützen konnte.

Gustav verschanzte sein Lager eine Stunde von der Stadt in vier Abtheilungen. Nachdem die anfangs angeknüpften Unterhandlungen ohne Erfolg blieben, begann am 13. August die Belagerung. Es war die erste von größerem Belagern, an der Gustav Theil nahm. Um so größer war auch seine Thätigkeit; er war überall, er legte überall mit Hand an's Werk; hier als Schanzgräber, dort als Ingenieur; bald war er sturmlaufender Soldat, bald gebietender Oberfeldherr. So arbeitete er Tag und Nacht, oft während des feindlichen Feuers mit, ohne seine Person im Geringsten zu schonen.

Nachdem alle Vorkehrungen zur Erstürmung der Stadt getroffen waren, ließ Gustav noch einigemal die Stadt zur Uebergabe auffordern. Vergebens; ja er wurde sogar mit Hohn abgewiesen. Von allen Verschanzungen aus wurde jetzt die Stadt beschossen, wodurch die Befestigungswerke derselben bedeutend litten. Die Bürgerschaft sowie die Besatzung vertheidigte sich mit der größten Tapferkeit, in Erwartung auf die Hülfe, die Sigismund versprochen hatte; auch dessen Feldherr Radziwill in Lithauen hatte seine Hülfe zugesagt, mußte sich aber vor den Schweden wieder zurückziehen.

Am 11. September waren die Festungswerke an drei Orten durch schwedische Bergleute untergraben; die Ableitung des Wassers aus den Gräben hatte begonnen, und Gustav beschloß nun einen allgemeinen Sturm, welcher die Stadt dem traurigsten Schicksale Preis geben mußte. Er ließ daher noch einmal zur Uebergabe auffordern, wozu sich der Rath nun verstand.

Am 16. September 1621 zog Gustav feierlich ein. Alle hatten Ursache, die Milde und Güte des Königs zu rühmen, ausgenommen die — Jesuiten, welche Befehl erhielten, innerhalb acht Tagen die Stadt zu verlassen, und bei Todesstrafe sich nicht wieder einzuschleichen.

5*

Ihre Güter wurden eingezogen, ihre Kirche den Protestanten zurückgegeben.

Gustav Adolph zog sich hierauf nach Kurland. Er
bemächtigte sich der Hauptstadt Mitau, in welche er
2000 Mann Besatzung unter Wrangel's Befehl legte.

Weitere Waffenthaten erlaubten die Verhältnisse
in diesem Jahre nicht. Krankheiten waren im Heere
ausgebrochen; Mangel an Lebensmitteln in dem wenig
bevölkerten Lande drückte auch, so daß Gustav einen
Waffenstillstand bis zum Sommer 1622 bewilligte, um
welchen Polen angesucht hatte. Gustav zog zufolge
dessen seine Besatzung aus Mitau, setzte Riga in guten Vertheidigungsstand, und kam im Januar 1622
wieder in Schweden an.

Der Herzog Karl Philipp, Gustav's Bruder, welcher an dem Feldzuge Theil genommen hatte, war schon
zu Riga erkrankt. Bei der Rückkehr mußte ihn Gustav in Narwa zurücklassen, wo er den 22. Januar
1622 starb. Gustav Adolph betrauerte den stillen und
tapfern Jüngling tief. „Er hatte Muth und Herz“ —
sagt er selbst von ihm — „aushalten zu können, was
Betrüglichkeit und Wandelbarkeit der Welt ihm auferlegt hätte. — Aus Liebe zum Vaterland hat er nicht
wollen daheim bleiben, auf daß er durch sein Beispiel
Schwedens junge Ritterschaft erwecken möge. Zu dir,
o Vaterland, hegte er redliche Liebe, und hielt es rühm-
lich, für sein Vaterland zu sterben. O Vaterland, was
hast du verloren! — Dein Königshaus ist nun wieder
auf einen einzigen Mann gestellt, das vor wenig
Jahren noch mit drei jungen, erwachsenen Herren

blühete*)! Es ist nicht Noth, daß ich in diesem Sinne deine Trauer mehre, indem ich wiederhole, welch' Unglück und Verwirrung dadurch entstände, wenn dir dies Unglück geschähe, daß du abermal dir einen König betteln müßtest."

Durch Herzog Johann's und Karl Philipp's Tod waren nun die zwei Herzogthümer, welche sie besaßen, wieder an die Krone gefallen. Gustav Adolph hatte, da ihm seine Gemahlin noch mit keinem Kinde erfreut hatte, seinen Bruder immer als seinen Thronfolger betrachtet. Nach dessen Tode waren daher die Anschläge Sigismund's noch mehr zu fürchten. Doch genaß noch in demselben Jahre die Schwester Gustav's, die Gemahlin des Pfalzgrafen von Zweibrücken, eines Sohnes, der auch später, nach Christina's Abdankung, als König Karl X. den Thron bestieg.

Im nächsten Jahre, 1622, kam Gustav am 13. Juni wieder in Riga an, von wo aus er sogleich nach Kurland aufbrach. Ein bösartiges Fieber brach unter seinem Heere aus; er selbst wurde zweimal davon ergriffen. Dieses machte ihn geneigt, die Anträge Polens zu einem Waffenstillstand zu berücksichtigen; derselbe wurde bis zum 1. Juni 1624 abgeschlossen, und Gustav kehrte im August heim, wo ihn seine Gattin mit einer Sehnsucht erwartete, die sie fast an den Rand des Grabes geführt hätte.

Sigismund ruhete keineswegs. Er hatte den

---

*) Herzog Johann, König Johann des Dritten Sohn, war schon 1610 gestorben.

Plan gefaßt, den Schauplatz des Krieges nach Schweden zu verlegen. Dazu fehlte ihm aber die Hauptsache — eine Flotte. Diese sollte ihm Danzig liefern, das unter polnischer Hoheit stand. Im Sommer
1623 erschien er in dieser bedeutenden Hafenstadt. Gustav hatte alles erfahren, und erschien plötzlich mit einem
Theil seiner Flotte am 30. Juni 1623 vor Danzig.
Er verließ den Hafen nicht eher, bis er von der Stadt
die Versicherung erhalten hatte, daß sie während des
Waffenstillstandes, der eben in dieser Zeit verlängert
worden war, nichts gegen Schweden unternehmen
wolle. Am 9. Juli 1623 kehrte er nach Schweden
zurück, von wo aus er erst wieder am 17. Juni 1625
in den Krieg zog.

Gustav verwandte die Zeit der Ruhe dazu, sein
Heer zu vermehren und zu vervollkommnen. Die neuen
Aushebungen wurden leider durch eine fürchtbare Seuche,
welche fast 5 Jahre lang in Schweden wüthete, sehr
erschwert. Nichts desto weniger aber waren die Stände,
sowie der Adel und die Städte zu jedem Opfer willig
und bereit, welches Gustav forderte, um die Rüstungen zu dem unvermeidlichen Kriege mit Nachdruck zu
betreiben. In dieser Zeit war es, wo er den Ständen des Reiches zuerst den Vorschlag zur Errichtung
eines stehenden Heeres machte, und theilweise auch
auszuführen begann. Am 10. März 1625 wurde den
Ständen der vollständige Entwurf zu dieser Umgestal-
tung der Armee vorgelegt, der zwar nur zum Theil
jetzt ausgeführt werden konnte, aber doch der Grund
der zukünftigen Größe und Stärke Schwedens war.

Nach Ablauf des Waffenstillstandes segelte Gustav Adolph am 17. Juni 1625 mit 20,000 Mann, meist fremden Truppen, auf einer Flotte von 76 Schiffen ab, und landete am 2. Juli bei Riga. Am 15. Juli ergab sich das befestigte Kockenhausen. Von hier aus nahm Gustav Mitau und die noch in polnischer Gewalt sich befindenden Plätze Lieflands.

Neue Anträge Polens zu einem Waffenstillstand lehnte Gustav nun ab. Um, wie er sich ausdrückte, „dem Feinde Füße zu machen," beschloß er, den Feldzug auch im Winter fortzusetzen. Die Polen standen in zwei Lagern, unter Fürst Sapieha und Gossewski die eine Heerabtheilung, unter Radziwil die andere. Im Januar 1626 brach Gustav auf; in den Ebenen Semgallen's stießen die feindlichen Heere auf einander, und bei Wallhof, den 7. Januar, erfolgte eine entscheidende Schlacht, in welcher Gustav durch seine Kriegskunst und namentlich durch seine trefflichen Einrichtungen bei dem Fußvolk den vollständigsten Sieg davon trug. Die Polen zogen sich nach Lithauen zurück; Liefland war nun völlig vom Feinde befreit. Es wurde ein Waffenstillstand bis zum 31. Mai abgeschlossen.

Gustav übergab den Oberbefehl an de la Gardie, eilte im März 1626 nach Reval, wo ihn seine Gemahlin erwartete, und kehrte mit dieser nach Schweden zurück.

Der preußische Krieg vom Jahre 1626 bis 1629.

Die bisherigen Verluste hatten auf Sigismund wenig Eindruck gemacht. Gustav beschloß daher, einen andern Schauplatz des Krieges zu wählen. Er hatte dazu das Gebiet der Weichsel, die preußischen Provinzen, ausersehen, weshalb auch der nun zu beschreibende Krieg der preußische genannt wird. Diese jetzt preußischen Küstenprovinzen besaß zum Theil der Churfürst von Brandenburg, Gustav's Schwager, doch unter polnischer Lehnshoheit, während die übrigen Polen gehörten; die Verwandtschaft Gustav's mit dem Churfürsten mußte allerdings Schwierigkeiten erregen.

Am 15. Juni 1626 segelte Gustav Adolph von Stockholm auf seiner Flotte, aus 150 Segeln bestehend, mit 20,000 Mann ab. Bereits am 26. Juni ankerte er zu Pillau, und bemächtigte sich dieser Stadt mit leichter Mühe, da die geringe preußische Besatzung keinen Widerstand leisten konnte.

Bei Braunsberg setzte Gustav sein Heer an's Land, welches sich ihm sofort ergab; ebenso auch Frauenburg. Die Jesuiten hatten in beiden Städten Collegien, und wurden, wie zu Riga, vertrieben. Ihre Bibliotheken ließ Gustav nach Stockholm schaffen. Von hier aus ließ Gustav nun seinem Schwager, dem Churfürsten, Neutralität in diesem Kriege antragen. Als dieser sie nicht annahm, wandte sich Gustav an die Stände Brandenburg's, welche sich endlich, nachdem Königsberg vorangegangen war, neutral erklärten.

Nun zog Gustav gegen das wohlbefestigte Elbing, welches sich am 6 Juli ergab; eben so Marienburg, der ehrwürdige Sitz der Deutschmeister; kleinere Städte folgten nach. Am 12. Juli nahm Gustav die wichtige Festung Dirschau ein. So war in wenig Tagen die ganze preußische Provinz, mit Ausnahme von Danzig, in Gustav's Händen.

Der bei weitem größte Theil der Einwohner war protestantisch; sie wurden aber von den Polen sehr gedrückt, hatten viele Städte ganz meiden, und eine Menge Kirchen den Katholiken überlassen müssen. Gustav Adolph erklärte sich sogleich zum Beschützer des protestantischen Bekenntnisses.

Die Güter der Jesuiten, der katholischen Geistlichkeit, so wie des Adels, welcher der polnischen Krone ergeben war, wurden eingezogen. Gustav schrieb an den von ihm über die eroberten Landestheile gesetzten Statthalter zu Elbing: „Der Magistrat und die Geistlichkeit der protestantischen Orte solle einberufen werden, um unter den Geistlichen einen geschickten und für die evangelische Wahrheit eifrigen Mann zum Superintendenten des Landes und der Städte zu wählen; dieser solle den Protestanten die Kirchen wieder zurückgeben, welche ihnen die Katholiken entrissen hätten. Er solle darüber wachen, daß das lautere Wort Gottes gelehrt, die Sacramente gehörig ausgetheilt und überall ein christliches Leben geführt werde. Auch solle alle Jahre eine Synode der Prediger gehalten werden, um auf derselben über

Alles zu berathen, was die Kirchenzucht, die Schulen und die Erziehung der Jugend betreffe!"

„Wir wollen," — schrieb der König weiter — „daß dieser Mann sobald als möglich sich bei Uns einfinde, damit er in seinem Amte von Uns bestätigt werde; und weil die papistischen Irrthümer bisher zu Braunsberg, Frauenburg und in den umliegenden Kirchen gelehrt worden sind, daß der neue Superintendent, der zu Elbing wohnen soll, unter seinen Mitbrüdern in der Stadt, oder aus denjenigen Personen, die früher von der papistischen Klerisei vertrieben worden sind, zwei verdienstvolle Männer aussuche, um nach Braunsberg und Frauenburg abgeschickt zu werden, damit sie daselbst mit der Sanftmuth, welche evangelischen Predigern zukommt, das reine Wort Gottes verkündigen, noch mehr durch ihr Betragen, als durch ihre Worte lehren und unterrichten, den Einwohnern Treue gegen ihren Oberherrn einflößen, und sie zur Hoffnung unseres Heiles in Jesu Christo bringen. Und damit sie sich diesem Amte ganz widmen können, und nicht durch Nahrungssorgen gehindert werden: so wollen Wir einem jeden derselben einen Jahresgehalt aussetzen. Ihr werdet Uns über den Erfolg dieser von Uns getroffenen Einrichtung sobald als möglich berichten."

Auf diese Weise sorgte Gustav Adolph aus dem Heerlager, die wichtigsten Kriegsunternehmungen im Auge habend, für die Herstellung des Protestantismus, und bekundete dabei zuerst, daß er die Beschützung der protestantischen Glaubensfreiheit zur Aufgabe seines Lebens, wie des unternommenen Krieges gemacht habe.

Ueber sein Recht, mit den preußischen Provinzen so zu verfahren, wie er that, spricht sich Gustav selbst in einem Gespräche mit den preußischen Abgeordneten aus Königsberg gleich nach seiner Ankunft in Pillau aus. „Es ist bekannt, daß die Bewohner des Herzogthums Preußen erbliche Unterthanen des Königs von Polen sind, und folglich meine Feinde. Ich habe gleich anfangs erklärt, daß ich nicht gekommen bin, meinem Herrn Schwager oder diesem Lande etwas Feindseliges zuzufügen. Besser wäre es, euern Herrn, meinen Schwager, in diese Sache nicht einzumischen. Ihr müßt in diesem Falle von euch selbst abhängen; denn ihr selbst habt diese Bündnisse mit dem Könige und der Krone Polens zusammengeschmiedet, und darein den Vater meines Herrn Schwagers verwickelt. Diese Bündnisse werden mit der Zeit nothwendig eure Häupter beugen. Deswegen wäre es billig, daß ihr meine Partei nähmet, da wir einer Religion und Verwandte sind. Ich bezeuge bei Gott, daß ich es gut mit euch meine."

Von seinen Kriegern sagt Gustav: „Die so ich nun bei mir habe, sind zwar arme schwedische Bauernburschen, unanscheinlich und schlecht gekleidet; aber sie schlagen sich gut, und hoffe, in Kurzem sie besser zu kleiden. Ich hätte sollen gerade auf Königsberg losgehen; allein ich habe meinen Schwager und sein Land geschont. Ich merke wohl, daß ihr die Mittelstraße halten wollt; allein die Mittelstraße wird euch hartbrechend. Ihr müsset mit mir halten oder mit der Krone Polen. Ich bin euer Religionsverwandter und habe ein Fräulein von Preußen zur Gemahlin; ich will für euch streiten und die Stadt befestigen, und will alsdann gegen die Krone Polen und den Teufel selbst mich vertheidigen."

Danzig hatte nicht wie Königsberg die Neutralität angenommen, sondern erklärte offen Feindschaft gegen Schweden. Gustav befestigte nun sein Lager bei Dirschau, zog Verstärkungen an sich, und begann von der See und vom Lande aus Danzig einzuschließen. Neue Unterhandlungen führten zu keinem Ziel und Gustav eröffnete nun die Feindseligkeiten, rückte in das Werder ein, und ließ von den reichen Bewohnern der Umgegend Contribution erheben.

Endlich erschien Sigismund auf dem Kampfplatz, und belagerte die Stadt Mewe, wurde aber von Gustav, welcher der Stadt zu Hilfe eilte, nach großem Verluste gezwungen die Belagerung aufzuheben (21. September 1626) und sich zurückzuziehen, „nachdem er vierzehn Tage vor diesem Pranger gelegen hatte, ohne etwas auszurichten" — wie sich Gustav darüber aussprach, denn in der Stadt lagen nur einige Hundert Schweden.

Es wurden in dieser Zeit zwischen Gustav und Sigismund neue Unterhandlungen über den Frieden angeknüpft, die sich aber wegen der überspannten Bedingungen von Seiten Polens sogleich zerschlugen. Beide Heere bezogen ihre Winterquartiere. Gustav übergab den Oberbefehl in Preußen dem Reichs-

kanzler Axel Oxenstierna, ging nach Pillau, schiffte
sich ein, und kehrte den 6. November nach Stockholm
von seinem Siegeszuge zurück.

Mit Jubel und Freude wurde der ruhmbekränzte
Held empfangen; noch lauter wurde die Freude, als
ihm am 8. December seine Gemahlin eine Tochter
schenkte. Die Vaterfreuden Gustav's waren bisher
durch unglückliche Zufälle getrübt worden. Schon das
erste Kind kam, wie erzählt, zu früh und todt zur
Welt; im Jahre 1623 erfreute ihn die Geburt einer
Tochter, welche Christine genannt wurde, aber nur
ein Jahr des Lebens genoß; später kam Marie
Eleonore wieder zu zeitig mit einem todten Prinzen
nieder. Ueber die letzte Schwangerschaft der Königin
war die Freude und Theilnahme um so größer, da
man nach allen Kennzeichen, welche sogar die Astro-
logen bestätigten, die Geburt eines Sohnes erwarten
zu können glaubte. Diese Hoffnung war so groß, daß
man selbst nach der Geburt durch die kräftige Stimme
des Kindes getäuscht, für einen Augenblick im Schlosse
die falsche Nachricht verbreitete, es sei ein Prinz geboren. Der König, durch Fieber an sein Zimmer gefesselt, wurde durch die Enttäuschung, als man ihm
das Kind brachte, keineswegs unangenehm überrascht.
Er nahm es unter herzlichen Liebkosungen auf seine
Arme. „Danken wir dem Himmel", — sagte er zu
seiner Schwester, der Prinzessin Katharina — „ich
hoffe, daß diese Tochter für mich so viel werth sein
wird, als ein Sohn, und ich bitte Gott, der sie mir
geschenkt, um ihre Erhaltung.

Lächelnd sagte er noch hinzu: „Sie wird schlau werden, denn sie hat uns Alle betrogen."

Gustav ließ seiner Tochter später eine ganz männliche Erziehung geben. In den Wissenschaften machte sie die bedeutendsten Fortschritte, eben so in den ritterlichen Uebungen, denen sie sich wie ein Prinz unterziehen mußte. Die Stände des Reichs erklärten sie bereits im folgenden Jahre 1627, um alle Hoffnungen Sigismund's auf die Krone Schwedens zu vereiteln, zur Erbin des Reichs.

Leider mußte die Erfahrung lehren, daß die Natur nicht ungestraft sich in ihren Gesetzen stören läßt. So wohlgemeint auch die Absicht Gustav's bei der Erziehung seiner Tochter war, so entsprach diese doch später, als Regentin, keineswegs den Hoffnungen und Erwartungen, zu welchen Gustav eben durch jene abweichende Erziehung sich berechtigt glaubte.

Zu Anfange des Jahres 1627 berief Gustav die Reichsstände zusammen, um ihnen Bericht über den letzten Feldzug und den fortdauernden Uebermuth des besiegten Sigismund zu erstatten. Der Unwille gegen Polen war von Jahr zu Jahr gestiegen und unversöhnlicher Haß geworden. Die Stände erklärten sich für die kräftigste Fortführung des Krieges, stellten die Bedingungen fest, unter welchen allein Frieden geschlossen werden sollte, und waren zu jedem Opfer bereit. Neue Aushebung, neue Steuern wurden sofort bewilligt; der Adel leistete freiwillig auf sein Privilegium der Steuerfreiheit Verzicht.

Im Frühjahre 1627 machte Gustav Adolph

fein Reich zu einem Afyl für verfolgte und vertriebene Proteftanten; es wurde ihnen nicht nur Aufnahme, fondern auch auf gewiffe Zeit Freiheit von allen Abgaben zugefichert. Denn immer größer wurde in Deutfchland der Druck des Kaifers.

Manche Unfälle hatten unterdeffen Guftav's Heer in Preußen getroffen. Sigismund hatte den Oberbefehl über feine Armee dem eben fo tapfern als kriegsgewandten Feldherrn Koniecpolski übertragen. Diefer beunruhigte den Winter über nicht nur die schwedische Armee, fondern nahm ihnen auch mehrere Plätze weg.

Am 18. Mai 1627 erschien Guftav Adolph wieder in Pillau, mit einer Verstärkung von 8000 Mann. Der Churfürft von Brandenburg, von Polen fo wie vom Kaifer zur Theilnahme am Krieg gegen Schweden gedrängt, hatte fich mit einer Armee in Preußen aufgeftellt. Gleichwohl wollte er nicht gern mit Guftav brechen, der ihn auch jetzt am meiften in Gefahr bringen konnte.

Endlich kam ein Vertrag zu Stande, nach deffen Abfchluß fich Guftav mit feinem Heere bei Dirfchau vereinigte. In der Nacht des 2. Juni wollte Guftav durch eine kühne That eine große Schanze der Danziger nehmen. Doch die Unternehmung fcheiterte an der Ungefchicklichkeit der fchwedifchen Bootsführer. Als Guftav noch einmal den Verfuch machen wollte, und das Steuer des Bootes felbft ergriff, wurde er in die Hüfte verwundet. „Und weil es" — fchreibt er — „bei folchen Sachen etwas warm hergeht, wurden wir auch durch einen Schuß am Bauche verwundet. Doch haben wir Gott zu danken, daß es uns an Leben oder Gesundheit nicht schadete, sondern hoffen, nach wenigen Tagen das Werk wieder nach unserer Gewohnheit dirigiren zu können."

Die Polen machten jetzt in aller Stille einen Versuch, Braunsberg wieder zu nehmen, was ihnen auch fast durch Verräther gelungen wäre; doch die schwedische Besatzung wieß die Polen mit der größten Tapferkeit zurück. Auch war Gustav selbst herbeigeeilt. Während seiner Abwesenheit war Koniecpolski vor Mewe gezogen. Gustav konnte, bei der Erschöpfung seiner Armee, der Stadt nicht zu Hilfe kommen, welche am 12. Juli eingenommen ward. Unterdessen hatte sich Gustav der feindlichen Schanzen vor Danzig bemächtigt, und war durch diese wichtige Eroberung Herr der Weichsel bis an die Thore von Danzig geworden. Nach der Einnahme von Mewe ließ sich der Churfürst von Brandenburg durch Sigismund zu Feindseligkeiten gegen Gustav doch noch bereden. So groß war seine Verblendung. Er verbot seinen Unterthanen allen Verkehr mit den Städten, die in schwedischer Gewalt waren, und schickte sich an, mit einem Heere zu der Polen zu stoßen. Als Gustav dieses vernahm, brach er sogleich auf, eilte dem churfürstlichen Heer nach und nahm es glücklich gefangen. Gustav nahm jetzt noch so viel Rücksichten gegen den wortbrüchigen Churfürst, daß er ihm das Geschütz, die Fahnen und einen Theil der Soldaten zurückschickte, mit der Erinnerung, er möge in Zukunft bessere Fürsorge für sein Volk und Geschütz tragen.

Anfang August beschloß Gustav mit seinem Heere
aus dem Lager bei Dirschau aufzubrechen, und dem
nur eine Stunde davon entfernten Feinde eine Hauptschlacht zu liefern. Am ersten und zweiten Tage des
Kampfes erfochten die Schweden bedeutende Vortheile.
Eben war Gustav am 17. August im Begriff, den
glänzendsten Sieg davon zu tragen, als er an der
rechten Schulter, unter dem Schlüsselbein, durch eine
Kugel verwundet ward. In der Meinung, gefährlich
verwundet zu sein, da die Kugel seinen Arm mit größter Gewalt in die Höhe getrieben hatte, gab er Befehl zum Rückzug, zum großen Erstaunen der besiegten Feinde. „Schon schien der Feind", — schreibt der
König — „Alles zur Flucht zu dirigiren; allein so
hat es Gott nicht gefallen, da Er gleich anfangs bei
einem Posten, wohin wir die feindlichen Musketier
treiben wollten, uns selbst durch einen Musketenschuß
in die rechte Achsel beim Halse treffen ließ, wodurch
unser Plan abgebrochen und der Sieg verhindert wurde."

So finden wir stets und immer, daß Gustav all'
sein Thun und Streben in den Willen des Höchsten
stellt, und von demselben in glaubensvoller Demuth abhängig macht. Aber eben aus dieser Demuth erwuchs
auch sein Heldenmuth.

Die Wunde war allerdings nicht unbedeutend,
namentlich wegen der starken Blutung durch Mund
und Nase. Der König wurde zu Wagen nach Dirschau gebracht. Der Leibarzt, entsetzt von der tiefen
und gefährlichen Wunde, nahm Gelegenheit, den König
zu bitten, sich der Gefahr doch ja nicht so bloßzustellen.

6

„Ne sutor ultra crepidam" („Schuſter, bleib' bei deinem Leiſten") war Guſtav's Antwort. Als ihm der Chirurg erklärte, daß die Kugel ſo tief eingebrungen ſei, daß ſie nicht wohl könne heraus genommen werden, erwiderte Guſtav: „So mag ſie ſtecken bleiben; und ein Denkmal eines Lebens ſein, das nicht im Müßiggang und unter Genüſſen hingebracht werde. Nichts ſteht einem König beſſer an, als ein hoher Geiſt in ſtarkem, abgehärtetem Körper wohnend."

Die erſten Offiziere, namentlich Orenſtierna, machten ihm die bringendſten Vorſtellungen, doch ja ſein für Schweden ſo wichtiges Leben zu ſchonen, und nicht jedem Zufall Preis zu geben. Guſtav nahm die Beweiſe ihrer Liebe gütig auf, ſagte aber, „daß er ſeine Perſon nicht ſo nothwendig für das Wohl Schwedens erachte, als ſie glaubten. Gott werde, wenn es ihm gefalle, über ſeine Perſon zu verfügen, gewiß Schweden nicht verlaſſen, ſondern dem Lande neue Beſchützer erwecken." „Gott hat mir die Krone verliehen" — fuhr er fort — „und es iſt meine Pflicht, daß ich dieſe hohe Würde nicht durch Furcht oder Trägheit entehre; und nichts könnte mir rühmlicheres oder wünſchenswertheres begegnen, als wenn ich in der Vertheidigung der Ehre Gottes und der Wohlfahrt meiner Unterthanen mein Leben verliere." Rückſichtslos allerdings war die Tapferkeit Guſtav's, und er dachte im Gewühl der Schlacht nicht an die Schonung, welche er ſich, ſeinem Lande, ſeinem Kinde ſchuldig war. Einmal ging dieſer wahre Heldenmuth aus ſeinem glaubensfreudigen Vertrauen zu Gott hervor, und war

gewiß nie zur Unzeit an seiner Stelle; ferner darf
man nicht unbemerkt laffen, daß Guftav gewöhnlich
der Zahl der Streiter nach der Schwächere war, und
daß eine verlorene Schlacht für ihn bei weitem mit
größeren Nachtheilen verbunden gewesen sein würde,
als für seine Gegner, denen mehr und größere Hülfs-
mittel zu Gebote ftanden. Guftav konnte nur an der
Spitze der Seinen, mitten unter den Seinen flegen,
so wie alle Helden vor ihm und nach ihm stets da
waren, wo die Gefahr am größten war; und dadurch
wurden fie eben Helden.

Nach Verlauf von acht Tagen war Guftav wieder ziemlich hergeftellt. Während dieser Zeit hatten
die Polen eine Verftärkung, 3000 Mann, erhalten,
welche ihnen der deutsche Kaifer Ferdinand II. schickte,
unter Anführung des Herzog Adolph von Holftein.
Es war dieses der erfte Beweis feindlicher Geflnnung
des Kaifers gegen Guftav Adolph. Zu gleicher
Zeit langte auch eine Gefandtschaft der niederländifchen
Generalftaaten an, um ihre Vermittelung zu einem
Friedensschluß anzubieten. Sigismund, in seinem Vertrauen auf Kaifer Ferdinand II. und Spanien, wollte
Nichts vom Frieden hören, oder nur von einem solchen,
den Schweden nicht annehmen konnte.

Von Dirfchau aus eroberte Guftav die Stadt
Wormditt, am 20. October. Die Heere bezogen ihre
Winterlager; Guftav ging nach Elbing, von da nach Pil-
lau und schiffte fich nach Schweden ein. Noch vor seiner
Abreise von Dirfchau erhielt er von dem Könige von
England, Karl I., den Hofenbandorden.

6*

Kurz nach der Abreise Gustav's erlitt noch der schwedische Admiral Stjernsköld einen empfindlichen Verlust von den Danzigern, welche Alles aufgeboten hatten, um eine kleine Flotte auszurüsten.

Am 25. Mai des Jahres 1628 kam Gustav Adolph mit neuen Verstärkungen wieder in Pillau an, von wo aus er sich sofort zur Armee nach Dirschau begab. Hier war es, wo er durch eine Gesandtschaft des durch Wallenstein hart bedrängten Stralsund um Hülfe gebeten wurde. Gustav schickte sofort 600 Musketiere dahin ab, denen später noch ein Regiment Fußvolk folgte. Dieses war seine erste Theilnahme an dem Kampfe gegen Oesterreich.

Am 27. September 1628 erschien Gustav mit seinem Heere vor Straßburg, und begann sofort die Belagerung. Am 2. October erschien Koniecpolski mit seinem Heere zur Entsetzung. Gustav setzte die Belagerung der Stadt fort, welche bereits am 4. October capituliren wollte. Jetzt erst griffen die Polen Gustav's Lager an, wurden aber mit großem Verlust zurückgeschlagen. Kurz darauf öffnete Straßburg den Schweden die Thore. Dieses ist das wichtigste Ereigniß während dieses Sommerfeldzuges. Der König übertrug im November Oxenstierna den Oberbefehl, und reiste am 8. November nach Pillau, von wo aus er nach Schweden segelte.

Die Friedensunterhandlungen waren auch in diesem Jahre fortgesetzt worden. Durch Ausbleiben der spanischen Hülfe schien Sigismund etwas geneigter; es kam aber zu keinem Abschluß. Oxenstierna war die-

sem Winter aber nicht unthätig. Die Besatzung von
Straßburg mußte Verstärkung und Proviant erhalten,
da sie von den Polen sehr bedrängt wurde. Den Oberbefehl über den Theil der Armee, welcher dieses ausführen sollte, erhielt der Feldmarschall Hermann
Wrangel. Bei dem Dorfe Schukow erkämpfte er
am 10. Februar 1629 die ersten Vortheile über die
Polen; fast unter immerwährenden Gefechten rückte er
immer weiter seinem Ziele zu, und erfocht bei dem
Städtchen Gorzno, zwei Meilen von Straßburg, am
12. Februar einen glänzenden Sieg über das polnische
Heer. Am Tage darauf zog er in das befreite Straßburg ein. Von hier aus ging der Siegeszug weiter,
und am 16. Februar stand Wrangel vor Thorn.
Die Aufforderung zur Uebergabe wurde abgeschlagen,
eben so die verlangte Contribution. Wrangel ließ die
Vorstädte abbrennen und zog sich zurück, da er mit
seiner kleinen Armee die Stadt nicht erobern konnte.
Groß aber und erfolgreich war der Schrecken, welchen
die Siege Wrangel's in Polen verbreiteten. Der polnische Reichstag ging auf Sigismund's Vorschlag nach
fremder Hülfe ein, und beschloß, ein Heer von 10,000
Mann, das Wallenstein angeboten hatte, in Sold
zu nehmen.

Um diese Zeit schloß Orenstierna, durch den Churfürsten von Brandenburg vermocht, einen Waffenstillstand, vom 18. Mai bis zum 10. Juni 1629. Die
kaiserliche Heerabtheilung rückte unter Johann Georg
von Arnheim (Arnim) nach der Weichsel vor. Im
Juni fand seine Vereinigung mit dem polnischen Heere

statt. Sigismund mit seinem Sohn Wladislaus hatte sich den Oberbefehl über beide Heere vorbehalten, was den Erfolg nicht fördernd war, und den stolzen seiner Abhängigkeit gewohnten Arnheim bald veranlaßte, abzudanken.

Am 31. Mai langte Gustav Adolph mit 11 Schiffen und drei neuen Regimentern in Pillau an. Er schickte sogleich an Wallenstein, und beklagte sich über seine Einmischung. Der stolze Herzog von Friedland antwortete kurz: „Mein Gebieter, der Kaiser, hat zu viel Truppen; er muß seinen Freunden mit dem Ueberfluß aushelfen."

König Gustav hatte sich mit Wrangel vereinigt, und bezog ein Lager bei Marienburg, von wo aus er bis Marienwerder vordrang. Als er die Vereinigung der beiden feindlichen Armeen erfuhr, beschloß er sich nach Marienburg zurückzuziehen. Die Nachhut wurde in ein Gefecht verwickelt, welches immer ernstlicher und für Gustav im Anfang ungünstig wurde, weil seine Armee zu weit voraus war. Beide Theile hatten ziemlich großen Verlust; das Ende der Schlacht war für Gustav günstiger, obschon jeder Theil sich den Sieg zuschrieb. Gustav gerieth wieder durch seinen Muth in die größte Gefahr. Er stürzte sich mitten unter die Feinde; schon hatte ihn ein kaiserlicher Küraffier am Wehrgehenk gefaßt und wollte ihn gefangen nehmen. Gustav zog das Gehenk über die Schultern, und mußte es sammt dem Hut dem Feinde überlassen, der letzteren als Siegeszeichen an Wallenstein schickte. Ein tapfrer Schwede, Erich Soop, kam herbei und vetete feinen König. Gustav verschanzte sich nun vor Marienburg. Gegenüber bezog das polnisch-kaiserliche Heer ebenfalls ein Lager, nachdem es den Schweden vergebens eine Schlacht angeboten hatte. Im Heere Sigismund's trat bald Hungersnoth und Seuche ein; was viele kaiserliche Söldlinge veranlaßte, zu den Schweden überzugehen. Dieses steigerte noch den Widerwillen der Polen gegen Arnheim, den sie ohnehin mit mißtrauischem Auge betrachteten; man warf ihm Unthätigkeit und Einverständniß mit dem Feinde vor. Er hielt bei Wallenstein um seine Entlassung an, die er erhielt, und der Herzog Heinrich Julius von Lauenburg kam an seine Stelle.

Ende Juli brachte Jakob de la Gardie Verstärkung, und vollendete dadurch die Ueberlegenheit Gustav's. Die Besorgniß, von Gustav angegriffen zu werden, und der immer steigende Mangel zwangen Sigismund, das Lager zu verlassen, und sich nach Graudenz zurückzuziehen. Die Schweden verfolgten die Nachhut und machten große Beute. Dieses war das letzte kriegerische Ereigniß in dem preußischen Feldzuge, da unterdessen Einleitungen zu einem längeren Waffenstillstand getroffen worden waren.

Kaiser Ferdinand II. hatte das berühmte Restitutionsedikt erlassen. Die Macht Oesterreichs wurde für ganz Europa drückend und furchtbar. Richelieu*), der große Minister Ludwig's des XIII.,

*) Er sagt in seinen Memoiren über Gustav: „Dieser schwedische König war eine neu aufgehende Sonne. Deutschlands beschimpfte oder vertriebene Fürsten erhoben zu ihm den Blick in ihrer Noth, wie der Schiffer zum Nordstern."

sandte den Baron Charnace nach Preußen, um einen Waffenstillstand zwischen Polen und Schweden zu Stande zu bringen. Längst schon hatte das protestantische Deutschland seine Augen auf den nordischen Helden Gustav geworfen, und in ihm erkannten auch katholische Fürsten das einzige Uebergewicht gegen die steigende Macht Oesterreichs, die Alles zu zermalmen drohete. Aber Gustav Adolph mußte erst mit Polen abgeschlossen haben, ehe er sich in einen solchen Kampf einlassen konnte. Sigismund's Reich war gänzlich durch den langen Krieg erschöpft; schon drohete Empörung der zahlreichen protestantischen Unterthanen. Um so zugänglicher war er für die Worte des Friedensstifters von Seiten Frankreichs, als einer bedeutenden und katholischen Macht.

Am 19. August 1629 wurden die Verhandlungen zu Altmark (Starygrob) eröffnet, und am 26. August ein Waffenstillstand auf sechs Jahre abgeschlossen. Der Krone Schweden verblieb Alles, was sie in Liefland eingenommen hatte; in Preußen die wichtigsten Städte, wie Elbing, Pillau. Unter diesen für Schweden so glänzenden Bedingungen kam der Waffenstillstand zu Stande.

Gustav verließ noch vor völligem Abschluß der Verhandlungen am 15. September den Boden, auf welchem er Jahre lang zum Erstaunen von ganz Europa gekämpft hatte, um seinem Volke die erste Nachricht von den Früchten zu bringen, die seine Ausdauer getragen hatte. Sigismund kehrte nach Warschau zurück, um die Waffen gegen Gustav Adolph nicht wieder zu führen. Voll Verdruß, seine Absichten gegen Gustav und Schweden nicht ausgeführt zu haben, starb er nach einer bedeutungslosen 45jährigen Regierung am 30. April 1632.

Um die rechte Ein- und Ueberficht in das Leben Guftav Adolph's zu gewinnen, war es nöthig, die Begebenheiten des polnischen Krieges in einer geschlossenen Reihenfolge darzustellen. Wenn es auch scheinen sollte, als stände dieser Kampf nur in geringer Verbindung mit dem, was der große König als Befreier Deutschlands von den Fesseln des Religions- und Gewissenszwanges that, so konnten wir hier eine Lücke in dem Leben unseres Helden um so weniger lassen, als gerade während dieser Zeit der Saame zu den erfolgreichen Begebenheiten ausgestreut wurde, welche ihn später verherrlichten.

Wir haben schon oben gesehen, wie bereits im Jahre 1615 (vergl. S. 57.) Einladungen von Deutschland aus an Gustav Adolph ergingen, sich der bedrängten Proteftanten in Deutschland anzunehmen. Was er thun konnte, that er. Er öffnete sein Land allen verfolgten Glaubensbrüdern, und gewährte ihnen Schutz und Hülfe. Mit gewaffneter Hand aber ihnen beizustehen, ließ der unfelige Kampf mit Polen nicht zu.

Bevor wir aber Gustav von seinem Volk, seinem Kind, seiner Gattin und Allem, was ihm daheim theuer und lieb war, Abschied nehmen laffen, um die längst erfehnte Hülfe nach Deutschland zu bringen, bevor wir ihn dort auf seinem Helden- und Siegeszuge begleiten: ift es es unumgänglich nothwendig, die Zustände Deutschlands zu dieser Zeit, wenn auch nur in Umrissen, darzustellen. Nur dadurch ist es möglich, einen Ueberblick in die so verwickelten Verhältnisse des dreißigjährigen Religionskampfes zu gewinnen, und den Standpunkt zu erlangen, von wo aus erst wir das recht würdigen und verstehen lernen, was Gustav Adolph that und wollte.

Denn, wie wir dem Arzt nach gelungener Heilung erst dann recht danken, und seine Kunst und Wissenschaft würdigen können, wenn wir das Gefährliche der Krankheit eingesehen haben: so lassen sich die Thaten Gustav's auch dann erst recht beurtheilen, wenn wir, an der Hand der Geschichte, gesehen haben, wovon er uns befreite, wovor er uns behütete.

Wir lassen demnach den Helden unserer Geschichte einige Augenblicke aus den Augen, um die Ereignisse in Deutschland zu schildern, welche sein späteres Erscheinen auf deutschem Boden bedingten, und um somit die Unterlage zur Darstellung der für uns wichtigsten Periode seines segensreichen Lebens zu gewinnen.

Sechster Abschnitt.

Zustände Deutschlands und der Protestanten.

Die von dem Gottesmann Luther begonnene Reformation der Kirche erhielt ihre Vollendung, so weit überhaupt von einer solchen die Rede sein kann, erst durch Gustav Adolph, mittelbar, oder unmittelbar durch den von ihm herbeigeführten günstigen Ausgang des dreißigjährigen Krieges für die Protestanten.

Durch die Annahme und Genehmigung der Augsburgischen Confession waren zwar der evangelischen Kirche gleiche Rechte mit der katholischen zugesichert, doch unter wesentlichen Beschränkungen. Den Landesherren und Reichsständen war das Recht zugestanden worden, in ihren Ländern, auf ihrem Grund und Boden, eins der beiden Kirche, die katholische oder die protestantische, zur herrschenden zu erheben. Der Glaube des Volkes kam dabei nicht in Betracht. Es stand dem Landesherrn frei, seinen Glauben zur Geltung zu bringen; bekannten sich die Unterthanen zu der entgegengesetzten Kirche, so durften sie ihren Glauben nicht öffentlich ausüben; doch war ihnen unbenommen, das Land zu verlassen.

Dieses waren die zweideutigen Wohlthaten des Augsburgischen Religionsfriedens; nur in wenig Län-

dern, wie in Sachsen, wurde dies neue Glaubens-
bekenntniß auch das des Landesfürsten.

Durch diese Halbheit der Maßregeln, durch diese
unvollständige Sicherstellung der protestantischen Kirche,
der es ohnehin an einem Haupte und an jedem äußeren Halt fehlte, war der Same zu den künftigen Re-
ligionskämpfen ausgestreut. Außer den dauernden An-
feindungen der römischen Kirche hatten die Protestanten in Deutschland auch noch gegen die Anhänger
Zwingli's und Calvin's zu kämpfen, welche bald
bedeutende Macht erlangten. Und so war das arme
Deutschland, ohnehin schon politisch zerrissen, auch noch
die Beute eines unversöhnlichen Hasses, den die Glau-
bensverschiedenheit erzeugte.

Union und Liga. Der Majestätsbrief. Seine
Verletzung. Der Kaiser Ferdinand II.
Kampf gegen Böhmen.

Mit Kaiser Rudolph II. bestieg im Jahre 1576
der tödtlichste Haß gegen die Protestanten den deutschen
Kaiserthron. Erzogen im finstern Spanien, war er nach
seiner Rückkehr nach Wien ganz dem Einfluß der Jesuiten hingegeben. Unter ihm begannen, anfangs
nur in seinen Herrschaften, von Neuem die Verfol-
gungen der Protestanten. Kein Wunder daher,
daß diese Alles thaten, um die Hindernisse der Religionsfreiheit wegzuräumen, welche ihnen der Augsburgische Religionsfriede noch gelassen hatte. Leider geschah es nur mit geringem Erfolg, da ihnen Einig-

leit, und ein ihre Bestrebungen leitendes Oberhaupt
fehlte. Das Bedürfniß nach einem solchen wurde immer größer; schwierig aber blieb die Wahl, da die
protestantischen Fürsten unter sich selbst in ihrem Glauben verschieden waren, oder sich mit Eifersucht einander gegenüber standen.

Endlich, am 2. Mai 1608, versammelte sich in
Franken der größere Theil der protestantischen Fürsten
Deutschlands, und schloß am 4. Mai ein Bündniß,
die evangelische Union genannt. Der Churfürst
von Sachsen, der Wiege des Protestantismus, hatte
sich ausgeschlossen.

Die katholischen Fürsten sahen diesen Bund nicht
gleichgültig an. Schon im nächsten Jahre, am 10.
Juli 1609, gelang es dem Herzog Marimilian von
Baiern, ein Bündniß zu Stande zu bringen; die Verbündeten nannten sich im Gegensatz zu der evangelischen Union die heilige Liga. Marimilian von
Baiern stand an ihrer Spitze.

Die Verbindung der protestantischen Fürsten wurde
leider bald locker; Churfürst Christian II. von Sachsen trat offen zur Liga über. Andere Fürsten fielen
von der Union ab. Auch der Sohn und Nachfolger
Christian's in der Churwürde, Johann Georg, zeigte
sich keineswegs als protestantischer Fürst. Doch auch
die Liga gewann nicht an innerer Kraft, obgleich Marimilian von Baiern kein Opfer scheute, ihr dieselbe
zu verschaffen. So standen sich Union und Liga bis
zum Jahre 1618 feindlich gegenüber, ohne zu offenem
Kampfe zu schreiten. Indessen war Unfriede zwischen

Kaiser Rudolph und seinem Bruder Matthias eingetreten; der Kaiser sah sich genöthigt, demselben Ungarn und Oesterreich abzutreten. Dieses verdankte Matthias meist den österreichischen Ständen, welche ihn aber auch veranlaßten, Religionsfreiheit zu gewähren. Rudolph — der sich fast ausschließlich in Prag aufhielt — wurde in seiner Bedrängniß ebenfalls genöthigt, den Protestanten Böhmens große Zugeständnisse zu machen, welches er in dem bekannten Majestätsbrief (11. Juli 1609) that. Matthias wußte seinen Bruder auch von dem Throne Böhmens zu verdrängen. Im Mai 1611 wurde er zu Prag gekrönt, nachdem er den Majestätsbrief am Altare feierlich beschworen hatte.

Als Rudolph am 20. Januar 1612 gestorben war, wurde Matthias am 10. Juni desselben Jahres zum Kaiser gewählt. Der einzige rechtmäßige Nachfolger des Matthias aus dem Hause Habsburg war Erzherzog Ferdinand von Grätz. Um nun allen Zerwürfnissen nach seinem Tode vorzubeugen, suchte Matthias vor Allem Ferdinanden die Thronfolge zu sichern. Nachdem seine Nachfolge in den Erblanden festgestellt war, wußte Matthias auch die Stände Böhmens dahin zu bringen, daß sie Ferdinanden am 29. Juni 1617 als künftigen König von Böhmen krönten, nachdem er zuvor durch den feierlichsten Eid den Majestätsbrief hatte beschwören müssen.

Diese Vorsichtsmaßregel war sehr nöthig. Ferdinand, am 9. Juli 1578 zu Grätz geboren, war von seinem zwölften Jahre an zu Ingolstadt von den

Jesuiten erzogen worden. Welche Grundsätze er hier eingesogen hatte, zeigte sich bald. Kaum hätte er die Regierung in seinen Erblanden angetreten, denen sein Vater Religionsfreiheit ertheilt hatte, als er die Protestanten aus dem Lande jagte und ihre Kirchen niederreißen ließ. Weniger durch offene Gewalt, als durch Beharrlichkeit und List — ganz im Sinne der Jesuiten — erreichte er bald seinen Zweck. Welche Erwartungen sich also Böhmen von diesem Fürsten zu machen hätte, lag klar am Tage. Daher suchte man ihn durch die Beschwörung des Majestätsbriefes abzuhalten, die Religionsfreiheit zu stürzen. Wie wenig er aber diesen Eid achtete, zeigte sich leider bald.

Noch unter dem Kaiser Matthias hatten die Böhmen Grund erhalten, sich über Verletzung des Majestätsbriefes zu beschweren. An der Spitze der Mißvergnügten stand Graf Matthias von Thurn. Bittschriften an den Kaiser und dessen Statthalter in Prag wurden eingereicht. Am 22. Mai 1618 wurde den Ständen durch den Statthalter der kaiserliche Bescheid bekannt gemacht, welcher keineswegs im Sinne des Majestätsbriefes abgefaßt war, und die Rechte der Böhmen kränkte. Das Volk wüthete; am folgenden Tage versammelten sich die Stände; ein Ausschuß derselben begab sich vor die Statthalterschaft, und als man ihren Vorstellungen kein Gehör gab, warfen die empörten Böhmen den Statthalter sammt seinen Räthen aus den Schloßfenstern, am 23. Mai 1618. Mit dieser That beginnt der Krieg, welcher dreißig Jahre lang in Deutschland wüthete.

Die Stände Böhmens bemächtigten sich sofort der
Regierung; Graf Thurn erhielt den Oberbefehl über
ein Heer, das man anwarb; die meisten katholischen
Geistlichen mußten das Land räumen, gänzlich verwie-
sen aber wurde „der giftige Jesuitenorden."
Fast ganz Böhmen war vom Kaiser abgefallen. Nun
mußten die Waffen entscheiden. Matthias schickte ein
Heer gegen die Böhmen. Diese waren unterdessen von
Seiten der Union verstärkt worden. Graf Mans-
feld und der Graf von Hohenlohe führten ihnen
Hülfe zu. Ehe es aber noch zum völligen Ausbruch
des Kampfes kam, starb Kaiser Matthias am 14.
April 1619.

Am 9. September 1619 erfolgte in Frankfurt
die Kaiserkrönung Ferdinand II. Bereits aber am
27. August desselben Jahres hatten die Böhmen den
Churfürst Friedrich V. von der Pfalz zum Könige
gewählt, welcher die Krone annahm, und am 4. November in Prag gekrönt wurde. Schlesien und
Mähren huldigten ihm ebenfalls, während Graf Thurn
mit der Armee in Oesterreich glänzende Siege erfocht.

König Friedrich von Böhmen hatte bei Uebernahme des Thrones vor Allem auf dauernden Beistand
der evangelischen Union gerechnet. Neid und Mißgunst
aber, Rücksichten auf eignen Vortheil — kurz all' die
Fürstensünden, welche das gesammte deutsche Vaterland
von jeher unglücklich machten — verhinderten Einigkeit
im Wollen wie im Handeln. Friedrich blieb von der
Union verlassen, wofür sie später mit Recht hart büßen mußte.

Kaiser Ferdinand schloß sich jetzt enger an Maximilian von Baiern an, um ihn für sich zur
Vertreibung Friedrich's von Böhmen zu gewinnen.
Für Maximilian leuchtete in der Ferne — Friedrich's
Churhut. Er ging ein Bündniß mit Ferdinand ein,
durch welches er den Oberbefehl über die Liga übernahm, unter Bedingungen, die für Ferdinand weder
ehrend noch günstig waren, Maximilian aber die höchste
Macht im Reiche verschafften. Durch sein kräftiges
und umsichtiges Handeln verschaffte er der Liga in
kurzer Zeit eine innere Kraft, die sie nie besessen hatte.

Bald umzog das Verderben König Friedrich von
Böhmen von allen Seiten; sogar der protestantische Churfürst Johann Georg von Sachsen hatte sich
nicht gescheut, durch kaiserliche Versprechungen gewonnen, dem Bunde beizutreten; März, 1620. Am 3.
Juli desselben Jahres schloß Maximilian im Namen
der Liga mit der Union einen Vertrag zu Ulm dahin ab, daß zwischen beiden Bündnissen Friede herr-
schen sollte, mit Ausschluß der böhmischen Angelegenheiten. Die Union ging in die ihr listig gelegte Falle.
In Böhmen selbst hatte König Friedrich Anlaß zur
Unzufriedenheit und Unruhe dadurch gegeben, daß er
Zwinglische Kirchengebräuche einführen ließ und
die Lutheraner förmlich verletzte.

Schon nahete sich Maximilian's Feldhauptmann
Tilly den Grenzen des Landes. Am 4. August zog
er in Linz ein, welches zum Gehorsam gegen den
Kaiser zurückkehrte. Johann Georg von Sachsen fiel
in die Lausitz ein, und nahm das Land als Pfand

7

in Besitz. Am 8. November 1620 stand das böhmische Heer dem kaiserlichen und baierischen bei dem weißen Berge vor Prag gegenüber. Die Schlacht war
entscheidend; das katholische Heer erfocht den vollständigsten Sieg. Tags darauf verließ Friedrich die Kö-
nigsstadt, Krone und Scepter auf schneller Flucht zu-
rücklassend. Am 13. und 14. November huldigten die
Stände dem Kaiser.

Sofort wurden die Jesuiten durch Ferdinand
zurückberufen. Am 10. Februar 1621 wurden die angesehensten Anhänger des unglücklichen Friedrich's gefangen genommen, der größere Theil auf die entehrendste
Weise enthauptet, die Güter Alle aber eingezogen und
an einigen sogar wurden die ausgesuchtesten Qualen
versucht. Alle Calvinistische Prediger und Lehrer wurden vertrieben. Das war einstweilen Kaiser Ferdinand's
Rache. Im Frühjahr 1622 erhielten nun auch die
Lutherischen Geistlichen, als sie sich den Kaiserlichen
auf ihre Rückkehr zur katholischen Kirche berechnenden
Bedingungen nicht fügen wollten, Befehl, in acht Tagen das Königreich zu räumen; ihnen folgten gewöhnlich auch die Bürger in die Verbannung. So ging
auch die Universität in die Hände der Jesuiten über.
Die Confiscationen brachten dem Kaiser gegen 40 Millionen Gulden ein. Obschon nun alle protestantische
Geistliche vertrieben und alle öffentlichen Aemter in den
Händen der Katholiken waren, so gnügte dieses dem
Kaiser Ferdinand noch nicht. Im Jahre 1624 erschien
ein Mandat, welches gegen die protestantischen Unterthanen gerichtet war, und diese der heiligsten Men-

schenrechte beraubte. Keines Protestanten
Testament war mehr gültig. Auf dem Lande
zogen Mönche von Dragonern begleitet umher, und
wollten durch die unerhörteste Grausamkeit den Uebertritt zum Katholicismus erzwingen. Den Majestätsbrief zerschnitt Ferdinand in Prag im Jahre 1627
mit eigner Hand, als er seinen ältesten Prinzen zum
König krönen ließ.

Diese Vernichtung der protestantischen Glaubensfreiheit in einem großen, gesegneten Lande, dieses Unglück über so viele tausend Familien, diese unzähligen
Scenen des Greuels und des Jammers — wer hat
Alles verschuldet? Der schwache Jesuitenkaiser nicht allein; der Neid, die Uneinigkeit, die Kleinherzigkeit der
protestantischen Fürsten war die Ursache von all'
dem Unglück, welches über das arme Deutschland her-
einbrach, und in noch viel größerem Maaße später
hereingebrochen sein würde, wenn nicht Gustav Adolph
gekommen wäre, und mit seiner starken Siegeshand die
zersplitterten Kräfte Deutschlands zur augenblicklichen
Einigung gezwungen hätte.

Das ganze Dichten und Trachten Kaiser Ferdinand's zielte auf nichts anderes hin, als den Protestantismus mit der Wurzel auszurotten,
und die katholische Kirche wieder zur allgemeinen Geltung zu bringen. So hatte er schon
in früher Jugend zu Loretto der heiligen Jungfrau
Maria gelobt, und die Jesuiten ließen es nicht fehlen,
ihn stündlich an dieses Gelübde zu mahnen. Zugleich
strebte er aber auch nach unumschränkter Alleinherr-

7*

schaft mindestens in ganz Deutschland; wie weit seine Pläne noch gehen mochten, wollen wir hier unberührt lassen. So war Deutschland also nicht blos in Gefahr, seine ohnehin sehr beschränkte Religionsfreiheit, sondern auch die politische Selbstständigkeit zu verlieren, von der es wenigstens einen Schatten noch besaß.

Und, daß dieser tief angelegte und schlau ausgeführte Plan Ferdinand's nicht zur Reife und Ausführung kam, wodurch Deutschland vielleicht um Jahrhunderte in seiner geistigen Entwickelung wäre zurück geworfen worden — dieß haben wir Gustav Adolph zu danken, der das Netz zerschlug, welches die jesuitischen Spinnen um die Freiheit Deutschlands gewoben hatten.

Der Krieg in der Pfalz.

Am 21. Januar 1621 erklärte Kaiser Ferdinand den flüchtigen König Friedrich V., Churfürsten von der Pfalz, in die Reichsacht und aller Würden und Güter verlustig; mit ihm zugleich auch den Fürst von Anhalt und andere Freunde des unglücklichen Friedrich. Ein lauter Schrei des Unwillens über diese Ungesetzlichkeit und Härte ließ sich durch ganz Deutschland hören. Doch, wer sollte ihn beachten? Die Union hatte sich aufgelöst; ihre Mitglieder zitterten vor der strafenden Hand Ferdinand's, und wagten kaum, unterthänigst zu bitten. So groß war der Kleinmuth; drum mußte aber auch die Züchtigung dafür groß sein! Maximilian von Baiern wurde mit der Vollziehung

der Reichsacht in Friedrich's Ländern beauftragt. Graf
Mannsfeld, deffen wir bereits oben (vergl. S. 96)
gedacht, führte noch die Sache Friedrich's mit den
Waffen in der Hand. Sein Unternehmen war mehr
Tollkühnheit. Am 23. April 1621 griff er im Elfaß
mit Friedrich Tilly's Heer an, und erfocht einen
glänzenden Sieg. Doch wurde er kurz darauf am 6.
Mai von Tilly in einer mörderischen Schlacht faft
gänzlich aufgerieben, und mit ihm die noch wenigen
Anhänger Friedrich's und der proteftantischen Sache.
Tilly erftürmte nun Heidelberg; die höchft werth-
volle Bücher- und Handschriftensammlung — wan-
derte nach Rom. So fiel eine Stadt, ein Schloß
nach dem andern, und bald war das ganze Land Friedrich's in Feindes Hand.

Im Januar des Jahres 1623 wurde endlich zu
Regensburg der Fürstentag gehalten, auf welchem
des Churfürften Friedrich Sache entschieden werden sollte. Das Ergebniß war, daß man ihn der
Churwürde und seines Landes für verluftig erklärte,
und beides dem Herzog Maximilian von Baiern
für seine dem Kaiser und Reich geleifteten Verdienfte
verlieh. Den Kindern und Erben Friedrich's sollten
ihre Rechte auf die Churwürde, nach Maximilian's
Tode, vorbehalten bleiben. Am 25. Februar wurde
Letzterer mit dem Churhute belohnt. Die Zuftimmung
des mächtigften proteftantischen Reichsfürften, der Churfürst Johann Georg von Sachsen erhielt der Kaiser
dadurch, daß er ihm die Laufißen für die von dem

selben berechneten Kriegskosten zum Pfande gab, und noch andere Vortheile zugestand.

Das südliche Deutschland war nun gänzlich wieder in der Gewalt Oesterreichs und seiner Jesuiten. Im Jahre 1614 durchzog Tilly die deutschen Gauen mit seinem Schreckensheere, um den Willen des Kaisers in Vollziehung zu bringen. Jesuiten waren in seinem Geleite, um Pflanzschulen in den unterjochten Ländern anzulegen. — Die Mächte Europa's hatten schon längst die wachsende Größe Oesterreichs anfangs mit Neid, zuletzt aber mit Besorgniß betrachtet. Weiter konnte man es nicht um sich greifen lassen, ohne befürchten zu müssen, daß des Kaisers Macht das Verhältniß aller Staaten stören würde. Und so bildete sich anfangs ganz im Stillen in Europa ein Bund gegen Kaiser Ferdinand, der ihm bald verderblich zu werben drohete.

Verbindungen gegen Kaiser Ferdinand II. Wallenstein.

Herzog von Richelieu, Kardinal, einer der größten Staatsmänner Europa's, hatte in Frankreich unter König Ludwig XIII. die oberste Leitung der Dinge in den Händen. Im Jahre 1624 schloß er zu Avignon einen Vertrag mit England, Venedig und Savoyen, welcher die Demüthigung Oesterreichs zum Zwecke hatte. Doch fehlte es noch an Verbündeten aus dem Norden, damit auch von dort her der Schlag geführt werden könnte. Man knüpfte nun Unterhandlungen mit Gustav Adolph von Schweden und König Christian von Dänemark an. Auf Gustav Adolph hatten die Protestanten in Deutschland längst ihre Blicke gerichtet*); eben so hatte er auch sie und ihren bedrängten Zustand nicht aus dem Auge verloren. Auch in England wurden die Unterhandlungen zu der neuen Verbindung betrieben, ehe noch Gustav in den bereits oben beschriebenen preußischen Krieg zog. Gustav Adolph stellte seine Bedingungen, unter welchen er auf seine Kosten ein Heer stellen und den Oberbefehl übernehmen wolle.

König Christian von Dänemark, von Haß und Eifersucht gegen Gustav erfüllt, bot Alles auf, um sich auf den Platz zu stellen, den man für Gustav Adolph bestimmt hatte. Es gelang ihm, es dahin zu bringen, daß man seine Bedingungen für annehmbarer hielt, als die, welche Gustav Adolph gestellt hatte. Dieser verschmähete es aber, nur ein Glied in dem Bunde zu sein, da sein Scharfblick längst die inneren Verhältnisse Deutschlands durchschaut hatte, und er auch recht wohl wußte, daß diesen Bund, bei dem Neid und der Eifersucht der meisten Fürsten, kein anderes Schicksal erwarte, als die Union getroffen hatte. Gustav trat somit zurück, und überließ König Christian von Dänemark den Oberbefehl in dem neuen Bunde. Als im folgenden Jahre 1625 neue Unterhandlungen von Holland ausgingen, zeigte sich, daß König Christian von Dänemark Gustav Adolph nicht einmal einige

*) Vergl. S. 55. Auch hatte Gustav schon den unglücklichen Churfürst von der Pfalz im Jahre 1620 mit Kriegsmitteln, Kanonen und Offizieren unterstützt.

Selbstständigkeit neben sich lassen wollte. Dieser brach
nun alle Unterhandlungen ab, eine andere Stunde,
und einen andern Ruf erwartend.

Am 2. März 1625 wurde auf einer Versammlung zu Lauenburg König Christian als Oberster
des niedersächsischen Kreises erklärt, und ihm zugleich
der Oberbefehl über das Heer übertragen. Sowohl
die Rüstungen Christian's als der Stände wurden
mit der größten Thätigkeit betrieben, und bald war
ein bedeutendes Heer (60,000 Mann) beisammen.

Immer bringender wurden nun die Mahnungen
des Churfürsten von Baiern und seines Oberfeldherrn
Tilly an den Kaiser, ein neues Heer gegen die Verbündeten in Niedersachsen aufzustellen, und dieselben anzugreifen. Kaiser Ferdinand kam durch dieses Gesuch in
die größte Verlegenheit. Seine Staaten waren durch
die unter Raub und Plünderung geführten Kriege im
höchsten Grade zerrüttet und erschöpft. Eben so erschöpft waren seine Kassen. Wovon nun ein neues
Heer schaffen und unterhalten? Aus dieser Verlegenheit half dem Kaiser ein Mann, welcher an dem Himmel
dieses Jahrhunderts immer durch seine Geistesgröße als
ein Stern erster Größe glänzen wird, ungeachtet der
Flecken, die wir an ihm nicht läugnen können, und
die seinen Glanz oft nicht wenig verdunkeln. Graf
Albrecht von Waldstein, später Herzog von
Mecklenburg, Sagan und Friedland, wurde der
Retter Ferdinand's. Bereits in den früheren Kämpfen
hatte Wallenstein, wie wir ihn nach üblicher Weise
nennen wollen, seine Tapferkeit, so wie seine ausge-

zeichneten Feldherrntalente hinlänglich gezeigt, und dem Kaiserhause manchen guten Dienst erwiesen, weshalb er schon vom Kaiser Matthias in den Grafenstand erhoben worden war. Als in Böhmen die Güter der Protestanten confiscirt wurden, erwarb er auf beispiellos billige Weise einen ungeheuren Grundbesitz, welcher ihm später die außerordentlichen Mittel verschaffte, deren er zur Erhaltung des Heeres und zur Führung des Krieges bedurfte. Als Wallenstein im Frühjahr 1625 nach Wien kam, bot er dem Kaiser, der ängstlich um Unterstützung der Liga angegangen wurde, 40,000 Mann an. Man räumte dem Herzog von Friedland die Musterplätze in Böhmen ein; vor der Hand sollte er nur 20,000 Mann herstellen, ohne sich aber in seinem Anwerben zu beschränken. Die Kosten übernahm er einstweilen. Am 25. Juli wurde er zum General-Oberster-Feldhauptmann des Kaisers ernannt. Wir können hier nicht unbemerkt lassen, daß die Jesuiten und ihr bester Freund, Maximilian von Baiern, jetzt schon Wallenstein mit argwöhnischem Blicke betrachteten.

Bereits Ende August hatte Wallenstein in Eger ein Heer von 20,000 Mann beisammen, kriegslustiges, herrenloses oder vertriebenes Volk. Er brach sofort mit dieser Heerschaar nach dem Norden Deutschlands auf, um sich mit Tilly zu vereinigen.

Der Krieg in Niedersachsen.

König Christian von Dänemark hatte unterdessen seine Armee in Holstein zusammengezogen.

Von der größten Wichtigkeit war für Wallenstein
der Besitz der Seestadt Stralsund. Der Feldmarschall Arnheim ließ sie schon bei seinem Einfall in
Pommern, im November 1627, auffordern, eine Besatzung einzunehmen. Es wurde ihm abgeschlagen. Eben
so scheiterten alle andern Unternehmungen an der Beharrlichkeit des Rathes und der Einwohner, welche
feierlich geschworen hatten, „bei der wahren Religion
augsburgischen Bekenntnisses zu verbleiben bis an's
Ende, aber auch keine fremde Besatzung in die Stadt
aufzunehmen.“ Im Mai 1628 eröffnete Arnheim die
Belagerung, und gewann nicht geringe Vortheile. In
der Stadt fehlte es namentlich an Pulver. In dieser
Noth erschien Hülfe von Gustav Adolph. Er schickte
der bedrängten Stadt eine Last Pulver nebst einem
Handschreiben, in welchem er sie auf ihr gemeinschaftliches Glaubensbekenntniß hinweist, und
ihnen freundlich Vorwürfe macht, daß sie sich nicht
früher an ihn gewendet hätten. „Wir ermahnen euch
herzlich,“ — schließt Gustav Adolph — „standhaft in
der Vertheidigung eurer Freiheit und des evangelischen
Glaubens auszuharren, und nicht zu zweifeln, daß
Gottes starker Arm eine so reine Absicht unterstützen
werde. Sollten wir euch sonst nützlich sein können, so
werden wir eurem Bitten gern entsprechen.“
Sofort schickte die Stadt hocherfreut eine Gesandtschaft an Gustav Adolph, um ihm zu danken und anderweite Hülfe zu erbitten. Gustav gewährte sie, und
schickte ihnen 600 Mann nebst mehreren Offizieren. Im
Juli schloß er ein Bündniß mit der Stadt, worin er

ihr Hilfe zusicherte; die Stadt aber versprach, ohne seine Genehmigung keinen Vertrag mit dem Feinde zu schließen. „Die Stadt Stralsund solle inskünftige beständig bei König und Krone von Schweden verbleiben." Die Bürger vertheidigten sich mit neuem Muth, und schickten Weiber und Kinder nach Schweden. Auch König Christian, vielleicht mehr aus Eifersucht gegen Gustav Adolph, sandte Hilfe.

Indeß zog Wallenstein selbst heran, und entbrannte von dem heftigsten Zorn, als er von der Hilfe hörte, die Gustav der Stadt geschickt hatte, die er nehmen wollte „und wenn sie mit Ketten an den Himmel gebunden wäre und er selbst das Leben vor ihr lassen müsse." Alle Unterhandlungen zerschlugen sich. Im Juli kam wieder dänische Hilfe. Fast übermenschlich waren die Anstrengungen Wallenstein's, und ungeheuer sein Verlust. Ende Juli kam neue, stärkere Hilfe von Gustav Adolph, und nun gingen die Belagerten zum Angriff über. Mangel und Krankheiten wütheten in dem kaiserlichen Heere; am 1. August zog es ab, nachdem gegen 12000 Mann bei der vergeblichen Belagerung geblieben waren, und überließ die Stadt dem allgemeinen Jubel und Dank. Die dänischen Hilfstruppen wurden später entlassen und die Stadt blieb in dem Schutze der Schweden.

König Christian von Dänemark hatte auch in diesem Jahre mit ungünstigen Erfolge den Krieg fortgesetzt. Eine Stadt nach der andern, wie Rostock, Wismar, Krempe, fiel in die Hände der Kaiserlichen; nur zu See war er Herr, weil Wallenstein, am 6. März 1629 das **Restitutionsedict.** Dieses befahl bei Strafe der Reichsacht:

1. Alle seit dem Passauer Vertrage, 1552, eingezogenen Stifte, Klöster und andere Kirchengüter jeder Art, sollen den Katholiken restituirt, zurückerstattet werden;

2. alle unmittelbaren wider den geistlichen Vorbehalt eingezogenen Stifte sollen wieder mit katholischen Prälaten besetzt werden;

3. die katholischen Reichsstände haben das Recht, ihre Unterthanen zu ihrem Glauben zu nöthigen, oder dieselben im Falle der Widersetzlichkeit, gegen die gesetzliche Nachsteuer, aus dem Lande zu verbannen;

4. die Wohlthat der Religionsfreiheit genießen in Zukunft nur die Katholiken und diejenigen Reichsstände, welche der unveränderten Augsburgischen Confession zugethan sind; alle andre Secten sind davon ausgeschlossen und werden im Reich nicht mehr geduldet.

Schrecklicheres konnte die Protestanten nicht treffen. Es lag klar am Tage, daß dieses nur der erste Schritt zur völligen Unterdrückung des Protestantismus sei. Außerdem erlitten alle protestantischen regierenden Häuser in ihrem Besitz die namhafteste Verringerung. Zwei Erzbisthümer, Magdeburg und Bremen, zwölf Bisthümer und eine kaum zu übersehende Zahl von Klöstern sollten zurückgegeben werden. Die mit der Einziehung beauftragten kaiserlichen Commissarien verbreiteten sich über ganz Deutschland; zu ihrem Bei-

stand wurden die Heere des Kaisers und der Liga herbeigerufen. Mit Augsburg wurde der Anfang gemacht; die evangelischen Prediger mußten auswandern,
und die Kirchengüter wurden für die Katholiken in
Besitz genommen. Alle Protestationen von Seiten der
Fürsten und Stände blieben unbeachtet. Doch wurde
die Vollstreckung des Edicts wenigstens in dem nördlichen Deutschland noch verschoben.

Inzwischen trat Maximilian von Baiern mit
seinen Absichten offner hervor. Kaiser Ferdinand hatte
an ihn die Aufforderung ergehen lassen, die Liga möchte
ihre Truppen aus Schwaben und Franken entfernen.
Im März rief Maximilian seine Bundesgenossen
nach Heidelberg, wo sie sich dahin entschieden, dem
kaiserlichen Gebot keine Folge zu leisten, bevor ihnen
Ersatz oder Versicherung für ihre Kriegskosten gegeben
sei; zugleich aber auch den Kaiser zu ersuchen, die
Reichsstände zusammenzuberufen, um über den Frieden
zu unterhandeln, der dringendes Bedürfniß sei. Obgleich Maximilian jetzt schon entschlossen war, Wallenstein zu stürzen, so wurde dessen doch jetzt noch
nicht Erwähnung gethan. Bis Mitte des Sommers
lebte der neue Herzog von Mecklenburg in seiner
Residenz Güstrow. Früher war er mit Ausführung
des Restitutionsedicts gegen Magdeburg beauftragt
worden. Anfangs begnügte er sich mit Gelderpressun-
gen, ging aber später zur völligen Belagerung über,
doch ohne Erfolg. Der Friedensschluß Gustav Adolph's
mit Polen rief ihn von Magdeburg weg. Unterdessen
hatte Wallenstein seine Armeen überall vervollständigt,

8

so daß sie wohl 100,000 Mann stark waren, welche in den verschiedenen Theilen Deutschlands lagen, und dem Lande das Mark aussaugten. Wallenstein wußte recht gut, was der Kaiser und er sich von Baiern zu versehen hatte; daher diese Rüstung.

Obschon ungern, und nur durch das Gefährliche der Lage gezwungen, hatte Kaiser Ferdinand einen Reichstag für den 3. Juni 1630 nach Regensburg ausgeschrieben, hauptsächlich, um seinen Sohn, Ferdinand III., zum römischen König wählen zu lassen.

Als Zweck dieser Versammlung wurde in den Ladungsbriefen angegeben: „daß dermaleinst das eingewurzelte Mißtrauen, wie auch das Blutvergießen im heiligen römischen Reiche aufgehoben, rechtes Vertrauen und einhellige Eintracht zwischen Haupt und Gliedern gepflanzt, die fremden Nationen, so aus diesem herrlichen Lande eine armselige Einöde gemacht, ausgerottet, die deutsche Freiheit und Hoheit, welche die Väter mit ritterlicher Hand und tapferem Blut so viele Jahre lang zum Schirm ihrer Freunde und zum Schrecken ihrer Feinde behauptet, wieder hergestellt, und endlich der werthe Friede erlangt, und eine gute Ruhezeit genossen werden möchte.“

Als der Kaiser am 7. Juni mit glänzendem Gefolge in Regensburg eintraf, fand er noch keinen Reichsstand vor, und mußte erst noch einmal die Churfürsten und Reichsstände ernstlich ermahnen lassen, zu erscheinen. Endlich erschienen sie; die durch das Restitutionsedict verletzten Churfürsten von Sachsen und Brandenburg schickten nur Gesandte. Auch was von Seiten Frankreichs eine Gesandtschaft da, in der Person des Pater Joseph, Richelieu's Vertrauten.

Wenn sonst nie einig in ihren Bestrebungen, so waren es die Reichsstände diesesmal wenigstens in einem Punkte — in der Entlassung Wallenstein's und seines Volkes. Schauder erweckend waren die Klagen und Schilderungen des Elendes, die von allen Seiten, namentlich aus Pommern einliefen. Schwierig zeigten sich aber die Stände, als Ferdinand die Wahl seines Sohnes zum römischen König zur Sprache brachte. Erst solle der Friedländer entfernt werden — war die fast einstimmige Antwort. In solcher Lage war der Kaiser, und schon hatte Gustav Adolph seinen Fuß auf deutschen Boden gesetzt.

Wallenstein, der den Winter von 1629 auf 1630 in Böhmen verlebte, wußte längst, was über ihn beschlossen war. Er faßte den kühnen Gedanken, sich und den Kaiser von der Gewalt der Reichsstände zu befreien. Als der Reichstag in Regensburg eröffnet war, kam der bei Memmingen mit einer kaiserlichen Macht von 20,000 Mann. Darauf zielte Maximilian von Baiern; als es in der Reichsversammlung dem Kaiser sagte: „der Reichstag könne, von Bewaffneten umringt, keine Beschlüsse hinsichtlich der römischen Königswahl treffen."

Ferdinand sah sich, von allen Seiten gedrängt, endlich genöthigt, nachzugeben, und Wallenstein fallen zu lassen. Der Beschluß wurde gefaßt, und es ging eine Gesandtschaft in das Lager Wallenstein's, nicht ohne Zagen, um ihm denselben bekannt zu machen.

8*

Sie fanden ihn, der das Vorgefallene bereits wußte, ruhig, mit den Sternen beschäftigt, die er auf seiner Lebensbahn, bis wenige Stunden vor dem Ziele derselben, um Rath fragte. Die Gesandten wurden prächtig empfangen und mit glänzenden Geschenken entlassen. Der größere Theil des Wallensteinschen Heeres wurde entlassen. Viele eilten Gustav Adolph zu, um unter seinen Fahnen zu dienen. Die Wallenstein ergebensten, namentlich die Offiziere, folgten ihm in seine Verbannung nach Böhmen. Der Haß der Reichsstände war noch nicht befriedigt. Sie verlangten auch, daß Wallenstein die erworbenen Besitzungen: Mecklenburg ꝛc. wieder herausgäbe.

Der Oberbefehl über die kaiserliche Armee wurde Tilly übergeben, mit welcher dieser nun sofort gegen Gustav Adolph ziehen sollte, den man am kaiserlichen Hofe den Schneekönig nannte, „dessen Macht wie Eis schmelzen werde, wenn er sich der deutschen Sonne nahe." Anders aber dachte der umsichtige Tilly, der seinen neuen Gegner in vollem Maße zu würdigen verstanden zu haben scheint.

Erst in der Mitte des November gingen die Reichsstände in Regensburg auseinander, als bereits Gustav Adolph seine siegreichen Waffen bis tief nach Deutschland hinein getragen hatte.

Siebenter Abschnitt.

Gustav Adolph's Rüstungen zu seinem Zuge nach
Deutschland.

Der Entschluß zum Kriege. Verhandlungen
mit den Ständen.

Dieses war der Stand der Sachen, als Gustav
Adolph sich entschloß, seinen Zug nach Deutschland
zu unternehmen, und in die großartigen Verhältnisse,
welche die halbe Welt bewegten, frei und selbstständig
einzugreifen. Es bedarf wohl nur eines flüchtigen Ue-
berblicks der im letzten Abschnitt geschilderten Zustände
Deutschland's, um auf den ersten Augenblick zu sehen,
welch' kühnes Wagniß Gustav unternahm, als er beschloß, mit seinem Häuflein Kriegern der gewaltigen
Riesenmacht Kaiser Ferdinand's entgegen zu treten.
Ein solches Unternehmen kann nur dann von dem
Vorwurfe der Tollkühnheit freigesprochen werden, wenn
ihm eine jener höheren von Gott selbst unmittelbar in
des Menschen Brust gelegten Ideen zu Grunde liegt.
Von einer Theilnahme Gustav's an dem Kriege
gegen den Kaiser konnte jetzt nicht mehr die Rede sein;
der Friede mit Dänemark war geschlossen. Ein
neuer Kampf mußte beginnen, den Gustav allein an-
angen wollte. Größer als jetzt, im Jahre 1630, wa-

ren die Schwierigkeiten für Gustav nie gewesen, wo bereits das ganze Niederdeutschland unter der eisernen Hand des Kaisers und der Liga seufzte. Größer war aber auch die Noth und das Elend nicht gewesen, als gerade jetzt. Das Restitutionsedict hatte den Willen des Kaisers, das protestantische Bekenntniß gänzlich auszurotten, klar ausgesprochen.

Längst schon hatte Gustav seine Theilnahme an den Angelegenheiten Deutschlands bekundet; längst seinen Willen, den Protestanten zu helfen, durch Wort und That ausgesprochen, wie aus der Unterstützung Stralsund's hervorgeht. Schon gegen Ende des Jahres 1627 machte er einem Ausschuß der Reichsstände Schwedens Mittheilungen über seinen Entschluß. Welcher derselbe gewesen sei, geht aus der Antwort der Reichsstände vom 12 Januar 1628 hervor: „Nachdem Eure königl. Majestät uns wissen lassen, in welch' gefährlichen Zustand unsere Religionsgenossen in Deutschland gerathen sind, und wie der Kaiser und die papistische Ligue einen Fürsten und eine Stadt nach der anderen bedrückt und bezwungen haben, wie sie ungerechter Weise alle an die Ostsee grenzenden Fürstenthümer eingenommen und endlich Dänemarks, unsers nächsten Nachbars nicht schonten, so daß, insofern Gott solche Gefahr nicht abwendet, wir nichts Anderes zu erwarten haben für unser Reich, als das höchste Verderbniß, oder auch einen langwierigen und beschwerlichen Krieg: — — also geloben wir von Seiten unser und unsrer Mitbrüder — daß wir gegen Eure königl. Majestät und unser Vaterland thun und handeln wollen, wie es redlichen Männern wohl ansteht, und für diese gerechte Sache weder Boden noch Gut zu schonen."

Gustav selbst schrieb in dieser Zeit, am 11. April 1628, an Drenstierna: „Es ist so weit gekommen, daß alle Kriege, so in Europa geführet werden, in einander vermengt und zu einem einzigen geworden sind." Er kannte also sehr gut die Zustände Europa's, aber auch das Gefährliche jeder Einmischung. Der Krieg mit Polen mußte ihn jetzt noch zurückhalten, sowie das Mißtrauen gegen Dänemark, wozu dieses allen Grund gab.

In demselben Schreiben an Drenstierna kommt noch eine Stelle vor, welche deutlich Zeugniß giebt, wie große Geister in ihren Plänen sich gegenseitig berühren. Gustav hatte erst vor, von Polen aus den Krieg zu eröffnen. „Es ist ein Land voll mit Städten und Dörfern, die völlig offen sind; folglich meine ich, daß da eine Armee auf wallensteinische Art zu sammeln wäre." Die Verhandlungen zwischen Gustav und Drenstierna berühren von jetzt an nur die Frage, wie der Krieg zu führen sei, ob nur vertheidigungsweise in Preußen, oder ob zu offenem Angriff übergegangen werden sollte, welcher letztern Ansicht der König war, während der Kanzler Drenstierna einen Vertheidigungskrieg vorzog.

„Preußen," sagt Gustav widerlegend, „ist so ausgegessen, daß, wenn irgend eine Heeresmacht sich da sammeln sollte, sie keinen andern Feind, als den Hunger bedürfe." — Den Schauplatz des Krieges muß man anders wohin, als nach Schweden verlegen, denn wir sind nirgends schwächer, als in Schweden." — „Uebrigens ist auch das Heer Tilly's weit entfernt, so daß das Meiste in Pommern gethan sein wird, ehe er überredet werden kann, dem Wallenstein zu Hilfe zu kommen. — Was sonst gethan oder nicht gethan werden kann, weiß Gott allein, der den Willen zum Beginne, die Kraft zur Ausführung und das Glück zu gutem Ende milbreich verleihen wird, wenn es zur Ehre seines heiligen Namens und zu unserer Seligkeit gedeihen kann."*)

In solchem Geiste dachte Gustav Adolph; in solchem Geiste faßte er seinen Entschluß, in solchem Geiste führte er ihn aus. Und, es ist heilige Pflicht der Nachwelt, diesen königlichen Worten zu glauben, und darnach zu urtheilen. Aus dieser glaubensvollen, frommen und vertrauenden Anschauung der Dinge ging aber auch von selbst jene freudige Zuversicht Gustav's hervor, jene Siegesahnung, die sich vor keinen Schwierigkeiten scheute, und eben nur dadurch siegen konnte.

Der Entschluß Gustav's, das große Wagniß zu unternehmen, ist daher auch keineswegs das Ergebniß des kalten, die Möglichkeiten berechnenden Verstandes (denn dieser konnte ihm nur rathen, daheim zu bleiben), sondern etwas ganz anderes. Einer der einsichtsvollsten Zeitgenossen Gustav's, sein vertrautester

---

*) Es ist zu bemerken, daß Gustav dies am 11. April 1628 schrieb.

Freund, Orenstierna, hat stets sich dahin geäußert daß der Beschluß des Krieges von Seiten des Königs „ein Schicksal, eine göttliche Schickung, eine Eingebung seines Geistes" gewesen sei. Oder, wie der geistvolle Redner*) bei der Einweihung des neuen Denkmals auf Gustav's Todtenbette bei Lützen am 6. November 1837 eben so trefflich bezeichnend, als tief in Gustav's Seele blickend, sprach: „Wie wenn's gerufen hätte: Komm herüber und hilf uns! so war ihm zu Muthe."

Nachdem Gustav aus dem preußischen Kriege im Herbst 1629 nach Schweden zurückgekehrt war, ging er sofort an die Ausführung des gefaßten Entschlusses. Anfangs November berief er die angesehensten und einsichtsvollsten Mitglieder des Reichsrathes zu einer Versammlung nach Upsala, um über die Art und Weise, den Krieg zu führen, zu berathen; ob man sich nur vertheidigen, oder den Kaiser angreifen solle.

„Ihr werdet Euch noch erinnern" — sprach er — „daß ich Euch zum öftern gesagt habe, der Krieg in Deutschland werde sich nicht endigen, ohne daß nicht Schweden in denselben verwickelt werden würde. Was ich damals voraussah, ist in dem vergangenen Sommer geschehen. Ein kaiserlicher Feldmarschall ist mit einem ansehnlichen Corps Truppen gegen uns nach Preußen geschickt und wir dadurch in eine so große Verlegenheit gesetzt worden, daß wir gewiß unterlegen sein würden, wenn uns nicht die göttliche

---

*) Bischof Dr. Dräseke.

Vorsehung auf eine vorzügliche Art beigestanden hätte.

Ich erinnere mich auch meinerseits, daß Ihr mir oft gerathen habt, diesem Kriege entgegen zu ziehen, ehe er sich unsern Gränzen nähert. Wir stehen in Begriff, diesen Rath zu befolgen, besonders jetzt, da die Könige von Frankreich und England mir ein Bündniß wider den Kaiser antragen und unsere entscheidende Antwort erwarten. Ehe wir uns aber in etwas einlassen, haben wir es für dienlich erachtet, Euch um Euer Gutachten zu befragen, damit, wenn der Erfolg unsern Hoffnungen nicht entsprechen sollte, was Gott verhüten möge, man nicht wider mich murren und meine Regierung tadeln und mich der Uebereilung und Vermessenheit beschuldigen dürfe. Ich will Euch daher die Sache, um die es sich handelt, so kurz als möglich vortragen. Es ist unläugbar, daß wir mit dem Kaiser bereits in offenem Kampfe verwickelt sind. Es fragt sich blos, welches die beste Art sei, den Krieg zu führen.

Sollen wir uns auf die Vertheidigung beschränken und unsere Küsten zu vertheidigen suchen;

oder sollen wir mit dem größten Theile unsrer Macht den Kaiser in Deutschland angreifen?

Dies muß der Gegenstand Eurer Berathung sein."

Das Gutachten wurde mit der größten Besonnenheit und Vorsicht abgefaßt. Zuerst wurden sieben Gründe angegeben, aus welchen der Krieg nicht räthlich sei; hierauf wurden sieben Gegenbeweise aufgestellt, aus denen die Unvermeidlichkeit des Krieges hervorging, und zugleich die Nothwendigkeit, den Kampf in Deutschland zu eröffnen. Besonders hob man die Verpflichtung heraus, den unterdrückten Protestanten in Deutschland zu Hülfe zu eilen.

Am 13. November wurde dieser Beschluß gefaßt, und der König darin am Schluß aufgefordert, „den angeführten Gründen geneigtes Gehör zu schenken, und das einzige noch übrige Mittel zu ergreifen, das seinem Ruhm und der Ehre des Volkes zuträglich sei."

Die Versammelten baten den König, er möchte sich mit allen Soldaten, die das Reich nur immer entbehren könne, so bald als möglich einschiffen.

Gustav schloß die Versammlung mit den Worten: „Ich ermahne Euch, daß ihr das so betreibt, daß entweder ihr oder eure Kinder daraus einen guten Ausgang sehet — den Gott verleihe! Für mich selbst ist keine andere Ruhe mehr zu erwarten, es sei denn die ewige Ruhe!"

Auch so hatte sich unwillkührlich in die Siegesahnung des heldenmüthigen Königs auch die Todesahnung gedrängt!

Ob diese Ahnung, die sich auch noch in der Abschiedsrede des Königs ausspricht, nur einen allgemeinen Grund hatte, da Gustav recht wohl wußte, welchen Gefahren er sich in dem neuen Kampf aussetzen werden müssen, oder noch einen besondern, wollen wir nicht entscheiden. Daß der Feind nicht immer mit ehrlichen Waffen gegen Gustav fechten wollte, ist gewiß, wie denn ja auch heute noch nicht entschieden ist, ob Gustav ein Opfer des Meuchelmordes wurde oder nicht. Es sind in der neueren Zeit Briefe Wallenstein's aus der Zeit vor Gustavs Uebergang nach Deutschland veröffentlicht worden, die so geheimnißvolle Beziehungen, so zweideutige Winke über die Verfügung einer höchst bedeutenden Summe (90,000 rth.) zu einem nicht klar ausgesprochenen Zweck enthalten, daß wohl die Vermuthung aufsteigen konnte, der Friedländer habe mit jener Summe den Lohn für den Mörder Gustav Adolph's bezeichnen wollen.

Es wurden nun von den Ständen des Reichs größere Steuern bewilligt, um die Flotte auszurüsten; die Rüstungen zum Kampfe wurden mit dem größten Eifer betrieben, von Seiten des Königs auch mit Strenge, wenn es nöthig schien.

Zunächst mußte aber Gustav Adolph dafür sorgen, sich Verbündete zu erwerben. Groß war noch die Eifersucht und feindselige Gesinnung des Königs Christian von Dänemark. Die Reichsräthe Schwedens hielten eine Besprechung beider Könige für nöthig. Sie kam am 30. October 1629 zu Stande, aber ohne weitern Erfolg, als daß König Christian seine Vermittlung zu einem Frieden zwischen dem Kaiser und Gustav antrug. Beiderseitige Gesandten kamen in Danzig zusammen, wo sich die Verhandlungen bis in das nächste Jahr ohne allen Zweck hinauszogen. Die schwedischen Abgeordneten gingen auf gar nichts ein, da man Gustav Adolph sogar den Königs-

titel verweigerte. Die schwedische Ständeversammlung berichtete an Gustav: „Dieweil der Gegner
Vorhaben unsicher und der Ausgang ungewiß, halten
wir deshalb für räthlichst, daß Seine Majestät sogleich
mit den Waffen nachfolge, und den Tractat unter
dem Helm treibe."

Die Unterhandlungen mit Frankreich, England
und Holland bezogen sich nur auf zu gewährende Geldhülfe, welche Gustav auch später, namentlich von den
beiden letzten Staaten, erhielt, da er sich von Frankreich mehr fern hielt, um den Schein zu vermeiden,
als stände er im Dienste Richelieu's.

Nach Deutschland schickte Gustav seinen Hofmarschall Dietrich von Falkenberg, um mit den kleineren protestantischen Fürsten Verhandlungen anzu-
knüpfen. An Versicherungen von denselben, sich mit
Gustav zu verbinden, fehlte es nicht. Sachsen und
Brandenburg aber zogen sich ganz zurück. Eben
so wie das Volk bei der Kunde von der Ankunft des
nordischen Retters hoch aufjubelte, eben so scheu zogen
sich die Fürsten in ihrer knechtischen Furcht vor dem
Kaiser zurück; wie denn der Herzog von Pommern
Gustav fast flehentlich bat, seinen Kriegszug aufzugeben. Gustav mußte erst siegen, um Vertrauen und
Selbstgefühl zu erwecken.

Auch an die Churfürsten hatte sich Gustav
gewendet, ihre Vermittelung angesprochen, und sie aufgefordert, als Schiedsrichter einzuschreiten. Auch von
diesen erhielt Gustav nichts als leere Ausflüchte zur
Antwort; sogar den königlichen Titel verweigerte man

ihm, worüber sich der König bitter beschwert: „Man habe entweder aus Vorsatz oder Versehen den königlichen Titel in dem erlassenen churfürstlichen Schreiben ausgelassen, einen Titel, dem er nur Gott und seinem Schwerte zu danken habe, und den er bis an das Ende seines Lebens zu vertheidigen wissen werde, so wie er es auch jetzt schon seit zwanzig Jahren gethan. Er würde daher auch ihr Schreiben nicht eröffnet haben, wenn er nicht geglaubt hätte, daß man vielleicht auf Abstellung seiner gegründeten Beschwerden Bedacht nehme. Es dürfte ihm aber nun nicht übel ausgelegt werden, wenn er seine Sicherheit von jetzt an durch andere Mittel, als durch vergebliche Unterhandlungen, zu erhalten suche."

Die Feindseligkeiten eröffnete Gustav Adolph nach vor seiner Abreise von Schweden damit, daß er seinem Befehlshaber Leßley in Stralsund befahl, sich der Insel Rügen zu bemächtigen, welche Kaiserliche besetzt hatten. Es gelang dies auch zum größten Theil.

Bereits im Mai 1630 war die zur Ueberschiffung bestimmte Flotte im Hafen zu Elfsnaben versammelt. Sie bestand aus 28 Fahrzeugen, mehreren Kauffarthelschiffen und kleinen Fahrzeugen. Die Stärke seiner Heeresmacht suchte Gustav so viel als möglich zu verbergen; es ist wahrscheinlich, daß er nicht mehr als 15000 Mann zu Fuß und 3000 Mann Reiterei nach Deutschland brachte. Ein großer Theil des Fußvolkes waren Ausländer; die Reiterei bestand nur aus Schweden. Außerdem wurde ein großer

Vorrath von Kriegsbedürfnissen jeder Art ·eingeschifft; namentlich aber war die Artillerie ausgezeichnet.

Die Regierung des Landes übertrug Gustav Adolph während seiner Abwesenheit dem Reichsrath; zehn Reichsräthe sollten unausgesetzt in der Stadt bleiben. Die Oberaufsicht über das Kriegswesen erhielt sein Schwager, der Pfalzgraf Johann Casimir.

Gustav Adolph's Abschied.

Am 29. Mai 1630 begab sich Gustav zum letztenmal in die Versammlung der Reichsstände, um Abschied von ihnen zu nehmen. Er stellte ihnen zuerst seine damals noch nicht sechsjährige Tochter Christine vor, ließ ihr von den Ständen den Eid der Treue leisten, als künftiger Königin, im Fall ihn der Tod ereilen sollte. Hierauf nahm er seine Tochter auf den Arm, und empfahl sie den Ständen mit so rührenden Worten, daß die ganze Versammlung auf das Tiefste gerührt sich der Thränen nicht enthalten konnte. Er selbst mußte sich erholen, um seine letzten Worte an die Stände sprechen zu können.

Als er den Ständen für ihre Bereitwilligkeit, mit der sie Alles genehmigt hätten, was zur Sicherstellung des Reiches diene, gedankt und die gegenwärtigen Zustände noch einmal in das rechte Licht gesetzt hatte, fuhr er fort:

„Niemand glaube, daß ich mich in diesen Krieg leichtsinniger Weise und ohne Grund stürze. Ich rufe den allmächtigen Gott, in dessen Gegen-

wärt ich, rede, zum Zeugen auf, daß ich nicht
aus eigenem Antriebe, oder weil ich Vergnügen daran finde, Krieg führe. Man hat mich
wiederholt dazu gezwungen. Der Kaiser hat mir in
der Person meines Gesandten die größten Beleidigun-
gen zugefügt; er leistet meinen Feinden Beistand gegen
mich; er verfolgt unsre Glaubensbrüder, die
deutschen Protestanten, die unter dem Joche
des Papstes seufzen, und ihre Hände um
Hülfe flehend nach uns ausstrecken, welche
wir ihnen, wenn es Gott gefällt, auch bringen-
gen wollen. Was mich anlangt, so sind mir die
Gefahren, denen mein Leben ausgesetzt sein wird, nicht
unbekannt. Je öfterer ich mich denselben aussetze, desto
weniger ist es wahrscheinlich, daß ich denselben entgehen werde. Zwar hat mich Gott bis jetzt noch
wunderbar behütet, aber ich werde doch endlich in der Vertheidigung meines Vaterlandes sterben. Deshalb empfehle ich euch, ehe
ich von euch scheide, dem Schutze des Allmächtigen, und bitte ihn, über euch all' seinen
zeitlichen und ewigen Segen auszuschütten,
damit wir uns dereinst nach diesem vergäng-
lichen Leben in der für uns zubereiteten himmlischen und ewigen Wohnung wiederfinden
mögen.

An euch, meine Reichsräthe, ergehen zunächst
meine Wünsche. Gott erleuchte euch, daß ihr fortfahren möget, eurem hohen Berufe würdig zum Wohl-
gefallen Gottes obzuliegen; der einst von allen unsern

Handlungen Rechenschaft fordern wird. Er erfülle
euch mit Weisheit in der Führung eures Amtes.

Auch euch, tapfrer Adel, empfehle ich dem göttlichen Schutze. Zeiget euch immerdar als würdige
Enkel jener alten Gothen, deren Ruhm einst so hell
strahlte, wenn er auch jetzt im Auslande der Vergessenheit übergeben worden zu sein scheint. Beweiset
künftig denselben Muth, von dem ihr während meiner Regierung so viele Beweise gegeben habt, und seid
versichert, daß Ehre und jeder andere mit der Tapferkeit verbundener Lohn euch nicht entgehen wird.

Euch, ihr Diener der Kirche, vermahne ich
zur Eintracht und Verträglichkeit, schärfet meinem Volke,
dessen Herz ihr besitzt, jede geistliche und bürgerliche
Tugend ein, und haltet es an zum Gehorsam gegen
die Obrigkeit. Gebet selbst durch unsträflichen und
frommen Wandel ein Beispiel der Tugenden, die ihr
prediget. Fahrt fort, die reine Lehre des Evangeliums
zu predigen; hütet euch vor Hochmuth und Geiz; seid
demüthig, mitleidig und bescheiden, dadurch werdet ihr
eure Gemeinde in Frieden erhalten.

Euch, ihr Abgeordneten des Bürger- und
Bauernstandes, wünsche ich, daß Gott die Arbeit
eurer Hände segnen, eure Felder fruchtbar machen,
eure Scheunen mit Gütern anfüllen möge, daß ihr nie
einen Mangel an irgend einem Gute leidet.

Ich schicke endlich für alle, abwesende sowohl
als gegenwärtige Unterthanen dieses Reiches die
aufrichtigsten Wünsche zu Gott empor. Ich rufe euch
allen mein herzlichstes Lebewohl zu, vielleicht auf

9

immer. Vielleicht sehen wir uns jetzt zum letzten
Male".

Thränen entquollen den königlichen Augen. Alle
Anwesenden waren erschüttert, und lautes Weinen
durchdrang die Versammlung. Gustav schloß nach
kurzem Stillschweigen mit dem Gebet aus dem 90.
Psalm, wie er bei allen wichtigen Vorgängen zu thun
pflegte: „Herr, kehre dich nieder zu uns, und sei deinen Knechten gnädig. Fülle uns frühe mit deiner
Gnade, so wollen wir rühmen und fröhlich sein unser
Lebenlang. Zeige deinen Knechten deine Werke und
deine Ehre ihren Kindern. Und der Herr, unser
Gott, sei uns freundlich und fördere das Werk unsrer
Hände bei uns; ja das Werk unsrer Hände wolle er
fördern. Amen."

Dieses war der Abschied Gustav Adolph's von
seinen Ständen, seinem Volke, seinem Kinde.

Zu Elf en aben ging die Einschiffung des Heeres
vor sich, mit dem Gustav der Macht des Kaisers, und
dem noch unbesiegten Feldherrn desselben entgegentreten
wollte. Klein war dieses Heer an Zahl; stark aber
in seiner Liebe, in seinem Vertrauen zu dem Führer;
stark war es und unüberwindlich durch den Geist,
der es beseelte. Es war der Geist ungeheuchelter Gottesfurcht, wie er in Gustav Adolph lebte, der dieses
Heer durchdrang, das den Tag mit Gebet anfing, und
mit Gebet schloß. Mit Gebet zu Gott, im Aufblick
zu ihm, und dann im Hinblick auf seinen König ging
es in die Schlacht, und: „Gott mit uns!" tönte es
durch die Schaaren weithin, welche nun freudig im

blutigen Kampfe ihr Leben einsetzten für die gerechte Sache, zur Ehre Gottes, und für den heiß geliebten König. Darum fehlte diesem Heere aber auch der Sieg nicht.

Tausende bedeckten das Ufer, als Gustav Adolph mit seinem Heere sich einschiffte. Ungeheuer erschien den Meisten das Wagniß, welches er unternahm; allgemeine Bewunderung wurde seinem Muthe zu Theil, hier und da wohl auch Bedauern, daß der Held noch keine Ruhe gefunden habe, nachdem er fast schon zwanzig Jahre gestritten. Doch das Gefühl von der Rechtmäßigkeit des Kampfes, dessen edler, hoher Zweck, das Glück, die Tugenden, die Tapferkeit des Königs, erweckten in Allen das feste Vertrauen, daß Gott einen glücklichen Ausgang verleihen werde.

Während der Einschiffung noch erschien eine Gesandtschaft des Herzogs von Pommern mit der Bitte, nicht in Pommern zu landen. Solche Zaghaftigkeit, solchen Kleinmuth konnte Gustav nicht brachten. Ende Mai wurden die Segel gelichtet; doch hielten ungünstige Winde die Flotte vom Auslaufen bis zum Juni auf, während welcher Zeit der unermüdliche König am Bord der Flotte sich mit der Anordnung auch der kleinsten Verhältnisse in seinem Reiche beschäftigte, welche vor seiner Abreise ihre Erledigung nicht hatten finden können.

Endlich schwellte günstiger Wind die Segel; die Abfahrt erfolgte, doch war die Reise beschwerlich, und nicht ohne Gefahr; erst nach fünf Wochen erblickte man das längst ersehnte Gestade.

9*

Zweites Buch.

Geſchichte Guſtav Adolph's bis zur Schlacht
bei Breitenfeld, am 7. September 1631.

Erster Abſchnitt.

Guſtav's Siegeszug durch Pommern und Mecklenburg
im Jahre 1631.

Die Landung.

Am Johannistage, den 24. Juni, des Jahres
1630, an demſelben Tage, an welchem hundert Jahre
früher die proteſtantiſchen Fürſten dem Kaiſer
Karl V. die Augsburgiſche Confeſſion übergeben hatten, kam Guſtav Adolph mit ſeiner Flotte
an der Inſel Ruden an, wo er die Anker auswerfen
und ſofort, während heftiger Donner weithin ſchallte,
ſeine Mannſchaften auf flachen Fahrzeugen nach der
nahen Inſel Uſedom überſetzen und landen ließ. Der
König ſtieg zuerſt an's Land, fiel auf die Knie und
dankte im heißen Gebet Gott für die glückliche Ankunft
auf deutſcher Erde: „O Gott, der Du über Himmel
und Erde, über Wind und Meer herrſcheſt, wie ſoll

ich's Dir immer danken, daß Du mich auf dieser gefährlichen Reise so gnädig beschützt hast. Ach, ich danke, ich danke Dir vom innersten Grunde meines Herzens, und bitte Dich, zu dieser Unternehmung,
die ich nicht zu Meinen, sondern allein zu
deinen Ehren, zur Vertheidigung deiner bedrängten Kirche und zum Trost der Gläubi-
gen angefangen habe, deine Gnade und Segen
zu geben. Du, Herr, der du Herzen und Nieren prü-
fest, kennst die Lauterkeit meiner Absichten. Du
wollest auch gut Wetter und Wind verleihen, damit
ich meine zurückgelassene Armee mit fröhlichem Herzen
bei mir sehen und dein heiliges Werk fortsetzen
kann. Amen."

Die den König umgebenden Offiziere waren durch
das Feierliche des Augenblickes, wie durch das herzinnige Gebet Gustav's tief ergriffen und Thränen rollten
den geprüften Kriegshelden über die gebräunten Wan-
gen. „Weinet nicht," wandte sich der König zu ihnen, „sondern betet inbrünstig; je mehr Betens, desto mehr
Sieg; fleißig gebetet, ist halb gesiegt." Hierauf nahm der König selbst den Spaten in die Hand,
um zuerst Hand an die vorläufige Befestigung zu legen. Sofort schritt man an das Werk, noch während
der Ausschiffung. Während der eine Theil der Mannschaften die Erdarbeiten verrichtete, stand der andere
mit den Waffen in der Hand zu ihrem Schutze bereit.
Am andern Tage war die ganze Armee gelandet und
verschanzt. Nachdem auch der Kriegsbedarf ausgeschifft
war, schickte Gustav einen Theil der Flotte zurück, um

Lebensmittel zu holen, denn die Kaiserlichen Heere hatten nur Verwüstung und Greuel hinter sich gelassen.

Hierauf machte der König seine versammelte Armee mit dem hohen, heiligen Zwecke des unternommenen Kampfes bekannt, dessen Ausgang ihnen einen unsterblichen Ruhm bei der Nachwelt bereiten müsse. „Fürchtet Euch nicht vor dem neuen Feind," — sprach der König — „es ist derselbe, den ihr schon in Preußen besiegt habt. Wenn ihr mit mir redlich aushaltet, so hoffe ich mir, meinem Reiche, der Religion und unsern Glaubensgenossen in Deutschland Frieden und Sicherheit zu erkämpfen."

Zugleich aber ließ der König nochmals die strengste Zucht und Ordnung einschärfen, und setzte auf jede Mißhandlung der Bewohner, auf jedes muthwillige Zerstören ihrer Habe die unausbleibliche Todesstrafe.

Die Kaiserlichen Soldaten waren bei der Annäherung Gustav's abgezogen, und am Schluß des Monats war die ganze Insel Usedom in Gustav's Händen.

Obschon Gustav Adolph in dem bevorstehenden Kriege als der angegriffene Theil erschien, da der Kaiser durch Arnheim seinem Feinde Sigismund Hülfstruppen geschickt hatte,[*] so hielt er es doch für angemessen, sich ganz Europa gegenüber, vom Standpunkte des Rechts aus, zu rechtfertigen und vor jedem Vorwurf zu bewahren. Er that dieses in einer in dieser Zeit erlassenen besondern Schrift: „Ursachen, wodurch der

---

[*] Vergl. Seite 89.

König von Schweden, Gustav Adolph, endlich gezwungen worden ist, mit einem Kriegsheer sich auf deutschen Boden zu begeben." Wir theilen einiges hieraus mit.

„Ein alt Sprichwort ist: Es könne Niemand länger Frieden haben, als sein Nachbar will. Daß diesem also sei, hat der König von Schweden nicht ohne großen merklichen Schaden zeither erfahren, wie auch noch täglich. Wiewohl ihm während seiner Regierung nichts so sehr am Herzen lag, als mit allen Nachbarn und zwar besonders mit den Ständen deutscher Nation in einem beständigen und ungeschwächten Frieden zu leben; so hat er doch nicht mehr erlangen können, als daß er von etlichen Friedensstörern — nachdem sie fast ganz Deutschland mit Mord und Brand erfüllt haben — von Jahr zu Jahr mehr und mehr verfolgt wird. Der König von Schweden hat Alles gethan, um Feindseligkeiten zu verhüten, er hat selbst jahrelang sein Ohr dem Hülferuf seiner deutschen Glaubens- und Blutsverwandten verschlossen, weil er hoffte, daß sich der Kaiser eines Bessern besinnen und aufhören werde, Unschuldige zu verfolgen."

Der König zählt nun alle die Rechtsverletzungen auf, die sich jene „Friedensstörer" gegen ihn hatten zu Schulden kommen lassen, und weist deutlich nach, wie sie es auf seinen und seines Reiches Untergang abgesehen hätten, indem sie sich auch der Ostsee bemächtigen wollten, nur „um das einmal im Herzen und Gemüthe empfangene Gift auch in das baltische Meer auszuspeien." — Am Schluß erklärt der König

nochmals, daß er die Waffen keineswegs zum Nach=
theil des römischen Reichs ergriffen, sondern einzig und
allein für sich und die Seinigen, und „um die allge=
meine Freiheit zu vertheidigen und zu
schützen, bis daß die Freunde und Nachbarn wieder
in den Stand gebracht würden, worinnen sie vor diesem
Kriege zu ihrer Freude gewesen wären."

Erste Siege Gustav Adolph's in Pommern und Meklenburg.

Der Feind, welchen Gustav zunächst zu bekämpfen
hatte, war der kaiserliche Feldhauptmann Torquato
Conti, der mit 16000 Mann Pommern besetzt hatte.
Die übrigen Heere des Kaisers und der Liga standen
sehr entfernt, von diesen war vor der Hand nichts zu
befürchten; noch weniger von Tilly, der nach dem
Befehl des Churfürsten Maximilian von Baiern nicht
eher einschreiten sollte, bis sich die Angelegenheiten auf
dem Regensburger Reichstage entschieden hätten.

Innerhalb 14 Tagen hatte Gustav Adolph alle
festen Plätze auf den pommerschen Inseln Rügen,
Usedom, Wollin, und die Stadt Camin auf dem
Festlande in seiner Gewalt. Die Kaiserlichen zogen
sich meist ohne Kampf zurück, sobald der König er=
schien. Dieser verfolgte seine Vortheile auf der Stelle,
und erschien plötzlich, da er den Rücken frei und ge=
deckt hatte, vor Stettin, der Hauptstadt Pommerns,
in welcher sich der bejahrte Herzog Bogislas befand.
Gustav setzte seine Truppen an das Land, zum Erstau=

nen und zur Freude der protestantischen Einwohner, welche sofort nach dem schwedischen Lager eilten, um ihren Befreier zu begrüßen. In ihrer Mitte sprach er sich über die Unterdrückung durch den Kaiser und über seine eigenen Absichten, Glauben und Freiheit zu schützen, aus, und bald scholl ihm lauter Jubelruf entgegen. Denn, eben so schnell, wie er den Feind besiegte, eroberte er auch die Herzen Aller, die sich ihm naheten, durch die unwiderstehliche Gewalt seiner Würde und Freundlichkeit.

Herzog Bogislas erschien im Lager, und suchte noch einmal Gustav zu bewegen, nicht durch sein Land zu ziehen, für welches er ein gleiches Schicksal von der Rache des Kaisers befürchtete, als Mecklenburg betroffen hatte. Vergebens setzte ihm Gustav seine Absichten auseinander, und erst nach seiner Drohung: „Wer nicht mit mir ist, ist wider mich." gab Bogislav die Einwilligung zur Besetzung Stettins, in welches sofort die Schweden einzogen, am 28. Juli. Am folgenden Tage, Sonntags, wartete Gustav Adolph den Gottesdienst in der Kirche ab. Im Verein mit den Bürgern ließ er nun sofort die Stadt stärker und zweckmäßiger befestigen, was seinem rastlosen Eifer auch in kurzer Zeit gelang. Mit dem Herzoge schloß der König einen engen Vertrag, zufolge welches Pommern, nach des kinderlosen Herzogs Absterben, vorläufig bis zum Ersatz der Kriegskosten, bei Schweden verbleiben sollte. Durch diesen Vertrag war Gustav Adolph in den Besitz von ganz Pommern gesetzt. Gustav's Streitmacht wuchs mit jedem Tage; in Pom-

mern wurden neue Regimenter errichtet; nach Wallenstein's Entlassung, welche in diese Zeit fällt, (vergl.
S. 116) kamen viele Kriegsknechte, um unter dem Könige zu dienen. Dieser setzte nun seinen Eroberungszug
weiter fort. Das Städtchen Damm wurde sogleich
besetzt; das nächste Ziel war Stargard, welches in
den Händen der Kaiserlichen war. Oberst Damitz
drang in die Stadt; und die Kaiserlichen mußten dieselbe, mit Hinterlassung ihrer Magazine und Kriegs-
vorräthe, verlassen.

Der König wandte sich nun gegen das kaiserliche Lager zu Garz. Es gelang ihm nicht, den Feind
zum offenem Kampfe zu bewegen, und das Lager anzugreifen hielt er nicht für rathsam. Schon jetzt
warben die Jesuiten Meuchelmörder für Gustav
Adolph. Ein Italiener, Quinti del Ponte, hatte
ihn so zu täuschen gewußt, daß er bald eine Offizier-
stelle erhielt. Und so geschah es, daß dieser den ihm
vertrauenden König mit 70 Reitern in einen feindlichen Hinterhalt von 500 neapolitanischen Kuirassiren
lockte. Der König und alle mit ihm wären verloren
gewesen, schon lag er zu Boden, als seine Finnen
auf dem Kampfplatz erschienen und ihn retteten. Quinti
entfloh zu den Kaiserlichen; ein Mitschuldiger, Johann
Baptista, konnte der Strafe nicht entgehen. Von mehreren Seiten erhielt Gustav Warnungen und Andeutungen über jesuitische Mordanschläge gegen seine Person.

Uckermünde und Anklam verließen die Kaiserlichen, als die Schweden naheten, Wolgast ward
nach tapferm Widerstand mit den Waffen erobert.

Der seit dem Frieden von Lübeck (S. 110) vertriebene Markgraf Christian Wilhelm von Brandenburg, Administrator des Erzstiftes Magdeburg, erklärte sich zuerst in Deutschland für Gustav Adolph. Sobald er des Königs Landung vernommen hatte, erschien er heimlich in Magdeburg. Der Rath erkannte ihn wieder als Administrator an, und schloß, am 1. August 1630, ein Bündniß mit Schweden ab. Magdeburg hat den Ruhm, zuerst frei und offen zu Gustav Adolph übergetreten zu sein. Dieser ermahnte zur größten Vorsicht, schickte Mittel zur Anwerbung von Soldaten und einen Befehlshaber. Die vertriebenen Herzöge von Mecklenburg schlossen sich, Hülfe suchend, ebenfalls an Gustav an, so auch der Herzog von Lauenburg.

Der König beschloß nun, sich nach Mecklenburg zu wenden. Er schrieb deshalb von Wolgast am 8. September an Orenstjerna: „Weil uns sehr viel daran liegt, festen Fuß in Mecklenburg zu bekommen, sowohl für die Erweitrung der Winterquartiere, „als Magdeburgs Entsatz — deshalb haben wir beschlossen, in Gottes Namen nach Mecklenburg vorwärts zu gehen.". — Gustav erließ von dem sogleich zu erwähnenden Ribnitz aus eine Proclamation an die Mecklenburger, in der er sie auffordert, ihrem rechtmäßigen Herrn sich wieder zu unterwerfen, bewaffnet in sein Lager zu kommen, und alle Anhänger Wallenstein's zu vertreiben.

Bald stand er vor Dammgarten, vertrieb die Kaiserlichen, und nahm es ein; ebenso am folgenden

Tage Ribnitz. Doch mußte Gustav seinen Plan aus mehreren wichtigen Gründen wieder aufgeben. Der Herzog von Lauenburg hatte sich an die Spitze des von ihm und den vertriebenen Herzögen von Mecklenburg geworbenen Heeres gestellt. Er wurde aber von dem kaiserlichen Feldhauptmann Pappenheim geschlagen und gefangen genommen. Auch die Unternehmungen des Markgraf Christian Wilhelm waren mit keinem Erfolge gekrönt worden. Gustav's Anrathen entgegen hatte er sich nicht auf die Bewachung Magdeburgs beschränkt, sondern seine Kräfte durch Streifzüge zersplittert. Hierzu kam noch, daß Pommern und namentlich Stettin von den Kaiserlichen sehr beunruhigt wurde; die Verstärkung aber durch die preußischen Truppen, auf welche Gustav gerechnet hatte, sich verzögerte. Der König kehrte daher nach Stettin zurück. Auch jetzt waren die Friedensunterhandlungen mit dem Kaiser noch nicht ganz abgebrochen. Gustav Adolph schreibt an den Kanzler: „Der Kaiser scheint zwar zu einem Vergleiche sich zu neigen, jedoch ohne andere Bedingungen, als daß wir, ohne Rücksicht auf unsere und unsrer Nachbarn Sicherheit, uns in unsre vorige Ungewißheit begeben sollen. Wir sind der Meinung, daß kein Vergleich eingegangen werden kann, es sei denn, daß über ganz Deutschland ein neuer Religionsfriede eingegangen und confirmirt werde, und unsre Nachbarn in ihren vorigen Stand gesetzt, so daß wir durch ihre Sicherheit sicher sein können. Zu welchem Ziel und Ende wir kein ander Mittel kennen, als dem Kaiser selbst etwas näher zu Leibe zu gehen, und beineben der Klerisei, die auf seiner Seite ist.

Der Schluß des Jahres 1630.

Gustav wünschte, das Jahr noch mit einigen wichtigen Ereignissen zu bezeichnen. Die preußischen Truppen waren angekommen; auch hatte England Geldhülfe gesandt. Im kaiserlichen Lager zu Garz herrschte der größte Mangel, die nothwendige und jetzt als Rächerin erscheinende Folge der grausenhaften Verwüstungen, welche Conti's Schaaren verübt hatten. Der Winter trat mit großer Strenge ein, für die Söhne des Nordens weniger fühlbar, als für die kaiserlichen Kriegsknechte. Conti machte den Versuch, einen Waffenstillstand zu schließen, erhielt aber von Gustav Adolph, der für die Winterbekleidung seiner Mannschaften trefflich gesorgt hatte, zur Antwort: „Die Schweden seien im Winter so gut Soldaten, als im Sommer, auch durchaus nicht gewohnt, im Quartier zu liegen und die armen Leute auszuziehen. Die Kaiserlichen möchten thun, was ihnen gut dünke,' sie gedächten während des Winters nicht zu feiern."

Conti, sein Unglück voraussehend, dankte ab. Der Graf von Schaumburg übernahm den Befehl, ein Mann, der sich der von den Kaiserlichen verübten Greuelthaten schämte.

Am 23. December 1630, nachdem vorher ein allgemeiner Buß- und Bettag gefeiert worden war, zog Gustav seine Schaaren zusammen und stand am

folgenden Tage, am Weihnachtstage, vor Greifenhagen, dem zweiten Hauptlagerplaß der Kaiferlichen. Die
Stadt wurde erfürmt, und die Feinde aus derfelben
vertrieben. Am 27. December erschien Gustav vor
Garz, fand aber die Stadt bereits von den Kaiferlichen verlaffen, nachdem fie diefelbe faft ganz einge-
äfchert hatten. Gustav ließ die nach allen Seiten
fliehenden Feinde eifrigst verfolgen. Eine große Menge
wurden gefangen; die Kroaten, als die Berüber der
wildeften und empörendsten Grausamkeiten fanden keine
Gnade, ihnen ward der Tod. So befand fich Gustav am Schluß des Jahres 1630 in den Befiß
von ganz Pommern, mit Ausnahme der Städte Kolberg und Greifswalde. Am Neujahrstage 1631
wurde in Stettin ein allgemeines Dank- und Sie-
gesfest gefeiert.

Auch die Zahl der mit Gustav verbundenen protestantischen Fürsten war in diefem Jahre noch gewach-
fen. Der Herzog Georg von Lüneburg hatte fich
ihm angefchlossen, wenn auch jetzt noch ohne thätigen
Beistand. Wichtiger war das Bündniß mit dem Landgraf Wilhelm von Hessenkassel. Er war der erste
regierende deutsche Fürst, welcher die knechtische Furcht
vor dem Kaiser abwarf, und bereits im October 1630
Gefandte zu Gustav Adolph schickte, um ihm ein Bündniß auf Schutz und Trutz anzubieten. Am 9. November wurden die Bedingungen abgefchlossen.

Um fo fchmachvoller war das Betragen der andern regierenden Häupter. Der Churfürst von Brandenburg, Gustav's Schwager, ging ihnen mit dem

Beispiele der Unentschiedenheit und Furchtsamkeit voran. Kurz nach Gustav's Einfall in Pommern begehrte er von diesem Neutralität; und doch hielten die Kaiserlichen sein Land besetzt und saugten es auf alle Weise aus. Gustav antwortete ihm: „Entweder möge er beide Theile auf gleiche Weise behandeln, und ihm eben so gut sein Land öffnen, als den Kaiserlichen; oder er möge die Feinde vertreiben.‟ Der Churfürst war ganz in den Händen seines jesuitischen Ministers Graf Schwarzenberg, und gab Gustav kein Gehör. Die Kaiserlichen hausten auf ihrer Flucht vor Gustav, nach der Einnahme von Garz, so fürchterlich in den Staaten des Churfürsts, daß dieser den einzigen Ausweg zur Abwehr der Greuelthaten darin fand, daß er in einem Edict seine Unterthanen zur Selbsthülfe aufforderte, und ihnen befahl, „diejenigen Soldaten, welche plünderten, oder grobe Ausschweifungen begingen, zu verfolgen, gefangen zu nehmen, oder, wenn sie sich widersetzten, todt zu schlagen und Gewalt mit Gewalt zu vertreiben.‟

Dieses waren die Zustände am Schluß des ersten Halbjahres, nachdem Gustav Adolph auf deutscher Erde gelandet war. Was er unter den in jeder Hinsicht schwierigen Umständen hatte erringen können, war errungen. Wohl mochte Manches hinter seinen Erwartungen zurückgeblieben sein; namentlich hatte er sich die Verblendung der deutschen Fürsten nicht so groß gedacht, als sie sich jetzt zeigte. Am 14. December schrieb der König an seinen Kanzler Oxenstierna, den vertrautesten Freund seiner Seele:

„Mein lieber Kanzler. Ich habe Euer Gutachten über die Kriegsunternehmungen für's folgende
Jahr erhalten. Ich sehe dieselben als einen Beweis
Eurer Treue gegen mich und das Vaterland an. Wer
leben bleibt, wird den Ausgang der Sache sehen, und
wenn Ihr für die Ausführung Eurer weisen Rath-
schläge mit dem gewohnten Eifer und Fleiße sorget,
wird der Ruhm bei der Nachwelt Euch nicht fehlen.
Es wäre zu wünschen, daß es Viele gäbe, welche die
Staatsgeschäfte mit solcher Klugheit einzusehen, und mit
eben der Geschicklichkeit und Treue zu verwalten im
Stande wären. Es würde um das Reich und um
unser aller Wohlfarth viel besser stehen. Allein der
allmächtige Gott theilt seine Gaben wunderbar aus,
und wir Menschen sind der Sünde wegen großen Feh-
lern unterworfen, was ich denn an einigen meiner
Diener im Kriegswesen gewahr geworden. Manche derselben besorgen die Verwaltung der öffentlichen Angelegenheiten so schlecht, daß ich an einem glücklichen
Ausgange oft zweifeln möchte, dafern uns Gott nicht
in der Noth und bei dem Mangel aller menschlichen
Hülfe auf eine wunderbare Art beistände. Fahrt
deshalb fort, Gutes zu thun, und werdet nicht müde,
zu meinem und des Reiches Dienste zu arbeiten. Be-
mühet Euch besonders, Euren Vorschlag wegen des
Kornhandels zur Reife zu bringen; denn Euer Rath
gilt mir mehr, als der aller Uebrigen. Ich hatte den
Plan, mir durch das Getreide gezwungenermaaßen zu
helfen, bereits aufgegeben, nicht sowohl aus Unkenntniß der Vortheile, die daraus herfließen konnten,

sondern weil ich Niemanden kannte, von dem ich nicht besorgen mußte, daß er das Mehl behalten und mir die Kleie übrig lassen würde. Da ich nun aber weiß, daß Ihr die Sorge dafür übernehmen wollt, so freue ich mich darüber, und hoffe an Euch eine große Stütze zu finden, welche die auf meinen Schultern liegende Last wird tragen helfen.

Läßt uns der Allmächtige nur den Winter glücklich überstehen, so bin ich gewiß, daß es durch Eure Geschicklichkeit und Sorgfalt künftigen Sommer besser gehen werde. Ich bitte Gott, der uns bisher, wenn auch Leiden kam, beglückte, daß er uns ferner gnädig sei, und unsrer gerechten Sache den Sieg, und ein glückliches Ende zu seines allerheiligsten Namens Ehre, zum Frieden seiner heiligen Kirche, und zu unserm zeitlichen und ewigen Heil verleihen möge.

Ich würde Euch unsern ganzen Zustand schildern, wenn es meine von den bei Dirschau erhaltenen Wunden jetzt noch erstarrte Hand mir erlaubte. Ich muß Euch aber dennoch zu wissen thun, daß der Feind zwar weder an Fußvolk, noch an Reiterei stark ist, doch viel vortheilhaftere Quartiere hat, als wir. Denn ganz Deutschland steht ihm zum Raube offen. Ich ziehe hierselbst nahe am Strome (der Oder) meine Völker zusammen, in der Absicht, den Feind bald anzugreifen und ihn aus seinen Quartieren zu jagen. Ob wir nun wohl eine gerechte Sache haben, so ist doch der Sünde wegen der Ausgang ungewiß. Eben so wenig kann man auf das Leben eines Menschen sicher rechnen. Daher vermahne und bitte ich Euch, um der

10

Liebe Christi willen, daß, wenn uns Alles nicht nach
Wunsche gehen sollte, Ihr den Muth nicht sinken lasset.

Ich beschwöre Euch, daß Ihr Euch mein Andenken und das Beste meines Hauses empfohlen sein lasset, und das an mir und den Meinigen thut, was
Ihr wollt, daß ich an Euch und den Eurigen thun
soll, wenn es Gott gefiele, daß ich Euch überlebte, und
die Eurigen meiner nöthig hätten.

Ich habe nun unser Vaterland bereits zwanzig
Jahre lang, wiewohl nicht ohne große Beschwerden,
jedoch, Gott sei Dank, auch mit großer Ehre regiert,
indem ich das Vaterland und seine treuen Unterthanen geehrt und geliebt, deren Ruhm meine Ruhe, mein
Vermögen, mein Blut aufgeopfert, und in dieser Welt
keinen andern Schatz gesucht, als die Erfüllung der
Pflichten in dem Stande, in welchem mich Gott geboren werden ließ.

Sollte mir etwas Menschliches begegnen, so werden die Meinigen, sowohl meinetwegen, als auch aus
vielen andern Gründen Theilnahme verdienen. Es
sind ohnedem nur Frauen: eine Mutter ohne Rath,
eine junge, unerzogene Tochter. Beide sind unglücklich, wenn sie allein regieren, und Beide sind in Gefahr, wenn sie regiert werden. Die natürliche Liebe
und Zärtlichkeit flößt mir diese Zeilen an Euch ein,
der Ihr ein Werkzeug seid, das mir Gott geschenkt
hat, nicht allein zur Hülfe in wichtigen Angelegenheiten, sondern auch zur Vorbereitung gegen alle Zufälle,
und in der Sorge für die, welche mir am meisten am
Herzen liegen.

Nichts destoweniger überlasse ich dieses, mich und Alles, was Gott mir gegeben hat, seinem heiligen Willen, und getröste mich in dieser Welt des Besten, in Hoffnung auf die Ruhe, Freude und ewige Seeligkeit nach diesem Leben. Welches ich Euch ebenfalls zu seiner Zeit und Stunde wünsche, der ich bin und lebenslang verbleiben werde ꝛc. ꝛc."

Die Stimmung Gustav Adolph's, in welcher er diesen Brief an Orenstierna schrieb, ist nicht die freudige, welche sie wohl nach den ungemein günstigen Erfolgen sein konnte, die bisher erlangt worden waren. Wiederum finden wir jene trübe Todesahnung, der wir schon früher gedacht, der Siegesfreude des Helden beigesellt. Nicht ganz mit Unrecht haben daher schon die ersten Geschichtsschreiber Gustav's die noch durch andere Zeugnisse unterstützte Ansicht aufgestellt, der König habe ein Vorgefühl seines nahen Todes gehabt, wie auch aus dem Abschiede von seiner Gemahlin zu Erfurt, kurz vor der verhängnißvollen Schlacht bei Lützen, hervorgeht. Mindestens kannte Gustav eben so wenig Furcht, als er sich von Aberglauben jeder Art stets fern hielt

10*

Zweiter Abschnitt.

Gustav Adolph's Stege bis zur Bestürmung von
Frankfurt a. d. Ober, am 3. April 1631.

Im Januar des Jahres 1631 bemächtigte sich
Gustav Adolph einiger festen Plätze, die noch in
der Gewalt der Kaiserlichen waren. Zugleich forderte
es die allenthalben entflohenen Einwohner des Landes auf, zu ihren Häusern und Gütern zurückzukehren,
diese ohne Furcht zu besitzen und ihre Nahrung zu
treiben. Gegen Böswillige wollte er mit Strenge
verfahren. Die allgemein bekannte Kriegszucht im
Heere des Königs gab diesen Worten Nachdruck, und
täglich kehrten ganze Schaaren, hoch und gering, zu
ihren Wohnsitzen zurück.

Jetzt endlich kam die Nachricht, daß Tilly von
Magdeburg aufgebrochen sei, und sich Frankfurt an
der Oder, nähere. Bei dieser Nachricht übergab der
König den Befehl in Pommern dem Feldmarschall
Gustav Horn und zog Ende Januar in die Ücker-
mark. Die Stadt Prenzlow, wurde sogleich genommen; am 1. Februar war er vor Neubrandenburg. Der kaiserliche Oberst Franz Marazin mußte
capituliren. Ebenso fielen schnell nacheinander Klem-
penow, Treptow und das Schloß Loitz in Gustav's
Gewalt. Noch war die wichtige Stadt Demmin in

den Händen der Kaiserlichen. Sie war sehr gut be=
festigt und wurde von 2 kaiserlichen Regimentern unter
Herzog Savelli vertheidigt. Am 25. Februar, am
vierten Tage nach der Belagerung, capitulirte Savelli
und zog ab. Groß war die Kriegsbeute an Getreide
und Kriegsgeräthen, welche die Schweden hier mach=
ten. Tilly war entrüstet, und schickte den ungehorsa=
men Befehlshaber Savelli, der sich noch länger hatte
halten sollen, zur Bestrafung nach Wien an den Kai=
ser. Doch der schlaue Italiener wußte seine Vertheil=
digung so gut zu führen, daß er der Strafe entging.
Auch die Feste Melchin fiel nach wenig Tagen in
Gustav's Hand. Von großer Wichtigkeit für die
Schweden aber war es, daß in dieser Zeit auch die
Stadt Kolberg sich dem schwedischen Obersten Boetius
ergeben mußte. Am 2. März zog die kaiserliche Be=
satzung ab. Noch größere Beute, als in Demmin,
wurde in Kolberg gemacht; 34 Stück Geschütz und
eine große Menge Pulver und Kugeln wurden den
Siegern zu Theil. Mit dem Fall Kolbergs war Gu=
stav erst in sicherm Besitz von Pommern. — Es war
des Königs erste Sorge, dem in jeder Hinsicht erschöpf=
ten Lande wieder aufzuhelfen, zugleich auch, sich das
Vertrauen und die Liebe der Einwohner zu erwerben.
Im März 1631 erließ er eine neue „Quartiersordnung,"
welche das Eigenthum der Bewohner vor jeder Ge=
waltthat in Schutz nahm. Ueber die Aufrechthaltung
derselben wachte er mit der größten Strenge und strafte
jeden Uebertreter unnachsichtlich.

Unterdessen war Tilly von Frankfurt aufgebrochen;

nachdem er das Schloß Felsberg erobert und die
Schweden bis auf den letzten Mann hatte niederhauen
laffen, erschien er am 16. März vor Reubranden-
burg. Der schwedische Oberst Knipphausen stand
mit 2000 Mann in der Stadt, welche fast gar keinen
Schutz gegen den Feind bot. Der König hatte ihm
auch bereits bei der Kunde von Tilly's Ankunft einen
Boten geschickt, mit dem Befehl, sich zurückzuziehen.
Leider gerieth der Bote in die Hand der Feinde. Nach
mehreren erfolglosen Stürmen drangen die Kaiserlichen, da die Schweden kein Quartier annahmen, in
die Stadt. Es war ein fürchterliches Blutbergießen;
Knipphausen und 60 Mann nebst einigen Frauen und
Kindern waren die einzigen, die von 2000 Mann
übrig blieben und gefangen genommen wurden.

Zu Aller Verwunderung zog Tilly am 13. März
von Neubrandenburg wieder ab, und wendete sich gegen Magdeburg, wo er sich mit dem kaiserlichen
Feldherrn Pappenheim vereinigte.

Kaum hatte Gustav Adolph sichere Kunde von
dieser Bewegung Tilly's erhalten, als er aufbrach, um
gegen Frankfurt zu ziehen. Bei Schwedt ließ er
Schiffbrücken über die Oder schlagen, und bezog hier
ein wohlbefestigtes und sicheres Lager. Am 25. März
verließ Gustav das Lager, nachdem er die Schiffbrücke
hatte abbrechen laffen; er ließ sie nachfolgen, um bei
vorkommenden Fällen die Verbindung mit dem andern
Ufer herstellen zu können. Das schwere Belagerungsgeschütz ging zu Schiffe die Oder hinauf.

Am 2. April war der König vor Frankfurt. Der

am Tage vorher erst angekommene kaiserliche Feldmarschall Tiefenbach, hatte zur Vertheidigung eine
Besatzung von 7000 Mann. Er ließ sogleich die ei-
frigsten Anstalten zur Vertheidigung treffen und die
Vorstädte abbrennen. Die Schweden nahmen von den
Brandstellen Besitz, und verschanzten sich unter dem
unausgesetzten Feuer der Feinde in der Nacht so fest,
daß sie am Morgen gegen die feindlichen Kugeln in
Sicherheit waren.

Am 3. April, es war der Palmensonntag, ließ der
König Vormittags seiner ganzen Armee feierlichen
Gottesdienst abhalten. Nach Beendigung desselben
wurde nun das Belagerungsgeschütz aufgeführt, wobei
der König selbst mit Hand an das Werk legte. Die Kaiserlichen hatten so viel Selbstvertrauen, und hielten
die Anstrengungen der Schweden für so erfolglos, daß
sie dieselben von den Wällen herab auf alle Art und
Weise verspotteten. Gegen Mittag beschoß eine Bat=
terie von 12 Kanonen — unter Gustav's eigener Leitung und Mitwirkung — das Gubner Thor. Die
Außenwerke waren bald zerstört und die Kaiserlichen
in die Stadt getrieben; man begann nun Bresche auf
den Thurm des Thores zu schießen. Unterdessen er-
späht ein Lieutenant, Andreas Auer aus Pegau in
Sachsen, eine in diesem Augenblicke von den Feinden
entblößte Stelle auf dem Walle. Mit einigen kühnen
Musketieren wagt er es auf Sturmleitern den Wall
zu besteigen. Das verwegene ohne des Königs Befehl
ausgeführte Unternehmen geläng, und Gustav, der an
diesem Tage noch gar nicht stürmen lassen wollte, be-

mußte den Augenblick. Ein Regiment um das andere
bringt in die Stadt ein, das Gubner Thor wird von
den Schweden nun von innen gesprengt, und jetzt
bricht auch die Reiterei ein, Alles vor sich niederwer-
fend. Auch an einem andern Orte waren die Schweden in die Stadt eingedrungen. Vergebens war Tiefenbach's Gegenwehr; Alles stürzte in wilder Flucht
nach der Oderbrücke. Hier aber war der Uebergang
durch die auf der Brücke in größter Verwirrung stehenden Wagen und Kanonen nicht möglich. Was von
den Kaiserlichen nicht den Tod in den Fluthen fand,
fiel durch das Schwert der nachdrängenden Schweden.
Die zunächst nach der Brücke führenden Straßen waren so mit feindlichen Leichen verstopft, daß man nicht
mehr hindurch konnte.

Die Niederlage der Kaiserlichen war ungeheuer;
an jedem Erfolge verzweifelnd gaben sie während des
Kampfes mehrmals das Zeichen der Ergebung; allein
die wüthenden Schweden, im Hinblick auf ihre zu
Neubrandenburg schonungslos geschlachteten Brüder,
hatten nur die Antwort: „Neubrandenburgisch
Quartier!" und ohne Rettung verfiel jeder dem Tode. Erst später, als das menschliche Gefühl wieder
erwachte, gab man Pardon und machte 800 Gefan-
gene. Ueber 4000 Mann hatte Tiefenbach verloren; sein ganzes Geschütz, Fahnen, gegen 1000 Centner Pulver, alles Kriegsgeräthe fiel in die Hände der
Schweden. Die Kaiserlichen zerschossen vom jenseitigen
Ufer selbst die Brücke, um nur für den ersten Augenblick sichere Flucht zu haben. Gustav Adolph mußte-

den erbitterten Soldaten eine dreistündige Plünderung
der Stadt erlauben; doch kaum fingen diese an, Miß=
brauch zu treiben, so trat auch das Gesetz in seiner
Kraft ihnen entgegen. Sofort ließ der König jeden,
der dagegen handelte, vor seinen Augen aufknüpfen.
— Seine nächste Sorge war nun, die Befestigungs=
werke der Stadt wieder herstellen zu lassen, denn schon
rückte Tilly von Magdeburg herbei. Sämmtliche Fahr=
zeuge auf der Oder waren bereits von den Schweden
schon weggenommen worden. Der König beschloß nun
auf Landsberg an der Warthe loszugehen. Diese
Stadt liegt mitten im Sumpfe, und wurde noch durch
die Kuhschanze geschützt. Ueber 3000 Kaiserliche soll=
ten die Stadt vertheidigen. Durch List und Gewalt
gelang es dem König, Schanze und Stadt zu nehmen;
am 16. April kapitulirten die Kaiserlichen und zogen
nach Glogau ab. — Gustav Adolph kehrte wieder
nach Frankfurt zurück, und beabsichtigte, nach diesen
glücklichen Erfolgen dem hart bedrängten Magdeburg
zu Hülfe zu eilen. — Bevor wir aber in der Erzäh=
lung der Kriegsunternehmungen weiter fortfahren, wird
es nöthig sein, zur Darstellung einiger Verhandlun=
gen überzugehen, welche in die ersten Monate dieses
Jahres fallen.

Dritter Abschnitt.

Das Bündniß Gustav Adolph's mit Frankreich. Zusammenkunft der protestantischen Fürsten und Stände in Leipzig.

Bereits im vorigen Jahre 1630 hatten neue Verhandlungen zwischen Frankreich und Schweden stattgefunden, die sich aber wieder zerschlugen. Unterdessen hatten die Erfolge, welche der König erkämpft hatte, Frankreich immer mehr von der Nothwendigkeit überzeugt, mit Gustav Adolph zu verhandeln. Im Januar 1631 erschien der uns schon bekannte Gesandte Richelieu's Charnace bei Gustav. Die Hauptschwierigkeit machten bei den Verhandlungen anfangs die Rücksichten, welche Gustav Frankreichs Wunsch zu Folge bei seinem weitern Fortschreiten auf die Katholiken nehmen sollte. Er gab den in dieser Beziehung an Ihn gestellten Anforderungen für den Augenblick wenigstens in soweit nach, daß er versprach, der katholische Cultus sollte in Allen von ihm eingenommenen Ländern und Städten in seinem Rechte bleiben. Anfangs scheint Gustav nicht übel Lust gehabt zu haben, das Wiedervergeltungsrecht an den Katholiken auszüben zu wollen.

Noch mußte eine andere Schwierigkeit gehoben werden. Frankreich verweigerte allen nicht durch Ge-

burt, fondern durch Wahl auf den Thron erhobenen
Königen den Königstitel; fo den Königen von Polen,
Dänemark und Schweden. Guftav ließ fich diese Ver=
weigerung nicht gefallen und fchrieb an Ludwig XIII.
felbft:

„Obwohl die Frage wegen des Titels an fich
nicht von Belangen ift, da fie weder zur Vergrößerung
noch zur Verminderung der Macht beider Majeftäten
etwas beiträgt; fo find wir doch überzeugt, daß es die
Pflicht eines Königs fei, nichts zu vernachläffigen, was
feine hohe Würde betrifft. Eher wollen wir die Un=
terhandlungen abbrechen, als daß wir zum Nachtheil
diefer Würde, die wir von Gott und unfern Vorfah=
ren erhalten haben, etwas gefchehen laffen follten."

Diefe Sprache verfehlte ihre Wirkung nicht. Am 13.
Januar fchloffen die Bevollmächtigten Guftav's, Feld=
marschall Horn und die Brüder Banner, mit Char=
nace zu Bärwalde den Vertrag zwischen Frankreich
und Schweden ab.

Die wefentlichften Punkte waren:

1. Der Zweck des Bündniffes fei, ihre gemein=
fchaftlichen Freunde zu fchützen; die Sicherheit der
Oftfee und des Oceans, die Freiheit des Handels,
die Rechte und Privilegien der unterdrückten Stände
des heiligen römischen Reiches wieder herzuftellen.

2. Diefer Zweck foll von jetzt an durch Gewalt
der Waffen erreicht werden.

3. Der König von Schweden führt daher ein
Heer von 20,000 Mann auf feine Koften nach Deutfch=
land und wird es erhalten. Der König von Frank=

reich verspricht dagegen jährlich **400,000** Thlr. an Schweden zu zahlen.

4. In den eroberten Ländern soll der König von Schweden nach den Reichssatzungen und Constitutionen verfahren, und die Ausübung der katholischen Religion nirgends abstellen.

5. Diesem Bündnisse können, unter Bedingungen, andere Stände und Fürsten in und außer Deutschland beitreten.

6. Mit dem Herzog von Baiern und der Liga soll Freundschaft oder Neutralität gehalten werden, sofern sie ein Gleiches thun.

7. Das Bündniß wird auf vorläufig fünf Jahre geschlossen und soll kein Theil ohne des andern Zustimmung Frieden schließen. Endlich zahlt Frankreich für das vergangene in Unterhandlungen zugebrachte Jahr sofort 120,000 Reichsthaler.

Der sechste Artikel dieses Vertrages, die Neutralität Baierns betreffend, erklärt uns endlich auch das bis jetzt räthselhafte Benehmen Tilly's. Gustav's siegreiche Erfolge wären nicht möglich gewesen, wenn Tilly die Kaiserlichen in Pommern und Mecklenburg unterstützt hätte oder selbst zu Hülfe geeilt wäre. Conti und später Schaumburg hatten einen Boten nach dem andern mit dem bringendsten Gesuch um Hülfe an Tilly abgeschickt. Doch blieb ihr Bitten immer vergebens. Erst im Januar 1631 zog er mit nur 4 Regimentern nach Frankfurt, um bald wieder nach Magdeburg zurückzukehren. Nur die Erstürmung von Neubrandenburg bezeichnet seinen Zug. Als er von

Guftav's Marfch nach Frankfurt hörte, brach er zwar
mit einer ziemlichen Macht dahin auf, erfuhr aber
fchon unterwegs, daß Frankfurt in den Händen der
Schweden fei, und kehrte zurück.

Während der kurzen Abwefenheit Tilly's fchrieb
der kaiferliche Feldmarfchall Pappenheim an den
Churfürften Maximilian von Baiern:

„Ich wünfche vom ganzen Herzen, daß Eure
churf. Durchlaucht fich eine wahre Vorftellung von dem
gegenwärtigen Stande unferer Sachen machen möchten. Der König von Schweden hat aus Stralfund
und Preußen fo anfehnliche Verftärkungen erhalten,
daß er uns weit überlegen ift. Bereits belagert er
Frankfurt. Die zu Leipzig verfammelten Stände
haben Werbungen befchloffen, in wenig Tagen werden
fie ein ftarkes Heer auf den Beinen haben. Die eng-
lifchen Hülfstruppen des Königs follen fchon einge-
fchifft fein; die Holländer werden auch nicht fchlafen,
und das ganze Land wartet nur auf einen guten Rück-
halt, um einen allgemeinen Aufftand zu wagen. Es
ift zu beforgen, daß ein Entfatz Frankfurts nicht
mehr möglich ift. Verfetzen wir den Krieg nach der
Oder, fo geben wir den Proteftanten freies Spiel, um
ihre Werbungen zu vollenden und Magdeburg zu
befreien, auch werden fie dann den Kaiferlichen die
Elbe verfchließen und fie vom Reiche abfchneiden.
Machen wir dagegen keinen Verfuch zum Entfatze Frankfurts, fo fiehet diefes gar feltfam aus; ein
guter Theil kaiferlichen Volkes geht verloren, auch
werden dann dem Feinde die Päffe nach Böhmen und

Schlesien geöffnet. Ziehen Tilly und ich dem Feinde in die Erblande nach, so geben wir nothwendig das Reich preis; bleiben wir aber im Reiche, so sind die Erblande aufgeopfert. — Kurz, wenn Gott nicht ein Wunder thut, so stehen die Sachen ärger, als sonst je. Nichts thut mir bei der Wendung, welche die Sachen genommen haben, so wehe, als daß viele rechtgläubige Seelen in diesem Lande, welche die Süßigkeiten des Katholicismus schon zu empfinden begannen, jetzt wieder abfallen werden.

Mögen Eure churfürstliche Durchlaucht und die Stände des katholischen Bundes das Heilmittel gegen unsre Schäden nicht vom kaiserlichen Hofe erwarten. Euer Durchlaucht sind der Nerv des ganzen Krieges. Ihnen und den Gliedern der Liga kommt es zu, das Aeußerste zu thun. Je länger man damit wartet, desto schlimmer und gefährlicher wird unser Zustand werden. Außer den nöthigen Besatzungen bedürfen wir durchaus zwei starke Heere für den Felddienst, sonst ist es unmöglich, den Krieg mit einigem Erfolge fortzuführen 2c. 2c."

In einer Nachschrift fügt er noch hinzu: „Eben erhalte ich die traurige Nachricht, daß Frankfurt mit Sturm eingenommen, daß alles darin niedergehauen worden ist, und daß der König auf Landsberg losgeht. Gott helfe der Besatzung an diesem Orte: denn wir sind von ihnen abgeschnitten und können keinen Beistand leisten. Wir haben zu Frankfurt den besten Kern der katholischen Truppen verloren, und ich weiß nicht, wie es möglich sein wird, die Belagerung von Magdeburgs fortzusetzen. x. x"

Pappenheim genoß das volle Vertrauen Kaiser Ferdinand's und Wallenstein's. Daß Kabalen aller Art zwischen Frankreich und Baiern gegen Oesterreich, zwischen Pappenheim und Wallenstein gegen Tilly, und endlich zwischen Tilly und dem Churfürst Maximilian gegen Pappenheim gespielt wurden, liegt klar am Tage. Welcher Art sie aber gewesen sind, welches ihr Ziel war, ist meist nur Sache der Vermuthung, da grade dieser Theil des dreißigjährigen Krieges, aus Mangel an Urkunden, der dunkelste ist. Sicher ist, daß Gustav Adolph mit diesen Verhältnissen nicht ganz unbekannt war, was schon aus seiner Verbindung mit Frankreich hervorgeht, und sie so weit als möglich zu seinem und seiner Sache Vortheil zu benutzen suchte.

Stellen wir uns aber ganz auf den Standpunkt der parteilosen Betrachtung, so finden wir recht deutlich wieder, daß aus der Zerrissenheit Deutschlands, aus der Uneinigkeit und Habsucht seiner Fürsten, der Sturz des Kaisers so wie des ganzen Reiches Uebergang an eine fremde Macht nothwendig erfolgen mußte, wenn Gustav Adolph nur ein Eroberer war. Er würde nie die Fortschritte haben machen können, wenn das Kaiserhaus und Baiern einig gewesen waren, wenn Tilly und Pappenheim nach gleichem Ziel gestrebt hätten. So hätte auch später Magdeburg das schreckliche Loos nicht getroffen, wenn Brandenburg und Sachsen sich früher für die Sache des

Proteſtantismus entſchieden und ihren gegenſeitigen
Neid aufgegeben hätten.

Noch deutlicher wird dieſes aus dem Folgenden
werden. Churfürſt Johann Georg von Sachſen,
von Natur mit geringen Geiſtesgaben ausgeſtattet und
auf die widerſinnigſte Weiſe erzogen, hat es nie zu
einer geiſtigen Selbſtſtändigkeit bringen können, und
war nicht geeignet, die bedeutungsvollen, großartigen
Zuſtände ſeiner Zeit zu faſſen, noch weniger aber, frei
handelnd in die Verhältniſſe einzugreifen. Den niedrigen Leidenſchaften der Jagd und des Trunkes auf
das Unmäßigſte ergeben, hatte er für etwas Höheres
keinen Sinn und war in ſeinen Entſchließungen von
ſeinen jedesmaligen Rathgebern abhängig, welche die
fürſtlichen Schwächen für ihren Zweck weislich zu benutzen wußten. In das Uebrige ſeines Characters,
wenn von einem ſolchen überhaupt die Rede ſein kann,
theilten ſich Stolz und Furcht.

Den größten Einfluß während des dreißigjährigen Kriegs auf die Entſchlüſſe des Churfürſten, in ſo
weit ſie die Sache der Proteſtanten dem Kaiſer gegenüber betrafen, hatte ſein Hofprediger Hoe von Ho-
henegg, aus Wien gebürtig, welcher im heimlichen
Solde des Kaiſers ſtand. Dieſer war es, der den
Churfürſten vermochte, gegen Friedrich, König von
Böhmen, zu Gunſten des Kaiſers die Waffen zu ergreifen.*) Der Beſitz der Lauſitzen war der keineswegs ehrenvolle Lohn für den Abfall von der Sache

---

*) Vergl. S. 97.

des Protestantismus. Doch wurde Johann Georg's Zuneigung gegen den Kaiser etwas lauer, seitdem er bemerkte, daß sein Sohn das Erzstift Magdeburg nicht erlangen würde, wozu man ihm Hoffnung gemacht hatte. Nachdem das Restitutionsedict erlassen worden war, zeigte er sich dem Kaiser ganz abgeneigt, obschon er aus Furcht vor ihm nicht wagte, handelnd aufzutreten. Etwas kräftiger zeigte er sich, seitdem der ehemalige kaiserliche Feldmarschall Georg von Arnheim (Vergl. S. 86) in seine Dienste getreten war. Dieser scheint den Grund zu der unglückseligen Handlungsweise des Churfürsten gelegt zu haben. Sie bestand darin, auf der einen Seite den Kaiser, um ihn für jene Pläne auf die Lausitz und Magdeburg geneigt zu machen, in der Besorgniß zu lassen, Georg möchte sich an die Spitze der protestantischen Stände stellen und mit Gustav Adolph vereinigen; — auf der andern Seite aber mit Gustav nichts Festes abzuschließen, um in jedem Augenblick noch freie Wahl zu haben, und sich für die Partei entscheiden zu können, auf welche der meiste Vortheil winke. — Dieser selbstsüchtigen, unredlichen Politik folgte Johann Georg; das erste Opfer, derselben war Magdeburg.

Im Winter des Jahres 1630 berief der Churfürst von Sachsen seine Stände nach Torgau und forderte ihr Gutachten über folgende Fragen:

1. Ob es räthlich sei, eine Zusammenkunft der Evangelischen zu veranlassen?

2. Wie man sich zu verhalten haben würde, wenn ein evangelischer Stand bei Sachsen Hülfe suche,

11

da in Güte nichts bei feiner Kaiferlichen Majeftät auszurichten fei?

3. Ob man nicht ein Kriegsheer zufammenzie=hen folle, weil die Gefahr je länger, je größer würde? 2c. 2c.

Johann Georg war mit der Antwort der Stän-de fehr zufrieden, und es erging am 19. December von ihm eine Einladung an alle proteftantifchen Stände zu einer Zufammenkunft, welche in Leipzig am 6. Fe-bruar 1631 abgehalten werden follte.

Die Geladenen fäumten nicht, in großer Anzahl in Leipzig zu erfcheinen. Außer den beiden Chur-fürften von Sachfen und Brandenburg war noch zu-gegen der Landgraf Wilhelm von Heffen-Kaffel; die Herzoge von Sachfen-Altenburg, Weimar, Coburg, die Markgrafen von Baden und Bay=reuth, und viele andre Fürften und Herren. Am 8. Februar eröffnete der Hofprediger Hoe von Hohen-egg den Convent mit einer Rede. — Die Stände fprachen fich anfangs fehr entfchieden für eine enge Verbindung und das Anfchließen an Guftav Adolph aus. Nicht wenig trugen zu diefem Entfchluffe die Siege bei, welche Guftav grade zu diefer Zeit erfocht, und feine Verbindung mit Frankreich. Herzog Bernhard von Weimar meinte: „Gut und Blut müßte man daran fetzen, daß die allgemeine deutfche, fo wie die Religionsfreiheit gerettet werde." — Allen durchgreifenden und entfcheidenden Maßre-geln trat Churfürft Johann Georg mit feiner eng-herzigen und felbftfüchtigen Politik entgegen. Er er-klärte, eine unbedingte Verbindung fei gegen die

Conſtitution des Reiches und gegen das Oberhaupt deſſelben. Nur wenn der Kaiſer auch jetzt nicht nach geben wollte, ſolle eine Bewaffnung ſtattfinden. Man kam über die von jedem Stande zu ſtellenden Mann ſchaften, zu leiſtenden Kriegsbedürfniſſe und Anderes vor der Hand überein, ohne zu irgend einer Ausführung zu ſchreiten.

Es dürfte nicht wohl in Abrede zu ſtellen ſein, daß des Churfürſten Benehmen der ihm wahrſchein lich von Arnheim eingegebene Plan zu Grunde lag, ſich an die Spitze der proteſtantiſchen Fürſten zu ſtel len, und ſo die dritte Partei zu bilden, welche ihren Platz zwiſchen dem Kaiſer und Guſtav Adolph finden ſollte. Doch fehlte es Johann Georg zur Ausführung ſolchen Vorhabens an innerer Kraft.

Dieſer „Leipziger Schluß" wurde dem Kaiſer mit der Bitte überſchickt, den billigen und gerechten Anſu chen der Stände nicht länger hinderlich zu ſein, damit endlich alle Irrungen beſeitigt würden. Schon am 18. März ſchrieb der Churfürſt an den Kaiſer in ei nem Tone, der allerdings mehr Selbſtgefühl und Muth zu verrathen ſchien, als gewöhnlich. So heißt es in dieſer Zuſchrift:

„Es kann ohne Wehmuth und Thränen nicht er zählt noch mit Worten genug beſchrieben werden, in welchem traurigen Zuſtand ſich jetzt das deutſche Reich b. findet. Denn was für Mißtrauen unter den Stän den des Reichs ſeit geraumer Zeit ausgebrochen, und nunmehr durch die höchſt beſchwerlichen Erecutionen wegen des erlaſſenen Reſtitutionsedicts und durch an dere Beſchwerungen vermehrt worden ſind, bedarf keiner

11*

weitläuftigen Erzählung. Die starken Stützen des
Religions, und allgemeinen Friedens sind merklich gesunken, und die Reichsconstitutionen und Kreisver-
fassungen und andere löbliche Ordnungen werden der-
maßen verachtet, daß es das Ansehen hat, als ob
solche gänzlich abgeschafft werden sollten."

Der Kaiser antwortete auf die Bekanntmachung
des Leipziger Schlusses, er würde seine Meinung durch
einen Gesandten dem Leipziger Convent eröffnen lassen.

Gustav Adolph hatte bereits seinen Gesandten
Chemnitz an den Convent abgeschickt, um demselben
seine Verbindung mit Frankreich bekannt zu machen.
Ebenso benachrichtigte er auch den Convent später von
der Eroberung Frankfurts. Vor Allem war dem Gesandten Gustav's daran gelegen, den Churfürsten von
Sachsen zu einem offenen Schritt zu bewegen. Doch
an dessen Unentschiedenheit scheiterten alle Verhandlungen. Die übrigen Stände entschlossen sich zwar auch
noch nicht zu einem Bündnisse mit Schweden, doch
wurde der Weg dazu auf dem Leipziger Convente an-
gebahnt. Wenn auch dieser keine entscheidenden Resultate im Augenblick brachte, so zeigte er doch dem
Kaiser die Möglichkeit des Abfalls der Stände;
und dieses schien Ferdinand bisher nicht geglaubt
zu haben.

Der oben erwähnte Gesandte, durch welchen der
Kaiser seinen Willen den Leipziger Schlußver-
wandten bekannt machen wollte, erschien in der Person des Reichshofrathes Hegenmüller. Im Mai
traf derselbe bei dem Churfürsten von Sachsen in

Torgau ein. Die Gesandtschaft führte zu keinem Resultat. Hegenmüller klagte im Namen des Kaisers über den Leipziger Schluß; der Churfürst klagte noch mehr darüber, daß der Kaiser das Restitutionsedict nicht widerrufe und die alte Ordnung der Dinge herstelle; daß er nur den Jesuiten Gehör gäbe, und sich gegen die Reichsstände willführliche und despotische Maßregeln erlaube, wie aus den Forderungen der kaiserlichen Generale deutlich hervorgehe, welche mit Gewalt Winterquartiere verlangten, die Fürsten in ihren Besitzungen belagerten und den zügellosesten Ausschweifungen und Grausamkeiten ihrer Soldaten nicht wehrten. Hegenmüller mußte mit diesem Bescheid zum Kaiser nach Wien zurückkehren.

Dieser erließ nun, als die protestantischen Fürsten anfingen, Werbungen anzustellen, Verordnungen, durch welche dieselben eingestellt werden sollten. Die protestantischen Stände aber verwahrten sich in einer eigenen Schutzschrift gegen den Vorwurf, ungesetzlich gehandelt zu haben, indem sie ihren Maaßregeln allein den Zweck unterlegten, ihre Unterthanen gegen die Raubsucht und Ausgelassenheit der kaiserlichen Soldaten schützen zu wollen.

So kräftig auch der Leipziger Convent sich über die Uebergriffe des Kaisers und die dagegen zu nehmenden Maaßregeln ausgesprochen hatte, so war doch der Erfolg dieser Zusammenkunft ein sehr dürftiger. Die Mitglieder des Bundes in Süddeutschland fühlten zuerst den kaiserlichen Unwillen über ihren Anschluß und ihre Theilnahme an der Versammlung. Im Juni

kam der kaiferliche Oberftwachtmeifter Graf Egon von
Fürftenberg mit einem Heere aus Italien zurück.
Auf feinem Zuge züchtigte er zunächft die Reichs=
ftädte, welche Werbungen angeftellt hatten, fo Mem=
mingen, Kempten. Auch der Adminiftrator von
Würtemberg mußte dem Leipziger Schuß entfagen.
Ulm und Nürnberg mußten ebenfalls büßen und
entfagen.

Im Norden Deutfchlands wurde durch die alte
Eiferfucht und Unbeftändigkeit jedes Zufammenwirken
geftört. Churfürft Johann Georg felbft verletzte den
Artikel des Leipziger Schluffes, worin fich die Glieder
des Bundes gegenfeitige Hülfe im Falle der Noth zu=
zugefagt hatten, und überließ Heffen=Kaffel und
Weimar den Verwüftungen Tilly's.

Vierter Abschnitt.

Das Schicksal Magdeburgs.

Das traurige und in der neueren Geschichte wenigstens ohne Beispiel dastehende Loos, welches Magdeburg im dreißigjährigen Kriege traf, die unerhörtesten Grausamkeiten, welche bei dessen Zerstörung verübt wurden; der bedeutende Einfluß, den diese schwarze
Schandthat auf die Entwicklung der von uns darzu-
stellenden Begebenheiten hat: dieses alles macht es
nöthig, das Geschehene ausführlicher zu besprechen.

Die Stadt Magdeburg war der Hauptsitz des reichen und berühmten Erzbisthums gleichen Namens.
Schon seit längeren Zeiten waren die Administratoren
desselben aus dem brandenburgischen Fürstenhause.
Christian Wilhelm von Brandenburg, Administrator des Erzbisthums Magdeburg war wegen seiner
Theilnahme an dem dänischen Kriege in die Reichsacht verfallen und des Erzbisthums verlustig geworden.
Der Papst verlieh die erledigte Stelle eines Administrators dem Erzherzog Leopold Wilhelm, dem Sohne
Kaiser Ferdinand's. Auch Churfürst Johann Georg
von Sachsen hatte für seinen Sohn nach diesem ihm
so vortheilhaft gelegenen Erzbisthume getrachtet. Es
war ihm bereits gelungen, in Magdeburg die Wahl

auf feinen Sohn zu lenken; doch erhielt diefelbe die kaiferliche Beftätigung nicht.

Der entfeßte Adminiftrator, fich der Gunft des Volkes und des Magiftrats erfreuend, gab die Hoffnung nicht auf, wieder in den Befiß der verlorenen Würde zu gelangen. Wie wir bereits früher erwähnten, hatte er fich befonders Guftav Adolph als feinen Schußherrn auserfehen. Magdeburg, welches fchon früher, wie wir erzählten, in ein Bündniß mit Guftav getreten war, nahm ihn wieder auf, und er fuchte nun mit bewaffneter Hand feine Rechte geltend zu machen. Leider befolgte er die Rathfchläge Guftav's nicht, und kämpfte daher ohne Erfolg, ja mit Nachtheil. Der König von Schweden hatte der ihm verbündeten Stadt Dietrich von Falkenberg zur Leitung des Krieges gefchickt. Diefer wurde auch fofort zum Commandanten der Stadt erwählt.

Ohne in die unbedeutenderen Ereigniffe des Kampfes Magdeburg's gegen den Kaifer einzugehen, erwähnen wir nur, daß die Fortfchritte, welche Guftav Adolph machte, fo wie der Zwiefpalt zwifchen Wallenftein und Tilly die Belagerung Magdeburgs öfters unterbrach und verzögerte.

Wallenftein war mit der Wiederherftellung des Erzbisthums und der Ausführung des Reftitutionsedictes beauftragt. Doch zeigte er anfangs keinen großen Eifer, fondern begnügte fich mit Gelderpreffungen, 1629. Als aber die Stadt feinem Verlangen, kaiferliche Befaßung einzunehmen, nicht entfprechen wollte, wurde fein Ton drohender. „Wir wollen die Stadt erinnert haben, in der Weigerung nicht zu beharren, denn sie könnte dies sehr zu bereuen haben" — schrieb er an den Magistrat. Als auch dieses nichts half, schickte er am 17. März 1629 eine Abtheilung Fußvolk und Kroaten ab, die auch sogleich sich zu verschanzen anfingen. Der Rath machte nun Anstalt, die Stadt zu vertheidigen. Die junge Mannschaft mußte zur Fahne schwören, die Rüstungen gegen eine Belagerung wurden vorgenommen. Später erschien Pappenheim mit noch mehr Kriegsvolk, und die regelmäßige Belagerung begann. Die Kaiserlichen warfen 16 Schanzen auf, während die Bewohner Magdeburgs ihre Wälle vergrößerten. Endlich kam Ende Juli Wallenstein zurück. Es wurden Unterhandlungen angeknüpft, die aber zu keinem Ziele führten, da Wallensteins Hauptbedingung, kaiserliches Kriegsvolk aufzunehmen, abgewiesen wurde. Am 3. September wurden die letzten Anerbietungen Wallensteins, die auf eine Contribution von drei Tonnen Goldes hinausliefen, abgewiesen, und die Feindseligkeiten wurden mit immer größerer Erbitterung fortgesetzt. Am 29. September endlich fand sich Wallenstein veranlaßt, mit seinem Heere abzuziehen, da ihn andere, wichtigere Angelegenheiten abriefen.

Im folgenden Jahre 1630 begann die Belagerung Magdeburgs von Neuem durch Pappenheim. Es ergingen nun von Magdeburg aus dringende Aufforderungen an Gustav Adolph, zur Hülfe herbeizueilen, was ihm aber nicht möglich war, wenn er nicht seine Eroberungen in Pommern aufgeben wollte. Im

December erschien auch Tilly, welcher den Administrator noch einmal aufforderte, sich dem Kaiser zu unterwerfen. Natürlich wurde solches Begehren abgewiesen. Die Belagerung wurde durch Tilly's Aufbruch (Januar 1631) nach Frankfurt und Neubrandenburg wieder unterbrochen. Am 30. März war er wieder vor Magdeburg, und von jetzt an wurde die Belagerung im Verein mit Pappenheim auf's Eifrigste betrieben.

Sobald Gustav Adolph nach der Einnahme von Landsberg nach Frankfurt an der Oder zurückgekehrt war, (vergl. S. 153) war er fest entschlossen, der harten Bedrängniß Magdeburgs ein Ziel zu setzen. Er setzte Rath und Bürgerschaft von diesem Entschluß in Kenntniß indem er ihnen schrieb: „daß er in Begriff stehe, seine Armee, so abgemattet sie auch sei, zusammenzuziehen und geraden Wegs auf Magdeburg loszugehen und es zu entsetzen, wenn anders, wie er doch glaube, die Verbindung mit Chursachsen und Brandenburg zu Stande käme. Sie sollten sich daher nur drei Wochen zu halten suchen, und keinen vorschnellen Vergleich eingehen, den sie vielleicht bereuen müßten. Er hoffe sicherlich, es werde alles nach Wunsche gehen, wenn nur Andere auch ihre Schuldigkeit thun würden." Der König rückte auch sogleich mit 10 Regimentern Fußvolk und seiner ganzen Reiterschaar aus und ging nach der Spree zu. Am 1. Mai stand er bereits bei Köpenick, nachdem er noch mehrere Regimenter an sich gezogen hatte. — Gustav hatte sogleich nach der Eroberung Frankfurts mit dem Churfürsten von Brandenburg Unterhandlungen anknüpfen lassen, damit

ihm dieser die beiden Festungen Küstrin und Span=
dau einräume. Denn bei dem zweideutigen Verhält=
niß zu Brandenburg und Sachsen konnte sich der Kö=
nig unmöglich bis an die Elbe wagen, ohne einen
festen Punkt im Rücken zu haben, an den er sich im
Nothfall anlehnen konnte. Er schrieb auch in diesem
Sinne dem Churfürsten: „Er setze zwar in Seine
Churf. Durchlaucht kein Mißtrauen, er befürchte aber,
daß seine Leute bei einem sich etwa ereignenden Un=
glück die Thür vor ihm zuschließen möchten." Der
Churfürst antwortete höflichst, aber ablehnend. Nun
schickte Gustav am 2. Mai den Feldmarschall Horn
nach Berlin, um seinen Antrag erneuern zu lassen, und
ließ den Churfürsten dringend bitten, „weil die Gefahr
Magdeburgs keinen Verzug dulde, ihm ungesäumt
jene Festungen einzuräumen." Dagegen versprach Gu=
stav, dieselben sogleich zurückzugeben, sobald die Gefahr
vorüber sei. Churfürst Georg Wilhelm antwortete,
er wolle dem König alle festen Plätze überlassen, nur
Spandau und Küstrin nicht; doch sei er erbötig,
sich schriftlich durch einen Eid verbindlich zu machen,
daß er auch diese beiden Festungen dem König öffnen
wolle, wenn derselbe vom Feinde geschlagen mit seinem
Heere Schutz bedürfe."

Der König war mit der Antwort keineswegs zu=
frieden, sondern veranlaßte eine persönliche Besprechung
mit dem Churfürsten. Am 3. Mai brach er mit zahl=
reicher Reiterei, Fußvolk und fünf Kanonen nach Ber=
lin auf. Eine halbe Stunde vor der Stadt erwartete
ihn der Churfürst mit einem Theil seines Hofstaates
Die Besprechung geschah in einem Wäldchen. Gustav

Adolph machte dem Churfürsten bemerklich, wie er
die Kaiserlichen gezwungen habe, den größten Theil
der churbrandenburgischen Länder zu verlassen. „Ich
werde" — fuhr er fort — „ihnen die Rückkehr hoffent-
lich auch verwehren. Dieser Dienst ist doch wohl einer
Gefälligkeit werth. Meine Soldaten werden die strengste
Mannszucht halten, und keiner Ihrer Unterthanen
wird Ursache haben, sich über dieselben zu beschweren.
Sie werden den Einwohnern nicht die Drangsale zu-
fügen, die sie von den Kaiserlichen erlitten haben.
Wird aber Magdeburg erobert, so ist Alles verloren. Die Kaiserlichen werden mit neuem Muth, aber
auch mit größerer Ungebundenheit zurückkehren. Tilly
wird sich der ganzen Wuth seines Eifers überlassen
und seine Soldaten zu Vollziehern desselben gebrauchen."

Der Churfürst zog sich einige Augenblicke zurück,
um mit seinen Ministern zu berathen; unterdessen unterhielt sich der König mit der unglücklichen Mutter
des Pfalzgrafen Friedrich und mit der Churfürstin
von Brandenburg. Der Churfürst konnte zu keinem
andern Entschluß kommen; und beharrte auf dem früheren. So groß war noch die Scheu vor des Kaisers
Rache. Gustav Adolph wollte sogleich zurückkehren,
und konnte nur durch Bitten der churfürstlichen Frauen
bewogen werden, mit nach Berlin zu gehen. Unter
Begleitung von 1000 Mann Fußvolk kam er daselbst an.

Am andern Tage, den 4. Mai, wurden die Unterhandlungen fortgesetzt; während der Nacht schon
begann die ganze Armee Gustav's sich Berlin zu
nähern.

Während der Verhandlung sagte der König zu einem der Umstehenden, als er des Churfürsten Verlegenheit bemerkte: „Ich kann es dem Churfürsten, meinem Schwager, nicht verdenken, daß er traurig ist; denn daß ich gefährliche und bedenkliche Dinge verlange, ist wohl gewiß. Allein, was ich begehre, begehre ich nicht für mich, sondern zum Besten des Churfürsten, seines Landes, seiner Leute, ja der ganzen Christenheit."

Zu dem Herzog Johann Albrecht von Mecklenburg gewendet, fuhr er dann fort:

„Mein Weg geht nach Magdeburg, um es zu entsetzen; jedoch nicht mir, sondern den Evangelischen zum Heil. Will mir Niemand beistehen, so trete ich sogleich den Rückweg wieder an, mache mich meinerseits von allen Vorwürfen frei, biete dem Kaiser Frieden an, und gehe wieder nach Stockholm. Ich weiß, der Kaiser soll einen Vergleich eingehen, wie ich begehre; aber am jüngsten Gericht werdet ihr Evangelische angeklagt werden, daß ihr um des Evangeliums willen nichts habt thun wollen; und auch hier schon wird es Euch vergolten werden. Denn geht Magdeburg verloren, und ziehe ich mich zurück: so sehet zu, wie es Euch gehen wird."

Den ganzen Tag über dauerten die Verhandlungen; erst am Abend willigte der Churfürst ein, wohl mehr durch die Nähe der Kriegsmacht Gustav's bewogen, als durch dessen Vorstellungen, daß der König Spandau in Besitz nehmen sollte. Am 5. Mai zog die schwedische Besatzung ein, und rückte am folgenden

Tage bis Potsdam vor. Die Kaiferlichen verließen
sogleich alle ihre Poſten diesſeits der Elbe und zogen
ſich nach Magdeburg zurück.

Guſtav Adolph, der nicht grades Weges auf
Magdeburg losgehen konnte, weil die vom Feinde ver=
wüſteten Gegenden ſein Heer dem Hunger preisgege=
ben haben würden, ſetzte nun ſeinen Marſch nach Wit=
tenberg zu fort, und erneuerte die ſchon wiederholt an
den Churfürſten von Sachſen gemachten Anträge.
Eilboten fliegen nach Dresden, um den Churfürſt da=
hin zu bringen, daß er ihm den Durchzug durch ſeine
Lande erlaube, ihm Wittenberg einſtweilen einräume,
und von da aus mit den nöthigen Bedürfniſſen unter=
ſtütze, wobei der König baare Zahlung leiſten wollte.

Der Churfürſt Johann Georg war zu nichts
zu bewegen; er entſchuldigte ſich mit ſeinen Pflichten
gegen das heilige römiſche Reich und andern Ausflüch=
ten. Nichts deſto weniger verſuchte es der König
noch einmal den Churfürſt zu bewegen. Er widerlegt
alle von demſelben vorgebrachten Gründe, macht ihn
auf ſeine Pflichten als proteſtantiſcher Fürſt auf=
merkſam und ſchließt endlich: „Ich ſehe mich aber auch
nun genöthigt, meine Segel bei Zeiten einzuziehen,
und mich nicht weiter vorzuwagen. Denn ehe die
Verſtärkungen, die ich täglich erwarte, angekommen
ſind, getraue ich mich nicht, mit meinem den ganzen
Winter hindurch hart mitgenommenen Heere den Feind
anzugreifen, und noch viel weniger kann mir zugemu=
thet werden, mich zwiſchen zwei unſicheren Freunde auf=
zuſtellen, oder mich von dem Strome zu entfernen.

Um indeß den Magdeburgern meine Willfährigkeit zu zeigen, selbst mit Aufopferung meiner eigenen Person ihnen helfen zu wollen, bin ich entschloßen, längs der Havel hinzuziehen, und Alles zu versuchen, um die Stadt Magdeburg zu entsetzen. Ich hoffe, der allmächtige Gott wird mir mit seiner Gnade beistehen und mich bei meiner Standhaftigkeit erhalten. Ist es aber seinem göttlichen Willen gefällig, um der Sünde willen etwas anderes über uns zu verhängen, so will ich mich auch seiner Führung geduldig unterwerfen, und mich damit trösten, daß ich es gut gemeint, und nichts unterlassen habe, was von mir gefordert werden konnte. Ich erkläre mich vor Gott und den Menschen an allem Blut und Unheil für unschuldig, und lade die Verantwortung auf die, welche mich in dieser christlichen Sache so unverhofft verlassen haben."

Der König spricht hierauf die Hoffnung aus, daß der Churfürst doch wohl noch geneigt sein möchte, sich mit ihm zu vereinigen und Magdeburg zu erretten; er bittet ihn in diesem Falle um eine Unterredung, da die Dringlichkeit der Sache keinen Aufschub erleide. Am Schluß seines Schreibens fügt er noch bei: „Dieses sei ihm um so angenehmer, je eifriger er die Gelegenheit ergreifen werde, sich um den Churfürst, dessen Familie und namentlich um seinen Sohn, den an der Erhaltung des Erzbisthums Magdeburg soviel gelegen sein müßte, verdient zu machen."

Es ist bereits oben erwähnt worden, daß der zweite Sohn Johann Georg's zum Administrator erwählt worden war. Später nahm die Stadt freilich ihren früheren Administrator Christian Wilhelm von Brandenburg wieder auf. Wurde Magdeburg gerettet, so wurde es auch der Administrator; an diesem wenigstens hatte der Churfürst Johann Georg kein Interesse, und aus diesem Grunde war ihm am Ende das Schicksal der Stadt — das er sich wohl auch nicht so schrecklich vorstellte, als es wurde — ziemlich gleichgültig. Daher ist es zu erklären, wenn Gustav in dem eben erwähnten letzten Schreiben dem Churfürsten und seinem Sohne seine Vermittelung verspricht, und er würde, um die Stadt zu retten, vielleicht den Administrator haben fallen lassen, da er im Dienst der guten Sache handelte, und nicht im Interesse einzelner Personen.

Doch weder Bitten noch Versprechungen, nichts konnte den Churfürsten bewegen. Unglücklicherweise kam zu dieser Zeit eine Einladung des Kaisers an ihn, er möchte doch einen allgemeinen Frieden vermitteln, zu welchem sich der Kaiser bereit erklärte. Dieser listige Antrag hatte keinen andern Zweck, als den Churfürsten so lange noch von einer Verbindung mit Gustav Adolph abzuhalten, bis es Tilly gelungen sei, Magdeburg zu erstürmen. — Während die Unterhandlungen noch zwischen dem König und dem Churfürsten Johann Georg gepflogen wurden, ging die Nachricht ein, daß Magdeburg am 10. Mai erstürmt worden sei.

Wir fahren nun, nach dieser unerläßlichen Abschweifung, in der Darstellung der Belagerung selbst weiter fort. Nach Tilly's Rückkehr von Frankfurt wurden noch im Laufe des April sämmtliche Außen= werke der Stadt von den Kaiserlichen erobert. Fal= kenberg sah sich sogar genöthigt, aus Mangel an hinlänglicher Mannschaft zur Besatzung, die Vorstädte Sudenburg und die Neustadt zu verlassen, nachdem er sie vorher durch Feuer zerstört hatte. Jetzt zeigte sich deutlich, wie weise der Rath Gustav Adolph's ge= wesen war, welchen er dem Administrator gegeben hatte. Nach Gustav's Willen sollte sich dieser nur auf die Vertheidigung Magdeburg's beschränken; statt dessen aber hatte er seine Kräfte in unnützen und ihm stets verderblichen Streifzügen verloren, so daß sich jetzt nur noch 2000 Mann Fußvolk und 250 Reiter in der Festung befanden. Auch herrschte Mangel an den nöthigen Kriegsbedürfnissen. Von Seiten der Stadt wurde Falkenberg vor der Belagerung nicht unterstützt; sogar wurde der schimpflichste Wucher mit den ersten Bedürfnissen getrieben. Alle diese Mißgriffe sollten sich leider fürchterlich rächen.

Fälkenberg sah sich nun genöthigt, die Bürger selbst zu den Waffen zu rufen. Die Reicheren und Vornehmeren schickten ihre Diener als Stellvertreter, während sie sich zu Hause pflegten. Darüber entstand ein allgemeines Murren unter den Aermeren, welche den schweren Dienst selbst verrichteten, und mit grö= ßerer Aufopferung, als die abgesandten Miethlinge. Auch scheint große Partheilichkeit bei der Vertheilung der Posten stattgefunden zu haben, so daß der eine Theil immer zur Vertheidigung der gefährlichsten Posten

12

geſchickt wurde, während der andere auf dem der Gefahr nicht ausgeſetzten Poſten ruhen konnte. Zwietracht,
Haß und endlich Vernachläſſigung des Dienſtes waren
die traurigen Folgen davon; endlich der Untergang der
Stadt ſelbſt.

Am 24. April berief der Commandant F a l k e n
b e r g alle Befehlshaber zuſammen, um die Hauptpo
ſten zu vertheilen. Er ſelbſt behielt den Oberbefehl
und übernahm die Vertheidigung der Heydecker Baſtei;
die übrigen Feſtungswerke wurden dem Generalmajor
A m ſ t e r r o t h, dem Oberſtlieutenant T r o ſ t und dem
Adminiſtrator nebſt dem Oberſtlieutenant J u n g übertragen. Während der Nacht mußten ſämmtliche 18
Stadtviertel Wache thun; am Tage die Hälfte. Die
Bürger ſollten den obern Wall vertheidigen; die Soldaten den untern und den Zwinger.

Tilly hatte ſchon wiederholt die Stadt zur Uebergabe auffordern laſſen, aber ſtets abſchlägliche Antwort
erhalten. Den letzten Trompeter ſchickte er am 8.
Mai in die Stadt, mit Briefen an den Adminiſtrator,
den Rath und die Bürgerſchaft, und an Falkenberg.
Die Nachricht von der Nähe Guſtav Adolph's hatte
ſich auch in der Stadt verbreitet, ſie gab den Belagerten neuen Muth, und brachte ſie zu dem Entſchluß,
noch einige Tage auszuhalten. Tilly fand ſich durch
die Ankunft Guſtav's in Potsdam veranlaßt, mit der
größten Anſtrengung in der Belagerung fortzufahren,
um ſeinen Zweck vor der Ankunft des gefürchteten
Gegners zu erreichen. Am 7., 8., und während eines
Theils des 9. Mai dauerte das Feuer mit unausge

letzter Wuth fort. Deſſenungeachtet waren die Werke
wenig beſchädigt und noch keine Breſche vorhanden.
Leider fehlte es den Belagerten an Pulver, und ſie
mußten ſich bei der Vertheidigung auf kleine Ausfälle
beſchränken.

Am 9. Mai hörte Nachmittags plötzlich das Ka-
nonieren von Seiten der Belagerer auf; es wurden
ſogar mehrere Geſchütze von den Batterien abgeführt.
Die Belagerten waren überzeugt, daß die Stunde der
Erlöſung nahe ſei, und daß Tilly abziehen werde.
Während der Nacht wurden die Wachen noch unaus-
geſetzt gehalten; als aber der Morgen nahte, und im
feindlichen Lager Alles ruhig blieb, überließ man ſich
der Sicherheit und der Hoffnung, daß die Gefahr vorüber ſei. Am 10. Mai früh 5 Uhr ging die Hälfte
der Bürger und ein Theil der Soldaten in die Stadt,
um endlich einmal die lang entbehrte Ruhe zu genießen. Auch der Commandant Falkenberg war in
gleichem Wahne befangen, und begab ſich nach dem
Rathhauſe, um den von Tilly zuletzt geſandten Trompeter, welchen man bis jetzt zurückgehalten hatte, abzu-
fertigen. Die Täuſchung, das Erwachen aus dem un-
heilvollen Schlafe war fürchterlich!

Tilly hatte allerdings die Hoffnung aufgegeben,
ſich der Stadt bemächtigen zu können; die Ankunft
Guſtav Adolph's wollte er vor Magdeburg nicht ab-
warten, er beſchloß daher die Belagerung aufzuheben
und abzuziehen. Die Anſtalten dazu wurden ſchon
durch das Abführen des Geſchützes getroffen. Am
Abend des 9. Mai hielt er einen Kriegsrath und

12*

theilte feine Abficht mit. Namentlich von Seiten Pappenheims, welcher fich bei der Belagerung am eifrigften bewiefen hatte, und jetzt noch den Sieg ver- bürgen wollte, fand Tilly Widerfpruch; doch traten andere Befehlshaber Tilly bei und er wäre durchge- drungen, wenn nicht ein hoher Offizier auf einen nochmali- gen Sturm am nächften Morgen angetragen hätte; er berief fich dabeiauf das Beifpiel von Maftricht, welches auch früh erftürmt worden fei, weil fich die Vertheidiger zur Ruhe begeben hatten. So wurde denn befchloffen, am 10. Mai nach Aufgang der Sonne noch einen letzten Sturm zu unternehmen, und zwar von allen Seiten zugleich, und mit aller Macht. Um 5 Uhr follte das Zeichen gegeben werden. Schon ftand alles in Bereit- fchaft, als Tilly noch einmal den Kriegsrath zufam- menrief. Von Neuem fprach er feinen Zweifel an einem günftigen Erfolge aus, und machte auf die Opfer aufmerkfam, welche der Sturm koften würde. Wie- derum drang er nicht durch. Und fo wurde denn um 7 Uhr erft das verhängnißvolle Zeichen gegeben. Pappenheim follte das große Werk der Neuftadt gegenüber anfallen; der Graben vor ihm war trocken, der Wall nicht hoch; Stufen und Einfchnitte hatte er fchon früher anbringen laffen, die Sturmleitern lagen bereit. An diefem Platze waren die wenigften Schwie- rigkeiten zu überwinden. Mit dem Feldgefchrei „Jefus Maria“ begann der Angriff auf den erften kleinen Poften; alle Vertheidiger wurden getödtet und die Kaiferlichen beftiegen fchon den obern Wall. Mit un- geheurer Anftrengung brachte Pappenheim feine Küraffire über den Graben und den Wall in die Stadt hinein. Die versprochene Hülfe von Tilly blieb aus, und Pappenheim sah über 1000 seiner Leute neben sich fallen. In demselben Augenblicke erstürmte der Herzog von Holstein die hohe Pforte und drang nach dem innern Thore vor. Jetzt erschien Falkenberg, der durch den Donner der Geschütze aufgeschreckt vom Rathhause fortgeeilt war, und Alles mit sich nahm, was er an Mannschaft unterwegs fand. Die Sturmglocken heulten durch die Luft, die von den Kugeln der Feinde zerrissen wurde. Die Bürger waren erwacht, um zum letzten Kampfe zu eilen! Falkenberg blieb gleich anfangs bei der Vertheidigung der hohen Pforte. Bis gegen 10 Uhr wüthete der Kampf auf den Wällen; jetzt öffnete der Feind eins der Thore, und hereinwogten Tilly's Schaaren, die Kroaten und das Geschütz. Aller Widerstand war nun erfolglos; die Kanonen reinigten die Straßen und verzweifelt flohen die Vertheidiger der Stadt in ihre Wohnungen, um dort ihr Schicksal zu erwarten. Pappenheim hatte mit seinen Wallonen den härtesten Stand gehabt, so leicht ihm auch die erste Erstürmung geworden war. Um so größer war die Rache der wuthentbrannten Schaar. Nach Blut und Raub lechzend, stürzten sie zu Mord und Plünderung in die Häuser. Die Kroaten Tilly's blieben nicht zurück. Kein Stand, kein Geschlecht, kein Alter, selbst das ungeborne Kind unter dem Herzen der Mutter erhielt Schonung. Hätte man eine Heerde Tiger in die unglückliche Stadt gelassen, sie würden nur zerfleischt und gemordet haben. Aber die tief unter dem Raubthier stehenden Schaaren Tilly's und Pappenheim's thaten mehr! Wer von dem weiblichen Geschlechte Gelegenheit fand, suchte den freiwilligen Tod in den Flammen, oder in den Wellen der Elbe. Nie wohl haben sich die fluchwürdigsten Thaten auf einer Stelle in so kurzer Zeit gehäuft, als in dem unglücklichen Magdeburg. Gegen Mittag bereits stand die ganze Stadt in Flammen, die Hitze war so groß, daß die Sieger sich nach den Wällen zurückziehen mußten, die Schlachtopfer ihrer thierischen Wuth und Lust noch hinter sich herschleppend. Abends um 10 Uhr standen außer dem Liebfrauenkloster und dem Dom nur noch gegen 100 kleine Hütten am Fischerufer. Die Stadt war verschwunden. Gegen 30,000 Einwohner lagen unter ihren Trümmern begraben. Nur etwa 400 der reichsten Bürger wurden gefangen genommen, nebst einer Anzahl Frauen und Kinder. Auch der Administrator fiel in Feindes Hand, er wurde, verwundet, nackt und blos, von Tilly mit Vorwürfen überhäuft, nach Wolfenbüttel abgeführt. Bis zum 12. Mai wühlten die kaiserlichen Soldaten in den Kellern und Gewölben der Häuser nach Beute umher, die ihnen auch in reichem Maaße zu Theil wurde. Im Lager wurde gepraßt und geschlemmt; man feierte „die Magdeburger Hochzeit." Als Tilly am 12. Mai in die Stadt kam, ließ er die Domkirche öffnen, wo sich gegen 1000 Personen, meist Frauen und Kinder, seit drei Tagen ohne Nahrung befanden. Sie erhielten von dem Sieger Gnade und Brot. Am 14. hielt Tilly erst seinen feierlichen Einzug, nachdem

die Hauptstraßen von den Erschlagenen und den Trümmern etwas gereinigt waren. Im Dom wurde feierlicher Gottesdienst abgehalten und der Kanonendonner
verkündigte von den Wällen den fürchterlichen Sieg. Tilly
berichtete an seinen Kaiser: „daß seit der Zerstörung
der Stadt Jerusalem und Troja kein solcher Sieg gesehen worden sei."

Um auch hier die Gerechtigkeit walten zu laffen,
müssen wir wohl zugestehen, daß ein Theil der verübten Greuelthaten, namentlich insofern sie von einzelnen verwilderten Ungeheuern ausgingen, den Feldherren Tilly und Pappenheim nicht zur Last gelegt werden können. Der größte Theil ihrer Heere
bestand aus Lohnsoldaten, die längst aller Menschlichkeit sich entäußert hatten, und nur des Lohnes und
der Beute wegen ihr Leben preisgaben und an den
Meistbietenden verkauften. Nach der Erstürmung der
Stadt konnte kein Machtgebot die entmenschte Räuber-
horde in Zucht und Ordnung halten. Die Verant-
wortlichkeit für all' die Ströme Blutes, welche geflossen, für all' den Jammer, der zum Himmel stieg, fällt
auf den kaiserlichen Urheber der Schandthat zurück.
Größeren Vorwurf als Tilly, dürfte Pappenheim
treffen. Er war es hauptsächlich, welcher auf die Erstürmung der Stadt drang, um den früher erlittenen
Schimpf, vergebens Alles zu ihrer Eroberung gethan
zu haben, in dem Blute der Besiegten abzuwaschen.
Pappenheim war es auch, der mit den Seinigen
hauptsächlich Magdeburg erstürmte, und dabei von
Tilly nicht unterstützt wurde. Noch ist es dem Ge-

ſchichtsforſcher nicht verſtattet, klar in die Verhältniſſe
zu ſehen, welche damals zwiſchen den beiden Feldherren
beſtanden. Faſt ſcheint es, Tilly würde es nicht ungern geſehen haben, wenn Pappenheim ſein Grab unter den Trümmern Magdeburgs gefunden hätte. Nur
der verwegenen Tollkühnheit der Seinigen, die mit
wilder Todesverachtung zu Hunderten in den Wall
ſanken, und dem Umſtand, daß Falkenberg nicht zu
Hülfe kommen konnte, hatte Pappenheim den Sieg
zuzuſchreiben, den er mit Verluſt von Tauſend ſeiner
tapferſten Krieger erkaufte. Er beklagt ſich darüber
in einem Schreiben an den Kaiſer, indem er ſagt:
„Schändlich habe man ihn in der größten Gefahr ſtecken
laſſen. Tilly iſt Schuld, daß Seiner kaiſerl. Majeſtät und des ganzen römiſchen Reiches Untergang
oder Aufnahme an den zwei Stunden auf einer zwei-
felhaften Spitze geſtanden, und daß ich meinerſeits bei
tauſend ausbündiger Soldaten eingebüßt habe." — Er
fährt ſpäter fort: „Ich und meine redlichen, tapfern
Spießgeſellen haben bei dieſem großen, von Gott ſo
wunderbar verliehenen Siege nichts anders zu bedau-
ren, als daß wir Eure kaiſerliche Majeſtät und deren
Frauen nicht ſelbſt zu Zuſchauern gehabt, damit ſich
Niemand dieſer That unwürdig rühme, ſondern der Preis und Ritterdank denen, ſo es mit Gefahr und Ehre verdient, verbleiben möge."
Pappenheim verlangte auch ſogleich von Tilly
Unterſuchung; aber der Oberfeldherr gewährte es nicht,
weshalb Pappenheim in dem erwähnten Schreiben
ſagt: „deshalb komme es dem Kaiſer zu, den Prozeß

anordnen, und als gerechter Kriegsherr das Böse zu
bestrafen, das Wohlverhalten zu begnadigen."

Aus diesem Grunde namentlich, daß sich Pappen=
heim mit den Seinigen in der größten Gefahr verlaf=
fen sehen und seine schönsten Truppen opfern mußte,
ist auch die beispiellose Wuth bei seinem Einbruch in
die Stadt, und der nicht zu stillende Blutdurst seiner
Wallonen zu erklären.

Magdeburg konnte nicht fallen, wenn die Ver=
hältnisse in der Stadt anders waren. Hier finden
wir den gefährlichsten Feind in der Zwietracht zwischen
dem Magistrat und den Bürgern, in den unzähligen
Rücksichten, welche der Erstere nahm. Hierzu kam
noch das unglückliche Verhältniß mit dem Administra=
tor, den der Rath unterstützte, für welchen die Bürger
sich opfern sollten. Am meisten mußte der edle und
tapfere Falkenberg darunter leiden, da er zwischen
beiden Parteien stand, und keine bei der Vertheidi=
gung entbehren konnte. Zunächst aber lag der Grund
zu dem Fall der Stadt in der unglückseligen Sorg=
losigkeit, mit welcher man sich am 10. Mai früh im
Angesicht des listigen Feindes der Ruhe hingab.

Schnell verbreitete sich das Gerücht von dem
Schrecklichen, was geschehen war, durch ganz Deutsch=
land. Ein lauter Schrei des Entsetzens über das Un=
erhörte entfuhr allen Protestanten, und bange Ahnung
und Furcht mußte sich ihrer bemächtigten.

Gustav Adolph war von der Nachricht über den
Fall Magdeburg's um so tiefer erschüttert, je mehr er
seit Jahr und Tag schon alles angewendet hatte, um

dieſes Schickſal abzuhalten Es fehlte nicht an Stim-
men, die ſich erhoben, und ihn der Lauigkeit gegen
Magdeburg beſchuldigten. Obſchon es nun klar am
Tage lag, daß der König nur durch die eigenſinnigen
Weigerungen des Churfürſten von Brandenburg und
Sachſen abgehalten worden ſei, der ihm verbündeten
Stadt zu Hülfe zu eilen, ſo rechtfertigte er ſich doch
auch noch gegen jeden Vorwurf in einer beſondern
Schrift. Er führt in dieſer „Schutzſchrift des Kö-
nigs von Schweden, Guſtav Adolph's, wegen nicht
erfolgten Entſatzes der Stadt Magdeburg“ namentlich
Folgendes an, was wir unſern Leſern um ſo weniger
vorenthalten können, da die Unkenntniß mit der wah-
ren Lage der Dinge jenen Vorwurf bis auf unſere
Tage herüber gebracht hat.

1. „Es iſt bekannt, daß der Rath und die Bürgerſchaft der reichen Handelsſtadt aller Vorſtellungen
ungeachtet zu der vom Könige zur Vertheidigung
ihrer Stadt veranſtalteten Werbung nicht das Ge-
ringſte beigetragen hat, weder Gelder geliehen, noch
auch den Soldaten des Königs und des Adminiſtra-
tors eher hat Quartier geben wollen, bis der Feind
ſie dazu nöthigte. Daher kommt es, daß an die nöthige Beſatzung nicht gedacht werden konnte, und der
Feind Zeit gewann, die Stadt zu blokiren.“

Im gleichen Sinne lautete der Bericht des königlichen Geſandten Salvius an den Reichstag, vom
19. Mai 1631, worinnen es heißt: „So hätte auch
völlig die Stadt ſich noch länger halten können, wo-
fern die Bürgerſchaft mehr Hülfe zur Sache geleiſtet

und nicht allzu sicher sich gehalten hätte. Anfänglich
ließen sie keine Soldaten in die Stadt hinein, sondern
sie mußten in den Vorstädten von dem baaren
Gelde S. k. Majestät leben. Nun am Ende habe
sie dieselben wohl in die Stadt genommen, wo sie
volle Keller und Vorrathskammern hatten.
Gleichwohl mußten die Soldaten entweder
Hunger leiden, oder jeden Bissen theuer
bezahlen, wovon sie ziemlich ermüthet wor=
den. Ueberall ergab sich heimliche Correspondenz
mit dem Feinde, welcher der Stadt zuerst den Accord
präsentirte. Aber während die Stadt sich sicher glaubte
und über den Accord delibrirte, fiel sie der Feind mit
Sturm an und betrog sie solchergestalt um ihre Sicher=
heit. Hierin können sich alle wankelmüthi=
gen Evangelischen spiegeln, wie es ihnen
ergeht, sofern sie sich nicht bald entweder
wärmer oder kälter erweisen."

Es scheint in der That einer solchen Blut= und
Feuertaufe, wie die Magdeburger war, für die Evan=
gelischen bedurft zu haben, um endlich den bösen Geist
der Uneinigkeit, des erbärmlichsten Eigennutzes und der
Unentschiedenheit zu bannen. Er wurde unter den
Trümmern Magdeburgs begraben, und erstand aus
der blutigen, rauchenden Stätte als ein Geist der Ei=
nigung und des gegenseitigen Vertrauens, welcher die
Protestanten von nun an — wenigstens auf einige
Zeit — zu beseelen anfing. Diese Uneinigkeit, Halb=
seit, ja gar Verrätherei an der guten Sache wirkt auch

Guſtav in ſeiner Schutzſchrift den Magdeburgern vor.
Er ſagt ferner:

2. „Der König hielt die Anwerbung einer zur
Vertheidigung Magdeburgs erforderlichen Armee für
unerläßlich, und dieſes würde um ſo leichter haben
geſchehen können, wenn der Magiſtrat den Adminiſtrator hätte in der Zeit unterſtützen wollen, wo das Erzſtift von feindlichen Truppen faſt ganz befreit war.
Dann konnte ſich die Stadt ſo lange halten, bis es
dem König möglich war, ihr zu Hülfe zu kommen.
Allein der Magiſtrat wollte von ſolchen Veranſtaltun-
gen, die Aufwand erforderten, nichts wiſſen; man
unterhielt vielmehr mit dem Feinde h e i m l i c h e C o r-
r e ſ p o n d e n z u n d b e g ü n ſ t i g t e i h n a u f a l l e A r t
u n d W e i ſ e , obwohl viele redlich geſinnte Bürger
dergleichen b o s h a f t e R ä n k e verabſcheuten und die-
ſerhalb zu entſchuldigen ſind.“ — Magdeburg verdankt
ſein Unglück der Ariſtokratie, welche ſich in ſeiner
Mitte befand. Hätte es ſich S t r a l ſ u n d zum Bei-
ſpiel genommen, wo Rath und Bürgerſchaft Hand in
Hand gingen, ſo wäre es nicht gefallen. „Deſſenungeachtet iſt der König bedacht geweſen, in Hamburg
und Lübeck Geld durch Wechſel aufzubringen und nach
Magdeburg zu übermachen. Die Briefe liegen vor.“

„3. Es iſt wahr, daß der König der Stadt ſeinen Beiſtand verſprochen hat; allein er konnte deshalb
nicht gegen alle Regeln der Klugheit und Vorſicht
blindlings zufahren, und ſich und ſeine Staaten der
größten Gefahr ausſetzen. Wenn erwieſen iſt, daß
er Alles gethan hat, um ſein Verſprechen zu erfüllen,

daß er nur durch unüberwinbliche Hinderniffe ab=
gehalten wurde, zu Hülfe zu kommen, so wird wohl
Niemand ihm den nicht erfolgten Entsatz zur Laft
legen."

4. „Der König hatte durch seine Siege bie ihm
weit überlegene feindliche Armee aus ganz Pommern
vertrieben, und ihnen den Paß nach Magdeburg, von
Seiten ber Oftsee, völlig abgeschnitten. Nach ber Ein=
nahme von Garz und Greifenhagen war ihm erst ber
Weg nach Magdeburg geöffnet, und er würde den=
selben verfolgt und wahrscheinlich die kaiserliche Armee
gänzlich aufgerieben haben, wenn ihm von Branden=
burg ber Durchzug durch Küstrin verstattet worden
wäre. Daburch wurde die kaiserliche Armee gerettet,
und ber König verhindert, den bebrückten evangelischen
Ständen zu Hülfe zu eilen."

„Nachdem ber König bei Frankfurt durch gött=
lichen Beistand einen eben so glorreichen als unerwar=
teten Sieg erfochten hatte, ging er in ber Absicht,
Magdeburg zu befreien, vorwärts. Da er aber
wußte, daß Tilly ihn mit seiner frischen und weit
ftärkeren Armee angreifen würde, so mußte der König
wünschen, für den Rothfall einen Zufluchtsort zu
haben und verlangte baher auf eine Zeitlang und ge=
gen genügsame Sicherheit von bem Churfürsten von
Brandenburg bie Festung Spandau. Eben so nö=
thig war es, daß der Churfürst von Sachsen ihm
den Durchgang durch sein Land erlaubte, und mit Le=
bensmitteln und Munition unterstützte. Allein bas
bringende Anliegen war fruchtlos. Der

Churfürst nahm sein Verhältniß und seine Verpflich=
tungen gegen den Kaiser zum Vorwand und schlug
allen Beistand ab, obschon ihm an der Erhaltung von
Magdeburg viel gelegen sein mußte.

Der König wendete sich hierauf an den Churfürst
von Brandenburg, um von ihm dasjenige zu er=
halten, was ihm vom Churfürsten von Sachsen war
abgeschlagen worden. Aber auch dieser Fürst entschul=
digte sich bald mit dem Unvermögen seiner Untertha=
nen, bald mit dem Vorgeben, daß er deswegen erst
den Churfürst von Sachsen zu Rathe ziehen müsse.
Dieses bewog den König, nun ganz andere Maßregeln
zu ergreifen, und während dieser Streitigkeiten ging
Magdeburg verloren.

Dieses und anderes sind die Gründe, aus welchen
Gustav Adolph Magdeburg nicht zu Hülfe kommen
konnte; es galt also weniger einer Rechtfertigung we=
gen der nicht erfolgten Entsetzung Magdeburgs vor
den Augen des protestantischen Deutschlands, als nur
einer Veröffentlichung der zwingenden Gründe,
um jeder gehässigen Ausdeutung seiner Absichten
vorzubeugen.

Fünfter Abschnitt.

Gustav Adolph's Bund mit Brandenburg. Das Lager bei Werben.

Wir verlassen jetzt die rauchenden Trümmer Magdeburgs und die Mordbrennerbande mit ihren würdigen Führern und kehren zu Gustav Adolph, dem Helden unsrer Geschichte, zurück. — Gustav zog nach dem Fall Magdeburgs mit seinem Heere von Potsdam wieder nach Spandau, wo er unter den Wällen der Festung ein Lager bezog. Landgraf Wilhelm von Hessen-Kassel hatte sich enger mit dem Herzoge Wilhelm von Weimar vereinigt; beide Fürsten schickten jetzt Gesandte zu Gustav, um das mit ihm eingegangene Bündniß noch fester zu schließen. Der König ernannte Herzog Wilhelm zum Kriegsobersten im sächsischen Kreise, und gab ihm Vollmacht zur Erhebung von Geldsummen, um damit Kriegsvolk anzuwerben. Beiden Fürsten versprach er, im Fall eines unglücklichen Ausganges, zu entschädigen, und ihnen Schweden als Zufluchtsort anzuweisen. In diesem Sinne wurde etwas später das Bündniß abgeschlossen.

Während dieser Unterhandlungen schickte der Churfürst Georg Wilhelm von Brandenburg zu Gustav, und ersuchte ihn, die Festung Spandau, laut des abgeschloffenen Vertrages, wieder zu räumen. Wie bereits erwähnt, hatte Gustav den Besitz dieser Festung nur so lange begehrt, bis Magdeburg entsetzt sein würde. Da sich nun das Schicksal dieser Stadt entschieden hatte, so war der Churfürst allerdings in seinem Rechte, wenn er die Festung jetzt zurückforderte. Zugleich aber bezeugte er auch, wie wenig ihm an der Sache, für welche Gustav kämpfte, gelegen sei, und welch' unzuverlässiger Verbündeter er sein würde. Gustav schrieb an den Churfürsten: „Ich finde keine Worte, um den Schmerz zu beschreiben, welchen mir der Untergang Magdeburgs gemacht hat. Das Blut so vieler Tausende, womit sie die Wuth des Feindes fühnen mußten, ist geflossen und der Administrator gefangen. Ich konnte diesem Uebel begegnen, und die Stadt mit Gottes Hülfe erhalten, wenn nicht Diejenigen Hindernisse in den Weg gelegt hätten, von denen man es am wenigsten hätte glauben sollen, daß sie die Hoffnungen, die man sich von ihnen machte, täuschen würden. Hieraus läßt sich leicht abnehmen, daß meine Anwesenheit in diesen Gegenden diesem und jenem nicht angenehm ist; ich habe mich daher entschloffen, mit meiner Armee dahin mich zurückzuziehen, wo ich es für das angemessenste halte. Ich werde, eingedenk meines Wortes, Ew. Liebden Spandau auf der Stelle zurückgeben, und hoffe dadurch jene neidischen und bösartigen Menschen zum Schweigen zu bringen, welche unter die Leute zu bringen suchen, ich hätte bei der Einräumung Spandau's und anderer Festen etwas anderes gesucht, als Sicherheit für meine

Person und die gute Sache. Sehr erwünscht wird es
mir fein, wenn dem Churfürsten in Zukunft Alles
nach Wunsche geht, und er ohne meine Hülfe seine
Würde und das ihm von Gott anvertraute Volk beschützen und von dem Untergange erretten kann."

Gustav bedurfte jetzt der Festung Spandau mehr,
als zu jeder andern Zeit. Er versuchte daher zuerst
in Güte und durch das Vorgeben seines Abzuges
auf den Churfürst, zu wirken. Auch schien Gustav
seinen Zweck zu erreichen. Der Churfürst, in Furcht
vor dem Kaiser und Tilly, wollte seinen einzigen Schutz
gegen einen Einfall Tilly's in seine Lande nicht verlieren. Er schickte also einige Räthe an Gustav, und
ließ ihn dringend bitten, zu bleiben. Der König beschloß auf dem eingeschlagenen Wege fortzugehen, und
die Stimmung des Churfürsten zu benutzen. Er verlangte, daß endlich ein enger Bund, einfach und fest,
ohne Bedingungen und Hinterthüren, abgeschlossen und
ihm sofort eine urze und bündige Antwort ertheilt
werde.

Diese fiel aber ganz anders aus, als Gustav erwartet hatte. Die erste Furcht in Berlin war vorüber; man glaubte, Tilly würde eine Neutralität für
die Länder zwischen Elbe und Oder, Havel und Spree
und Befreiung von den Kriegskosten bewilligen; wenigstens versprach man sich dieses für die Residenz und
die Festungen. Doch dazu war nöthig, daß Gustav
freiwillig abzog, und Spandau wieder in die Hände
des Churfürsten kam. Dann, glaubte man, würde
Tilly sich bereitwillig finden lassen. Die Antwort des

13

Churfürsten war daher: „Niemals sei er einem Bündnisse mit dem Könige abgeneigt gewesen. Nur möchte er sich nicht von den andern protestantischen Churfürsten und Ständen völlig losreißen. Es sei dem Churfürsten auch nicht in den Sinn gekommen, mit dem König über den Oberbefehl über die Armee Zwist zu erheben. Nur müsse er sich die Verfügung über das von ihm geworbene Volk und über seine Festungen vorbehalten. Der König — bat er bringend — möchte sich mit dieser Antwort einstweilen beruhigen, bis er mit dem Chufürsten von Sachsen, zu dem er sich sofort begeben wollte, und mit dem Ausschuß der Stände, welcher in Kurzem sich versammeln würde, die nöthige Rücksprache genommen hätte. Wenn der Eifer des Königs nicht einmal einen so geringen Verzug ertragen könne, so wolle man seinem Willen durchaus keine Beschränkungen auferlegen. Er möchte thun, was er für sich und die gute Sache für angemessen hielte. Wenn der König abzöge, so würde der Churfürst mit Hülfe Sachsens sich und die Seinigen schützen, und im Fall der Noth sich die Hülfe des Königs erbitten, inzwischen sich aber alle Mühe geben, eine redliche und beständige Neutralität zu erlangen. Wenn der König aber länger bleiben wolle, so würde man ihn nach Kräften mit Zufuhr und andern zur Erhaltung der Armee nöthigen Dingen versehen."

Gustav sah wohl ein, daß er mit der Androhung seines Abzuges nichts mehr bei dem Churfürsten ausrichte. Er ließ ihm daher sagen, „er wolle die bisher gepflogenen Unterhandlungen schweben lassen, bis sie

die Ansicht des Churfürsten von Sachsen vernommen
hätten. Der Churfürst möchte aber den Vertrag hinsichtlich Spandaus auf so lange Zeit verlängern,
bis das schwedische Heer an die Oder zurückgegangen,
oder der Feind außer Stand sei, dasselbe in Gefahr
zu bringen."

Der Churfürst war Willens, diesen Vorschlag einzugehen, und schon waren die Verhandlungen ihrem
Abschluß nahe, als der sächsische Feldmarschall Arn-
heim in Berlin eintraf. Jetzt erhielt die Sache eine
andere Wendung, und der Churfürst von Brandenburg
bestand wieder auf der sofortigen Räumung Spandaus.
Am 8. Juni erschien Arnheim als Unterhändler in
Gustav's Lager. Dieser erklärte: „Morgen früh soll
Spandau von meinen Truppen geräumt werden; der
Churfürst kann die Festung in Besitz nehmen, wenn es
ihm gefällig ist; zugleich aber soll er alle gewechselten
Schriften zurückgeben. Die Freundschaft zwischen
Schweden und Brandenburg ist hiermit aufgekündigt."

Am 9. Juni zog der König seine Besatzung aus
Spandau und rückte mit seinem Heere nach Berlin
vor. Schon den Abend vorher hatte er einen Trompeter nach Berlin geschickt, und der Stadt ansagen
lassen, „daß er den folgenden Tag ankommen und die
Stadt seiner Armee geöffnet wissen wolle; auch in
Manglung gütiger Oeffnung wolle er entschuldigt sein
an allem Unheil, Blutvergießen und Plünderung."
Am Morgen stand der König mit seiner Armee vor
der Stadt in Schlachtordnung, ließ um die Stadt ein
Lager schlagen und die Stücke auf dieselbe richten.

13*

Diese Maßregel Gustav's schien endlich Erfolg zu haben. Furcht und Angst hatten sich der Einwohner Berlins bemächtigt. Vergebens suchte Arnheim den König auf andre Gedanken zu bringen. „Ich will," sagte Gustav lebhaft, „nicht schlechter behandelt sein, als die Kaiserlichen. Der Churfürst hat sie in seine Staaten aufgenommen, sie mit Lebensmitteln versorgt, ihnen alle Plätze, die sie nur haben wollten, eingeräumt, und dadurch doch nicht erlangen können, daß sie besser Zucht gehalten hätten. (Vergl. S. 143). Ich werde von meinem Plane auf keine Art abweichen, und mein Bruder, der Churfürst, muß sich schleunigst entschließen, ob er mich zum Freunde haben, oder seine Hauptstadt geplündert sehen will." Endlich erschienen die churfürstlichen Frauen und die verwittwete Pfalzgräfin wieder im Lager des Königs und brachten den Abschluß des Bündnisses am 11. Juni zu Stande.

Der Churfürst überließ dem König Spandau während der Dauer des Krieges; der Durchzug durch Küstrin blieb den Schweden erlaubt; der brandenburgische Commandant schwur, daß er Gustav zu jeder Zeit aufnehmen wolle. Die Churlande übernahmen eine monatliche Contribution von 30,000 Reichsthalern an den König. — So mußte sich der Churfürst in härtere Bedingungen fügen, als Gustav anfangs beabsichtigt hatte.

Nachdem am Abend des 11. Juni die Verbin=

dung ihren Abschluß erreicht hatte, nahm der König im Schloßgarten an einem Festmahle Theil. Früh gegen zwei Uhr erst fuhr er über die Spree, und gab Befehl, die Stücke abzufeuern, welche noch gegen das Schloß aufgepflanzt standen. Entweder vergaß man die Ladung herauszunehmen, oder die Stücke von der Stadt ab- und dem Felde zuzuwenden, kurz, von den 90 Stücken schossen 40 scharf auf die Stadt und die Kugeln schlugen in die Häuser ein, doch ohne Schaden zu stiften. Gustav ließ den Churfürsten um Entschuldigung wegen dieses Versehens bitten; doch liegt die Ansicht, welche ein Zeitgenosse hatte, nicht fern, „das Ganze sei eine Komödie gewesen, zu welcher sich der König dem Churfürst zu Gefallen entschlossen habe, damit sich dieser wegen seines eingegangenen Bündnisses beim Kaiser mit der gebrauchten Gewalt entschuldigen könne."

Der Churfürst Georg Wilhelm säumte auch nicht, den Kaiser wegen des Bündnisses mit Schweden um Entschuldigung zu bitten, und dasselbe als ein Werk der Noth zu rechtfertigen.

Am 12. Juni ließ Gustav Adolph seine Armee wieder nach Spandau zurückgehen, daselbst das Schloß und die Städte Rathenau und Brandenburg besetzen. Er übergab den Oberbefehl über das Heer dem General Banner, ging nach Frankfurt, schiffte sich auf der Oder ein, und stieg am 14. Juni in Stettin an's Land. Bedeutende Seerüstungen des Königs von Dänemark, so wie dessen offenkundige Verhandlungen mit Wallenstein mochten ihn zu dieser Reise veranlaßt

haben, eben so auch das Verlangen, die Kaiserlichen
endlich aus Greifswalde zu vertreiben. In Stettin erwartete den König ein russischer Gesandte, um
ihm ein engeres Bündniß mit Rußland anzutragen,
welches Gustav aber ablehnte. Er begab sich sofort
nach Greifswalde, um die Belagerung der Stadt
selbst zu leiten. Ehe er noch dort ankam, ereilte ihn
die Nachricht, daß die Stadt bereits in den Händen
der Schweden sei. Dieser wichtige Platz war durch
die Umsicht und Tapferkeit des Commandanten Perusi
noch in kaiserlicher Gewalt. Die Belagerung leitete
der schwedische General Ake Tott. Am 14. Juni
fiel Perusi bei der Verfolgung einiger schwedischer
Reiter, welche Vieh von den Weiden wegtreiben wollten, in einen feindlichen Hinterhalt; seine Kroaten verließen ihn und er starb an mehreren Wunden. Ake Tott
rückte sofort mit Fußvolk, Reiterei und Geschütz vor
die Stadt und ließ sie auffordern, sich zu ergeben.
Die feindliche Besatzung lehnte den Antrag ab, und
machte am 15. Juni ohne Erfolg einen Ausfall. Ake
Tott erneuerte seinen Antrag, der nun angenommen
wurde, und am 17. zog die Besatzung mit allen krie-
gerischen Ehren ab. — Gustav Adolph kam persönlich
nach Greifswalde und erstaunte über die vorzüglichen
Befestigungswerke, welche der tapfere Perusi hatte anlegen lassen. Große Vorräthe aller Art fielen in die
Hände der Schweden. — Somit war denn nun ganz
Pommern von den Kaiserlichen befreit. Ueberall wurden Freuden- und Dankfeste für die Errettung aus dem
kaiserlichen Joche gefeiert, und zum Andenken an die

vor einem Jahre erfolgte Ankunft des Erretters, Gustav Adolph's.

Auch in Schweden feierte man des großen Königs Siege. In Stockholm trug man die Siegeß-
zeichen, 46 eroberte Fahnen der Feinde, in Triumph
herum, und steckte sie auf den Thürmen aus.

König Christian von Dänemark, durch die
Siege Gustav's eingeschüchtert, gab die nöthigen Erklärungen über seine Rüstungen und legte seine friedlichen Gesinnungen genugsam an den Tag. Nichts
hinderte nun Gustav, einen großen Theil seiner Armee, die bisher in Pommern gestanden hatte, an sich
zu ziehen und mit nach Brandenburg zu nehmen.
General Tott erhielt den Oberbefehl über die zurück-
bleibenden Truppen, um Mecklenburg vollends zu erobern und die Wiedereinsetzung der vertriebenen Herzöge
zu bewerkstelligen.

Gustav trat seine Rückreise an, und kam Ende
Juni wieder nach Brandenburg. Während seiner Abwesenheit hatten nur Streifzüge stattgefunden, die meist
zu Gunsten der Schweden ausgefallen waren. So
nahmen sie den Domhof zu Havelberg ein und
das Städtchen Burg.

Am 26. Juni hielt der König über seine versammelte Armee bei Alt-Brandenburg Heerschau. Der
größere Theil des Fußvolkes wurde hierauf zur Befestigung von Brandenburg verwendet. Am 28.
Juni brach Gustav mit 1000 Musketiren und fast
seiner ganzen Reiterei auf, um einen Zug nach der
Elbe zu unternehmen, deren linkes Ufer er jetzt, wäh-

rend Till'y's Abwesenheit, gewinnen wollte. Am fol=
genden Tage ging der Zug nach dem Städtchen und
Kloster Jerichow, von wo aus er mit seiner Reite=
rei am 29. Juni die ganze Umgegend bis an die
Magdeburger Brücke recognoscirte. Pappenheim,
der mit einer geringen Mannschaft noch auf dem rechten Elbufer weilte, mußte nach Magdeburg flüchten,
worauf Gustav wieder zurückkehrte. Am Abend des
folgenden Tages ließ er eine Abtheilung Fußvolk über
die Elbe setzen, und die kaiserliche Wache vor Tangermünde angreifen. Die Besatzung der Stadt,
von dem Waffengetümmel aufgeschreckt, zog sich in das
Schloß zurück, welches die Schweden mit Sturm einnahmen. Am 1. Juli faßte Gustav Adolph zuerst
festen Fuß auf dem linken Elbufer. Sofort wurden
alle Elbfahrzeuge in der ganzen Umgegend bis nach
Magdeburg hinauf zusammen gebracht, und bereits
am 3. Juli war die Schiffbrücke fertig, über welche
der König nun mit der vollständigen Heerabtheilung
und dem Geschütz setzte. Von Tangermünde aus wurden die Städtchen Stendal und Arnburg genommen, und bald war die ganze Umgegend von den Kaiserlichen befreit. Als man die in den verschiedenen
Garnisonen gefangenen kaiserlichen Soldaten vor den
König brachte, fielen sie allesammt auf die Kniee und
baten um Gnade. Gustav sprach zu ihnen: „Stehet
auf, ich bin kein Gott; betet unsern Herr Gott
an, und danket ihm für euer Leben. Euch ge-
bührete wohl etwas anderes, daß man nämlich-
lich viel ärger mit euch umginge, denn wo

ihr hinkommt und obsieget, da hauset ihr
mit den meinigen und den armen Leuten
ärger, als die Türken. Es sei Euch hiermit
Quartier zugesagt"

Am 9. Juli fiel auch die für Gustav so wichtige
Stadt Havelberg in seine Hände, die er mit aller
Macht durch Banner hatte angreifen lassen. Am
11. Juli kamen die Mannschaften, welche die Befestigung von Brandenburg vollendet hatten, in dem Lager bei Tangermünde an. Der König zog nun mit
seinem ganzen Heere nach Werben, wo er ein Lager
anlegte, welches seine großen Talente als Feldherr
vollkommen bezeugte. Die Stadt Werben liegt auf
dem linken Ufer der Elbe etwas vom Fluß entfernt,
fast der Ausmündung der Havel in die Elbe gegenüber, und beherrscht beide Flüsse. Gustav hatte demnach den Vortheil, daß die ganze Havel in seinem
Besitz war, auf welcher ihm alle Bedürfnisse zugeführt
werden konnten. Zugleich aber konnte er auch von
Werben aus die Mark und Magdeburg beherrschen.
Das Lager bei Werben ist unstreitig eins der festesten,
die es in Deutschland giebt. Den Rücken und theilweise die Flanken deckte die Elbe; die Fronte wurde
durch die Stadt geschützt, die mit Gräben, Mauern
und Thürmen wohl versehen war; die linke Flanke
deckte ein hoher Damm, der schon seit langer Zeit gegen die Ueberschwemmungen der Elbe aufgeworfen
worden war. Gustav ließ denselben noch mehr erhöhen und befestigen. Auf der Südseite des Lagers
lief ein tiefer Graben bis zur Elbe hin. Was die

Natur nicht schon zur Befestigung dieses Lagers, in welchem für das Heer vollkommen Raum war, gethan hatte, wußte Gustav durch die Kunst trefflich zu ersetzen. Die Schiffbrücke von Tangermünde hatte der König abbrechen und nach Werben bringen lassen. Hier führte sie von seinem Lager aus über die Elbe auf das rechte Ufer derselben, wo eine Schanze von solcher Festigkeit aufgeworfen war, daß sie in dieser günstigen Lage fast unangreifbar erschien.

In dieses wohlbefestigte, fast unüberwindliche Lager hatte sich Gustav Adolph zurückgezogen, um ruhig abzuwarten, „wohin sich alle Sachen schicken und lenken sollten." Tilly rückte bereits mit einer dem König weit überlegenen Macht heran. Diese Zeit war, in jeder Beziehung, für Gustav die schwierigste, seitdem er in Deutschland angekommen war. Der erste Schritt war gethan, es galt jetzt das Gewonnene zu sichern und den zweiten Schritt zu thun. Geschah dieses nicht mit Umsicht und Weisheit, so war Alles verloren. Am meisten klagt Gustav in dieser Zeit über die Unentschiedenheit der Deutschen. „Die deutsche Nation" — schreibt der König an den Reichsrath am 2. Juli von Jerichow aus — „ist nun so unstät geworden, daß die Leute den einen Tag den einen, den andern Tag einen andern Herrn suchen, so daß man kaum so viel werben kann, als täglich sich verlaufen, besonders da die Unsrigen seit langer Zeit keinen Unterhalt bekommen." . Der König war nämlich in großer Geldnoth und wurde von Schweden aus nicht nach Wunsch unterstützt. „Wir haben

euch oft genug, unfern Zuftand zu erkennen gegeben"
— heißt es in einem Briefe an den Kanzler Oren=
ftierna, Werben, den 16. Juli 1631 — „daß wir mit
größter Armuth und Beschwerde uns und die Armee
in diefer Zeit durchgeholfen haben, indem wir von
allen unfern Dienern verlaffen find. Nun haben wir
auf Euch vor Andern unfere Hoffnung gestellt. Allein
auch das schlägt uns fehl, und wir müffen hier vor
dem Anmarsche des Feindes ein festes Lager formiren."

Wir verlaffen jetzt Guftav auf kurze Zeit in fei=
nem berühmten Lager und kehren zu dem Zerstörer
Magdeburgs zurück.

Sechster Abschnitt.

Tilly's Raubzug nach Hessen. Sein Aufbruch nach der
Elbe und erstes Zusammentreffen mit Gustav Adolph.
Befreiung Mecklenburgs und Einführung der vertriebenen
Herzöge durch Gustav Adolph. Des Königs Bund mit
Hessen und Weimar.

Tilly's Raubzug nach Hessen-Kassel.

Tilly säumte nicht, die protestantischen Fürsten
von dem Fall Magdeburgs in Kenntniß zu setzen, damit sie aus dem Schicksale dieser Stadt abnehmen
möchten, was sie zu erwarten hätten, wenn sie länger
zögerten, sich dem Kaiser zu unterwerfen. Vor allem
aber benachrichtigte er den Churfürsten von Sachsen
von seinem Siege, und ließ ihm melden, daß er gesonnen sei, etliche Deputirte an ihn abzuschicken, welche
ihm Vorschläge wegen des Friedens thun sollten. Der
Churfürst Johann Georg, den das Schicksal Mag=
deburgs allerdings sehr nahe anging, antwortete in
einem bitteren und vorwurfsvollen Tone: „Er müsse
wünschen, daß die Sachen anderer Gestalt hätten bei=
gelegt werden können, und daß dieser große Jammer,
Elend und Blutvergießen hätte verhütet werden können.
Es würde wohl in vielen Zeiten, namentlich unter

Christen, ein solch' erbärmliches Wesen und Zerstörung nicht erhöret, noch in Historien von vielen Jahren her nicht zu lesen sein." — „Wie hoch er jeder Zeit der Röm. Kais. Majestät Autorität in Obacht genommen, wäre ihm (Tilly) selbst hinlänglich bekannt; daß er über den theuer erworbenen Reichsconstitutionen hielte, sowohl seine Churfürstliche Hoheit und Würde, Ehre und Freiheit bewahre, und von seinen ihm von Gott anvertrauten Leuten alle Beschwerniß abgewendet sehen wollte — deßen würde er und Jedermann ihm nicht verdenken."

Tilly ließ vor Allem die Festungswerke der Stadt Magdeburg wieder herstellen und in Stand setzen. Nachdem er den lutherischen Bischof von Bremen durch den Obersten Steinacher hatte nöthigen laßen, dem Leipziger Schluße zu entsagen und seine angeworbenen Truppen zu übergeben, zog er am 3. Juni von Magdeburg ab, zu deßen Schutz Pappenheim mit einigen Tausenden zurückblieb. Die zwei mächtigsten Glieder des Leipziger Bundes waren der Churfürst von Sachsen und der Landgraf von Hessen. Den ersteren wollte Tilly noch schonen und durch Unterhandlungen zu gewinnen suchen; gegen den Letzteren aber zog er jetzt mit seinem Heere. Zunächst wandte er sich nach Thüringen, um alle protestantischen Stände, die sich zu Folge des Leipziger Schlußes Truppen angeworben hatten, zu entwaffnen. Bei seinem Zuge über den Harz verlor Tilly so viel Leute, als er kaum in einer Schlacht verlieren konnte. Wehe dem Einzelnen, der sich von dem Heereszug entfernte; der Tod durch die wuthentbrannten Bauern war ihm gewiß.' Tilly mußte ein Regiment nach Wolfenbüttel zurückschicken, um einen Zug mit Kriegsvorräthen zu geleiten. Die Soldaten fanden den Weg mit Todten fast besäet. Fürchterlich war aber auch die Rache, als die Räuberbande Tilly's in die gesegneten Gauen Thüringens kam. Alle Felder wurden verwüstet, überall geraubt, gemordet, geplündert; die Dörfer wurden in Brand gesteckt. Nichts als die greuelvollste Verwüstung bezeichnete die Spuren Tilly's. Die Stadt Frankenhausen hatte gleiches Schicksal wie Magdeburg; nachdem sie ausgeplündert war, ging sie in Flammen auf.

Hierauf zog Tilly mit seinen Schaaren nach Erfurt, vor welcher Stadt er sein Lager aufschlug und sie aufforderte, „daß sie sich bequemen und zu Ihrer Kaiserl. Majestät Versicherung Garnison einnehmen sollte." Erfurt war für Tilly von der größten Wichtigkeit. War er in Besitz dieser Stadt, so verlor das Haus Sachsen seinen Schutz, und die sächsischen Fürsten mußten sich unterwerfen, da die kaiserliche Besatzung in der reichen und wohlbefestigten Stadt die benachbarten Kreise beherrschen konnte. Auch war Hessen von Sachsen abgeschnitten. Doch hielt es Tilly nicht für angemessen, bei der starken Bewaffnung Hessens und Sachsens, Gewalt zu brauchen, und zur Güte wollte die Stadt sich nicht verstehen. Man schickte Tilly eine ansehnliche Menge Proviant und eine Summe Geld.

Tilly zog nun nach Mühlhausen, schlug hier sein Hauptquartier auf, und ließ seine Schaaren vor der Stadt ein Lager beziehen. Von hier aus schickte er Gesandte an den Landgraf von Heffen-Kaffel, und forderte ihn auf: „fünf Regimenter kaiferliches oder ligistisches Volk aufzunehmen; fein angeworbenes Volk zu entlaffen; die Refidenz Kaffel und die Feftung Ziegenhain ihm einzuräumen; fich als Freund oder Feind zu erklären, und endlich Contributionen an den Kaifer zu entrichten." Der Landgraf antwortete: „Er wäre weder Freund noch Feind; Volk einzunehmen, wäre er nicht gefonnen, und folches viel weniger in feine Refidenzftadt; fein Kriegsvolk hätte er felbft nö-thig. Würde ihm aber deswegen Gewaltthätigkeit zugemuthet, fo würde er fich zu vertheidigen wiffen. Damit aber der Graf von Tilly für fein Volk den Unterhalt und Contribution beffer haben möchte, fo wollte er ihm den guten Rath geben, er follte nur nach München gehen, dafelbft wäre ein großer er-fparter Vorrath."

Diefer Befcheid verfetzte Tilly in die größte Wuth, und er vermaß fich hoch das ganze Land zu einer Wüfte zu machen. Er fchickte fogleich einige Abtheilungen Volkes nach Schmalkalden und Bach; desgleichen ließ er auf Salzungen und Kreuzburg marfchiren. Die Dorfbewohner verließen Haus und Hof, fo daß die Kaiferlichen keinen Unterhalt fanden. Welche Kriegs-beute die Soldaten Tilly's zu machen wußten, zeigte fich an zwei Fähndrichen, welche die Heffen nieder-gefchoffen hatten; bei ihnen fand man über 24,000 Rthlr. an Werth.

Tilly verlegte fein Hauptquartier nach Efchwege, und ging damit um, den Landgrafen ernftlich anzugreifen und sofort ein Angriff auf Kaffel zu machen. Den Abt zu Fulda, welcher sich bei ihm über die hessischen Truppen beschwert hatte, ließ er in der Hoffnung auf baldigen Sieg sagen, er sollte nur wohlgemuth sein, es sollte bald besser werden. — Doch Gustav Adolph's Fortschritte in Brandenburg setzten seinem Verwüstungszuge ein Ziel, und retteten Hessen.

Immer näher und näher kam die Stunde der Entscheidung für Gustav Adolph sowohl, als für Tilly. Eine Hauptschlacht allein konnte den Ausschlag geben; lange genug schon war sie verzögert worden, doch jetzt drängten die Verhältnisse mehr und mehr darauf hin. Nach Magdeburgs Fall war es Tilly's Plan, zuerst den Leipziger Bund aufzulösen, den Churfürst von Sachsen und den Landgraf von Hessen durch Güte oder Gewalt dem Kaiser zu unterwerfen, und dann mit aller seiner Macht sich auf den verhaßten Sieger aus dem Norden zu werfen. Gelang dieser Plan, so war an ein weiteres Vordringen Gustav's nicht zu denken; ja er würde kaum der vielfach überlegenen Macht des Kaisers haben widerstehen können. Mit Sachsen versuchte Tilly zunächst den Weg der Güte, wie wir oben erzählt haben. Als dieses nicht gelang, beschloß er, mit Gewalt Hessen zu züchtigen und zu unterwerfen. Hatte Sachsen diesen Verbündeten verloren, so blieb dem Churfürsten Johann Georg nichts weiter übrig, als sich dem Kaiser zu unterwerfen, um nicht sein Land der Verwüstung preis zu geben. Diesen tief durchdachten Plan, dem der Erfolg auch wohl nicht gefehlt haben würde, zerstörte Gustav's Ankunft auf dem linken Elbufer, und seine Absicht, Magdeburg, das von Tilly so blutig erkaufte Magdeburg, wieder zu nehmen. Ein Bote Pappenheim's kam nach dem andern, Tilly zum schleunigsten Aufbruch zu mahnen. Und so mußte dieser denn seinen Plan auf Hessen aufgeben. Am 9. Juli brach er mit seinem Heere von Mühlhausen auf, und traf bereits am 15. in Magdeburg wieder ein. Sogleich fingen die hessischen Truppen an, das Land von den zurückgebliebenen kaiserlichen Besatzungen zu säubern. Am 20. Juli wurde in ganz Hessen ein allgemeiner Buß- und Bettag gehalten, um Gott für die gelungene Errettung von der kaiserlichen Knechtschaft zu danken.

Tilly's Aufbruch nach der Elbe. — Sein erstes Zusammentreffen mit Gustav Adolph.

Tilly brach von Magdeburg sofort mit seinem ganzen Heere auf, und war bereits am 17. Juli in Wollmirstädt. Wohl mochte es ihm nicht angenehm sein, Gustav Adolph schon verschanzt zu finden; denn seine ganzen Maßregeln deuteten darauf hin, daß er die Absicht hatte, ihm eine Schlacht zu liefern.

Gustav war indessen nicht müßig gewesen. Er hatte leicht berechnet, daß die herannahenden Kaiserlichen in größter Ruhe und Sicherheit und wegen des ununterbrochenen Marsches abgemattet sein würden.

14

Eben so wußte er auch, daß Tilly seine Reiterei in
bedeutender Entfernung von dem Hauptheere vor sich
her ziehen lasse. Seine Berechnung war ganz richtig.
Am 16. Juli zog Gustav 8000 Mann Reiterei und
einige Hundert Musketire bei Arnsberg zusammen,
brach in der Nacht auf, und war am Morgen in der
Nähe von Tangermünde bei dem Dorfe Belden.
Gustav wartete mit den Seinigen den Gottesdienst
ab — es war eben Sonntag — und schickte hierauf
ein Regiment zum Recognosciren ab, da er erfahren
hatte, daß die feindliche Vorhut kaum noch einige Meilen
weit entfernt sei. Abends kam der Oberst mit einigen
Gefangenen und der Nachricht zurück, daß die zwei
Regimenter Montecuculi und Holk in den nahen
Dörfern Burgstall und Angern unbesorgt im Quartier
lägen. Sogleich theilte Gustav sein Volk in drei
Abtheilungen; mit der einen sollte Baudissen das
Regiment Montecuculi in Burgstall, mit der andern
der Rheingraf Otto Ludwig die holkischen Dragoner in Angern überfallen. Er selbst wollte mit der
dritten Abtheilung sich zwischen beiden Dörfern aufstellen, um die Verbindung des Feindes zu hindern.
Baudissen's Ueberfall gelang vollkommen; das ganze
feindliche Regiment wurde theils niedergehauen, theils
gefangen; reiche Beute fiel in der Schweden Hände,
und fast alle Pferde. Gegen alles Erwarten traf der
König bei dem in der Mitte des Kampfplatzes gelegenen Dorfe Relndorf noch ein drittes feindliches Regiment, das Bernsteinsche, an, und zwar in voller Schlachtordnung. Der Tapferkeit der Schweden gelang es,

unter der Anführung ihres Königs auch dieses Regiment zu werfen und in die Flucht zu schlagen. Ein großer Theil der Bernsteinschen Reiter, so wie der Oberst Bernstein selbst, blieb auf dem Kampfplatze. Eben so glücklich war der Rheingraf mit seinem Angriffe auf das Holksche Regiment. Er fand dasselbe zwar hinter dem Dorfe Angern auch in Schlachtordnung aufgestellt, sprengte es aber auseinander; ein Theil der Feinde wurde gänzlich aufgerieben, der andere ergriff die Flucht, mit Zurücklassung der ganzen Bagage und zweier Standarten. Viele Pferde und reiche Beute fiel in die Hände der Schweden. — Gustav Adolph zog sich in der Nacht noch zurück, und traf den 19. Juli wieder in dem Lager bei Werben ein. So hatte denn Tilly erfahren, daß der König auch den offenen Angriff nicht scheute. Ergrimmt über den erlittenen Schimpf und Verlust wünschte er um so mehr eine Schlacht herbei, wozu ihn jetzt noch persönliche Rache trieb. Am 20. Juli brach er mit seinem ganzen Heere auf und zog innerhalb 6 Tagen, stets von den Schweden umschwärmt, auf Werben los, wo er am 26. ankam. Tags darauf sollte ein allgemeiner Sturm auf das Lager erfolgen. Es war Tilly gelungen, einige Verräther in Werben zu gewinnen, welche die Stadt anzünden und die Kanonen auf den Wällen unbrauchbar machen sollten. Durch solche Waffen wollte Tilly nun siegen! Doch Gustav erfuhr den Plan, und ließ die Schuldigen gefangen nehmen. Er beschloß aber daraus Nutzen zu ziehen, und die Kaiserlichen in dieselbe Falle gehen zu lassen,

14*

die sie ihm gelegt hatten. Abends wurde in Werben
ein großer Holzstoß angezündet; schon glaubte Tilly,
die Stadt stehe in Brand, und befahl den Angriff auf
das Lager. Kein Vertheidiger regte sich auf den Verschanzungen. Als aber die Kaiserlichen sich den Gräben näherten, empfing sie ein fürchterlicher Hagel von
Kartätschen, verstärkt durch die Kugeln der Musketire,
von denen selten eine ihren Mann verfehlte. Als die
kaiserlichen Reihen gelichtet waren, brach die schwedische Reiterei in dieselben ein und wüthete fürchterlich.
Hätte Tilly nicht vorsichtig genug einen Theil seiner
Reiterei als Reserve aufgestellt gehabt, so war seine
Niederlage vollständig. Doch war sein Verlust immer
noch sehr bedeutend. Tilly's Wuth war unbeschreib-
lich; da er sie an den kämpfenden Feinden nicht küh-
len konnte, beging er die Nichtswürdigkeit, Befehl zu
geben, in Zukunft keinem Schweden mehr Quartier
zu geben. Auch die Todten hatten keine Ruhe. Die
Leichname der gebliebenen Schweden wurden vor ihrer
Beerdigung von den kaiserlichen Feldscheerern auf die
jämmerlichste Weise verstümmelt.

Am 28. Juli ließ der König durch seine Reiterei
einen Angriff auf die von Kroaten besetzten Wachposten
machen. Der Kampf wurde mit der größten Erbitterung geführt und war blutig, führte aber keine Entscheidung herbei. Unter den Schweden befand sich als
tapferer Streiter auch der Herzog Bernhard von Weimar, welcher kurz vorher in das Lager Gustav's gekommen war. An diesem Tage war es, wo Tilly die
so eben erwähnten Befehle seiner Blutgier und Un-

menschlichkeit ausführen ließ. Tilly sah nun ein, daß
er den König nicht aus seinem Lager vertreiben könne.
Der kaiserlichen Armee war durch Gustav's kluge
Anordnungen alle Zufuhr abgeschnitten. Der Mangel an allen Bedürfnissen für Menschen und Vieh zog
ein. Wagte man es ja, von Magdeburg, Halberstadt
oder anderen Orten Zufuhr in das Lager Tilly's zu
schicken, so wurde sie gewöhnlich von den schwedischen
Streitpartheien weggenommen, ehe sie den Ort ihrer
Bestimmung erreicht hatte. Am furchtbarsten war der
Mangel an Futter für die zahlreichen Pferde; die Reiter mußten oft sechs bis acht Meilen weit herumstrei-
fen, um nur Heu für ihre abgematteten Thiere zu
finden. Sogar Mangel an Wasser trat ein, welchen
die drückende Gluth des Sommers noch verderblicher
machte. Unter solchen Umständen blieb Tilly nichts
übrig, als wieder abzuziehen. Am 29. Juli brach die
kaiserliche Armee auf; den Rückzug deckte die Reiterei,
welche von den nachdrängenden Schweden noch viele
Verluste an Menschen und Vieh zu erleiden hatte.
Am 30. Juli bezog Tilly ein Lager bei Tangermünde, wo er bis zum 11. August blieb, ungewiß
und rathlos über das, was er thun sollte. So gern
er auch den König angegriffen hätte, konnte er es doch
bei der großen Wahrscheinlichkeit, durch Schwert und
Mangel gänzlich aufgerieben zu werden, nicht wagen.
Denn auch in Tangermünde drückte ihn bald derselbe
Mangel, wie bei Werben, so daß mancher Soldat oft
in zwei bis drei Tagen keinen Bissen Brot sah. Die
schwedischen Reiter, welche die Landbewohner freudig

unterstützten, machten alle Zufuhr unmöglich. Täglich
entflohen Soldaten aus Tilly's Lager, und gingen zu
den Schweden über. Die Stimmung der Zurückblei-
benden wurde immer schwieriger, und schon drohete offene Meuterei auszubrechen. Am 11. August brach
Tilly auf, zog seine Besatzungen ein und verließ die
Altmark auf immer. Am 12. kam er wieder nach
Wollmirstädt, von wo aus er vier Wochen vorher in
der sicheren Hoffnung aufgebrochen war, den König zu
besiegen. Die Verluste, welche Tilly während dieser
Zeit erlitten hatte, waren höchst bedeutend, und der
Vortheil daraus war für Gustav eben so viel werth,
als wenn er eine Schlacht gewonnen hätte. Wenn
wir den König früher die ritterlichsten Kriegsthaten
haben ausführen sehen, wenn wir ihn auf seinen Feld-
zügen in vollem Siegesfluge vorwärts eilen sahen, so
finden wir bei seinem Verweilen in dem Lager bei
Werben Ursache genug, seine Weisheit und hohe
Kriegskunst zu bewundern. Und so war denn die
Entscheidung trotz aller Anstrengungen Tilly's noch
nicht erfolgt; ja die Lage der Dinge hatte sich durch
seinen erfolglosen Zug nach Hessen und den eben so
erfolglosen, als höchst nachtheiligen Versuch auf das
Lager zu Werben noch übler gestaltet. Obgleich Gustav an Heeresmacht weit überlegen, konnte er ihm
doch nichts anhaben, und mußte dessen Absichten ruhig
der Reife entgegen gehen sehen. Es blieb ihm nun
nichts weiter übrig, als seinen Plan auf Sachsen in
Ausführung zu bringen. Doch kehren wir auf einige
Augenblicke zu Gustav zurück.

Befreiung Mecklenburgs. Einführung der vertriebenen Herzöge durch Gustav Adolph.

Noch war Mecklenburg zum großen Theil in den Händen der Kaiserlichen; noch irrten die vertriebenen Herzöge auf fremden Boden umher. Die Kaiserlichen zu vertreiben, die Herzöge in ihr Vaterland zurückzuführen, das war es, was Gustav von Werben aus zunächst beabsichtigte. Durch seine so ungemein günstige Stellung war es Tilly unmöglich, Verstärkungen oder Hülfe nach Mecklenburg zu schicken. Nachdem Greifswalde gefallen und somit ganz Pommern vom Feinde befreit war, brach Ake Tott mit einigen Tausenden in Mecklenburg ein. Von Lübeck aus rückte der Herzog Adolph Friedrich mit einem kleinen Heere an. Sein Land öffnete sich ihm bereitwillig; verstärkt zog er nach Schwerin, die Stadt ergab sich bald, am 29. Juli kapitulirte die Schloßgarnison. Unterdessen hatte Ake Tott die Städte Güstrow, Bützow, Plauen, Mirow eingenommen. Im Anfang August war das ganze Land im Besitz der Herzöge, mit Ausnahme allein von den Festungen Dömitz, Rostock und Wismar, welche Gustav Adolph belagern ließ. Der König verließ das Lager bei Werben und begab sich nach Güstrow, um die Herzöge feierlichst einzuführen. Am Morgen wurde mit allen Glocken geläutet, und unter dem Donner der Kanonen erschallte der alte Siegesgesang der Protestanten: „Eine feste Burg ist unser Gott" von den Kirchthürmen. Die Ritterschaft so wie die Bürger, die Geistlichen und Deputirten aus allen Städten gingen dem König und den Herzögen eine Stunde entgegen. Gustav Adolph empfing jetzt zum erstenmal in Deutschland den herzlichen Dank deutscher Fürsten und deutschen Volkes für die wiedererkämpfte Freiheit. Der König Gustav Adolph, die Herzöge Johann Albrecht und Adolph Friedrich von Mecklenburg, Herzog Bogislaus von Pommern, der Prinz Ulrich von Dänemark, Herzog Wilhelm von Kurland waren in dem glänzenden Zuge, welcher unter Sang und Spiel in die Stadt einzog. Ehe der Zug in das Thor eintrat, erschallte Trauergeläute von den Thürmen der Stadt; sobald aber der Zug in der Stadt war, erscholl ein Freudengeläute. Der Zug bewegte sich in die Kirche, wo feierlicher Gottesdienst abgehalten wurde. Die Predigt handelte über die Worte der Schrift: „Die mit Thränen säen, werden mit Freuden ernten." Nachdem die kirchliche Feier beendigt war, begab sich der König mit den Herzögen auf das Rathhaus, wo die Huldigung statt fand, nachdem ein schwedischer Gesandte die Unterthanen vom Gehorsam gegen Wallenstein entbunden und sie zur Treue gegen ihre Fürsten ermahnt hatte.

Den Schluß des festlichen Tages machten die Volksbelustigungen. Auf freiem Markte speiste die Bürgerschaft, und Gustav befahl, „daß eine jede Mutter, so ein säugendes Kind hätte, solches herbeibringen und ihm von dem Weine bei diesem Freudenfeste zu

trinken geben sollte, damit Kindes Kinder dieses Ein-
zuges der uralten vertriebenen Fürsten gedenken möchten."

Gustav entzog sich den weiteren Festlichkeiten und
kehrte bald wieder in sein Lager zurück. Hier erwartete
ihn mehr als eine angenehme Nachricht. Mitte Juli
war die Königin in Wolgast gelandet; sie brachte
mehrere Tausend frische Truppen aus Schweden mit,
welche sofort zur Eroberung Mecklenburgs verwendet
worden waren. Vier Tage darauf landete der Marquis Hamilton mit sechs Tausend Engländern in
Pommern, welche aber eine pestartige Seuche bald bis
auf so viele Hunderte hinweg raffte. Unter Vermitt-
telung des Königs Karl I. von England hatte Hamilton diese Truppen auf seinen eigenen Namen ge-
worben. Auch die im Bärwalder Vertrage*) mit
Frankreich abgeschlossene Geldunterstützung traf in dieser Zeit ein, und war Gustav um so erwünschter, als
er für seine Verbündeten Geld brauchte, und selbst in
der größten Verlegenheit war, wie aus einem Schreiben an den Kanzler aus dieser Zeit hervorgeht:
„Ungeachtet, Herr Kanzler, Ihr mittelst Euerer eigenen
Vorschläge uns monatlich gewisse Summen zugesagt,
haben wir gleichwohl bisher davon nicht mehr erhalten, als ungefähr 100,000 Thlr., und vernehmen nun
zum Ueberdruß durch ein Schreiben von Elbing, den
11. Julius, gegen alle unsere Erwartung, daß nichts
mehr vorhanden ist. Die Armee hat seit sechszehn
Wochen keinen Pfennig bekommen."

---

*) Beigt. S. 155.

Bund des Königs mit dem Landgraf von
Hessen-Kassel und dem Herzog von Weimar.

In dieser Zeit kam auch der Landgraf von Hessen, Wilhelm, in das Lager bei Werben zu Gustav.
Das schon früher besprochene Bündniß zu „Schutz
und Trutz" wurde jetzt vollständig abgeschlossen. Da
alle die Verträge, welche der König später mit evangelischen Ständen abschloß, fast auf dieselben gegenseitigen Bedingungen sich stützen, so theilen wir die Haupt-
punkte mit:

1. Der König nimmt den Landgrafen in seinen
Schutz, erkennt dessen Feinde für seine eigenen und
unterstützt ihn gegen sie mit allen Kräften, und verspricht, nie ein Bündniß einzugehen, welches dem ge-
genwärtigem zuwieder ist. — Wenn dem Landgrafen
ein Theil seines Gebietes entrissen, oder seine Festungen belagert werden sollten, so will der König ihm
mit allen Kräften zur Wiedererlangung oder zum Entsatz beistehen. — Der König verspricht, die Waffen
nicht eher niederzulegen, bis der Landgraf wieder in
die Rechte der Güter eingesetzt ist, die er vor den böhmischen und pfälzischen Unruhen besessen. — Wenn die
Nothwendigkeit es fordert, daß schwedische Truppen
des Landgrafen Städte oder Festungen besetzen müssen,
so thut dies seiner Landeshoheit keinen Eintrag; auch
müssen die Städte und Festungen sogleich wieder geräumt werden, sobald deren Besetzung nicht mehr nöthig ist. — Geschütz und Waffen, welche der Landgraf
dem König leiht, müssen nach gemachtem Gebrauch

zurückgegeben werden. — Der König führt den Oberbefehl über den Landgrafen und seine Stände, und hat
das Recht einen Stellvertreter zu wählen, welcher der
Landgraf selbst ist. Ihm wird ein Kriegsrath zur
Seite gesetzt. Ebenso ernennt der Landgraf einen Bevollmächtigten an des Königs Hoflager.

2. Der Landgraf hingegen verpflichtet sich, den
König nie zu verlassen, und mit seinen Feinden keinen
Bund zu schließen, ihn soviel als möglich mit Volk
und Geld zu unterstützen, dem König sein Land und
seine Festungen zu öffnen, wenn es verlangt wird. —
Der Landgraf stellt sofort ein Heer von einigen Tausenden auf, verjagt des Königs Feinde aus Hessen und
thut ihnen allen Abbruch. — Würde der König des
Landgrafen Festungen erweitern wollen, so solle dieß
der Landgraf geschehen lassen, und ihn dabei unterstützen. — Der Landgraf errichtet schwedische Werbe-
plätze in seinem Lande. Ist Hessen außer Gefahr und
bringt der König in andere Länder ein, so soll ihm der
Landgraf mit so viel Truppen als möglich beistehen.
Am 12. August wurde der Bund geschlossen und der
Landgraf reiste zurück.

Tilly hatte die Reise des Landgrafen so wie den
Abschluß des Bündnisses erfahren, und erließ sogleich
an die hessischen Landstände und Unterthanen ein Schreiben, in welchem er sie ermahnte, von dem Landgrafen
als einem Empörer abzufallen. Doch blieb dieser Auf-
ruf ohne Erfolg. Um den Worten größeren Nachdruck zu geben, erhielt der Graf Otto Heinrich Fugger Mitte August Befehl, in Hessen einzufallen und

mit Feuer und Schwert den Abfall des Landgrafen zu strafen. Doch dieser und sein Verbündeter, Herzog **Bernhard von Weimar**, wußten die Angriffe zurückzuweisen. Der Letztere war nach seiner Verbindung mit **Gustav Adolph** aus dem Lager bei Werben in sein Land zurückgekehrt, hatte Volk angeworben, und eilte dem Landgrafen sofort zu Hülfe. Bald waren die Kaiserlichen über die Grenze getrieben. Nach einigen glücklichen Streifzügen bezog er bei **Rothenburg** ein festes Lager, um die Entscheidung der Dinge abzuwarten.

Siebenter Abschnitt.

Die Ereignisse bis zur Schlacht bei Breitenfeld.
Tilly's Einfall in Sachsen.

Nachdem wir Gustav Adolph längere Zeit mehr in Verhältnissen der Ruhe, der Verhandlungen und weisen Benutzung der Umstände sich bewegend dargestellt haben, beginnt nun bald mit seinem Aufbruch aus dem Lager bei Werben sein Siegeslauf von Neuem. Durch die wohl und weise berechneten Maßregeln Gustav's war Tilly in eine höchst unangenehme Lage gekommen. Seinem Feinde, dem König, konnte er nichts anhaben, und befand sich selbst von allen Seiten von aller Zufuhr abgeschnitten, und eingeschlossen. Durch die enge Verbindung des Land-grafen von Hessen-Kassel und Herzog Bernhard von Weimar war das Netz auch nach Süden hin zu-gezogen.

Die längst ausgesogene Gegend um Magdeburg herum konnte das kaiserliche Heer nicht mehr erhalten. Es mußte nun mit Sachsen zur Entscheidung kom-men, der Churfürst mußte sich erklären, mit wem er es halten wollte, und seine bisher beobachtete Neu-tralität; sein zweideutiges Betragen und seine Unentschlos-senheit aufgeben. Das war es, was Tilly jetzt entschieden wissen mußte, das war es aber auch, was der König entschieden wissen wollte. Die längst berechneten Pläne Gustav's naheten sich der Reife: der Churfürst von Sachsen mußte in die Lage kommen, die Verbindung mit Gustav als den einzigen Ausweg, als das einzige Rettungsmittel anzusehen und zu ergreifen. Bei seinem schwankenden Charakter, seiner Gleichgültigkeit für die Sache der protestantischen Freiheit, noch mehr aber bei seiner neidischen Eifersucht auf Gustav und bei seinem Stolze, welcher den Plan, selbstständig aufzutreten zu wollen, nicht aufgeben konnte — unter diesen Umständen würde Johann Georg nie freiwillig ein Bündniß mit dem König eingegangen sein. Und zwingen konnte ihn Gustav bei seiner Stellung als Beschützer der Protestanten nicht.

Doch wir wollen der Geschichte nicht vorgreifen, und in der Darstellung der zunächst folgenden Begebenheiten fortfahren.

Am 14. August 1631 schickte Tilly von Wollmirstädt den Administrator des Stiftes Halberstadt, Johann Reinhardt von Wetternik und dem Generalfeldzeugmeister der Liga Otto Friedrich Freiherrn von Schönburg als Gesandte an den Churfürsten von Sachsen ab. Sie trafen denselben unweit Merseburg mit einem Theil seines Kriegsvolkes. Der Churfürst nahm die Gesandten stattlich auf, und lud sie auf sein Schloß nach Merseburg ein, wo er sie köstlich bewirthen ließ. Die Gesandten entledigten sich ihres Auftrages an den Churfürsten im Namen des Kaisers. Sie machten dem Churfürsten bemerklich: „Daß aller von

Sr. Majestät dem Kaiser erlassenen Befehle ungeachtet sowohl der Churfürst als andere Fürsten und Stände
des Leipziger Bundes die Kriegsrüstungen fortsetzen,
die aus väterlicher Sorgfalt herrührenden Warnungen
und Erinnerungen der kaiserlichen Hoheit und Autorität zuwider in den Wind schlügen, wobei sich die andern Fürsten und Stände auf das Beispiel des Churfürsten beriefen." Nach langen Umschweifen kamen sie
endlich zur Hauptsache und schlossen mit den Worten:
„Weil aber Ihre Kaiserliche Majestät von ihrer Seite
es an nichts mangeln lassen wolle, hätten sie solches
Alles Ihrer churfürstlichen Durchlaucht nochmals zu
Gemüthe führen wollen, mit freundlichem gnädigen
Begehren und Ermahnen: Ihre churfürstliche Durchl.
wolle solches Alles der hohen Wichtigkeit der Sache
nach reiflich beherzigen, von den Werbungen abstehen, ihr Volk mit den nöthigen Contributionen
der kaiserlichen Majestät überlassen, damit sie
dem Kriege mit Schweden desto eher ein Ende machen
könnten, und auch die andern Fürsten und Stände dazu anhalten, die Kaiserlichen Befehle zu befolgen und
nicht Alles auf das Aeußerste kommen zu lassen. Die
Gesandtschaft begehrte sofortigen Entschluß und Antwort von dem Churfürsten, damit sie Tilly Bericht erstatten könnten. Beim Nachtisch sagte der Churfürst
zu ihnen: „Ich sehe nun wohl, daß man das sächsische bisher so lange aufgesparte Confect auch aufzu-
setzen gesonnen ist; man muß aber bedenken, daß man
bei demselben auch mancherlei Nüsse und Schaueffen
aufzutragen pflegt, welche oft hart zu beißen sind; deß-

219

wegen muß man wohl zusehen, daß sie sich ihrerseits nicht die Zähne daran ausbeißen. Es kann sich bei dem Confect noch viel zutragen."

Tags darauf ertheilte der Churfürst der Gesandtschaft seine Antwort mit, in welcher er sagte: „Er müßte bei seinen früher über den Leipziger Schluß gegebenen Erklärungen beharren, dabei aber nochmals versichern, daß er nie den Willen gehabt habe, der Kaiserlichen Autorität zu nahe zu treten. Der gegenwärtige traurige Zustand des deutschen Reiches betrübe ihn sehr, zumal da seine eifrigen Bemühungen, den Frieden herzustellen, fruchtlos gewesen seien. Und weil er hierin sowohl als in anderen Stücken dem Kaiser und Reich die wichtigsten Dienste geleistet habe, so hoffe er, daß man dieselben nicht vergessen, und an ihm, statt der so oft versprochenen Belohnungen, Gewaltthätigkeiten ausüben werde. Er ersuche also Tilly, er wolle zur Beförderung allgemeinen Friedens und Ruhe und Abwendung des gegen Gott hoch verantwortlichen unschuldigen Blutvergießens und weiteren Verheerung seiner churfürstl. Lande und Leute ihn ferner mit Plünderung, Einfällen, Einquartierungen, Durchzügen und anderen Kriegsdrangsalen nicht beschweren, sondern gänzlich verschont lassen. Denn dadurch würde der Sache nicht geholfen, sondern die Gemüther je mehr und mehr erbittert, und man könne leicht berechnen, wohin dieß endlich führen müsse."

Tilly hatte die Antwort des Churfürsten in Wollmirstädt nicht erwartet. Am 18. August brach er mit seiner ganzen Macht von Wollmirstädt auf und ging nach Eisleben. Hier vereinigte er sich mit dem Grafen von Fürstenberg, der ihm 25,000 Mann alte Truppen von Wallenstein's früherer Armee aus Italien zuführte. General Aldringer war mit 10,000 Mann noch unterwegs, um gleichfalls sich mit Tilly zu vereinigen. Nach Empfang der churfürstlichen Antwort zog Tilly nach Halle. Von hier aus erließ er noch ein Schreiben an den Churfürsten, worin er ihm erklärte, „daß der Kaiser sich mit der gegebenen Antwort nicht befriedigen lasse. Er ersuche ihn daher nochmals, einen anderen Entschluß zu fassen, und ohne Weigerung das zu thun, was der Kaiser verlange. Er müsse sonst mit Gewalt das zu erlangen suchen, was des Kaisers Wille und Befehl sei und die Verhältnisse des Krieges unumgänglich nöthig machten.“

Tilly hatte unterdessen die Feindseligkeiten gegen Sachsen schon in der an ihm und seinen Banden gewohnten Weise anfangen lassen. Pappenheim war mit 6000 Mann und 8 Stücken nach Merseburg gegangen, welches Proviantlieferungen verweigert hatte. Nachdem Pappenheim die Vorstädte abgebrannt hatte, sah sich der sächsische Commandant genöthigt, abzuziehen und die Stadt den Kaiserlichen zu überlassen. Nun verbreitete sich die Pappenheimische Schaar in die nächste Umgegend. Gegen 200 Dörfer und Städte gingen in Flammen auf. Raub, Mord und Plünderung waren noch die geringsten Verbrechen, welche die Kaiserlichen verübten. Die unnatürlichsten Greuelthaten wurden vollbracht, die churfürstlichen Beamten auf die grausamste Weise gemordet

15

und gefoltert, um von ihnen Geld zu erpreſſen. Kurz, alle die Schandthaten, durch welche Tilly und ſeine Banden den Fluch der Menſchheit für ewig auf ſich geladen haben, wurden in Sachſen verübt. Das war die nächſte Folge von der unglückſeligen Unentſchiedenheit des Churfürſten, welche das arme Land unverſchuldet büßen mußte.

Am 29. Auguſt ließ Tilly von der Stadt Leipzig Proviant unter der Drohung verlangen, daß er bei der geringſten Weigerung ſelbſt kommen würde. So fürchterlich auch dieſe Drohung war, gab der Magiſtrat doch die Antwort, daß er ohne Einwilligung des Churfürſten nichts liefern könne. Sofort ließ Tilly ſeine Reiterei nach Leipzig aufbrechen, daſelbſt die Thore beſetzen, die ganze Umgegend der Stadt ausplündern, und verlangte, daß man dieſe ſeinem Volke öffnen ſollte. Auch dieſes ſchlug der Magiſtrat ab. Am 2. September verließ Tilly Halle und ging denſelben Tag bis Schkeubitz; am 3. September war er früh vor Leipzig. Die Geſandten der Stadt, welche zu ihm herauskamen, nahm er gegen alles Erwarten freundlich auf, und bewilligte ihnen kurze Bedenkzeit, ließ aber zugleich alle Anſtalten zum Sturme treffen. Tilly hatte ſein Heer bereits über Leipzig nach Norden zu hinausgeſchoben, und bei dem eine halbe Stunde von der Stadt entfernten Dorfe Eutritzſch ein Lager bezogen. Am 4. ließ er das Belagerungsgeſchütz vorführen; die Stadt verlangte, er möge ſein Begehren ſchriftlich abgeben, dann wollten ſie es dem Churfürſten zur Entſcheidung vorlegen. Der Commandant

der Stadt, Hans von der Pforten, rüstete sich zum
Widerstand, ließ die hallische Vorstadt abbrennen und
zugleich von den Wällen aus die Kaiserlichen beschießen. Am Nachmittage, als die Gluth des Feuers in
etwas gedämpft war, ließ Tilly auf die Stadt feuern,
und vermaß sich hoch und theuer, „sie solle bei längerem Widerstande dasselbe Schicksal haben, wie Magdeburg." Montags, am 5, wurden die Verhandlungen erneuert, und der Commandant, wohl von der
Nutzlosigkeit längeren Widerstandes überzeugt, und das
Schrecklichste für die Stadt befürchtend, übergab sie.
Die Besatzung erhielt ehrenvollen Abzug, und Oberst
Wangler zog mit 1000 Mann ein. Tilly ließ der
Stadt alle ihre Rechte und Freiheiten, behandelte sie
überhaupt so außerordentlich mild und menschlich, daß
man wirklich der Sage glauben möchte, der Anblick
der Schädel und Todtengebeine, womit seine Wohnung*)
ausgeschmückt war, hätten in ihm die Rachegeister
Magdeburgs erweckt und sein Herz menschlichen Ge-
fühlen zugänglich gemacht. Das Schloß Pleißen-
burg war noch in den Händen der Churfürstlichen.
Erst am 7. September, am Tage der Schlacht von
Breitenfeld übergab es der Commandant Johann
Bopel ohne Noth, wie ein Zeitgenosse sagt: „lüder-
licher Weise."

---

*) Er wohnte in dem einzigen vom Feuer verschonten
Hause der hallischen Vorstadt, in dem Hause des Todtengrä-
bers, wo auch die Verhandlungen gepflogen wurden.

15*

Verbindung des Churfürsten von Sachsen mit Gustav Adolph.

Der Churfürst Johann Georg von Sachsen hatte bereits, nachdem die erste Gesandtschaft Tilly's in Merseburg bei ihm erschienen war, sein 18,000 Mann starkes Heer von Leipzig nach Torgau gehen lassen. Hier bezog es ein wohlbefestigtes Lager. Von Dresden wurden Verstärkungen und Geschütz herbeigeführt. Schon die ersten Verwüstungen und Greuelthaten, welche Tilly in Sachsen verüben ließ, hatten dem Churfürsten gezeigt, welches Schicksal sein Land zu erwarten habe. Der Wunsch, dieses noch abzuwenden, seine Entrüstung über den kaiserlichen Undank, sein gekränkter Stolz, am meisten aber wohl seine Hülf- und Rathlosigkeit vermochten ihn endlich, Rath und Hülfe bei dem zu suchen, der beides ihm längst schon angeboten hatte, bei — Gustav Adolph. Der churfürstliche Feldmarschall Arnheim eilte nun mit den gemessensten Aufträgen zu dem König. Dieser hatte schon längst vorausgesehen, daß es so kommen würde, und bereits sein Lager zu Werben mit Zurücklassung starker Bedeckung verlassen, und war mit seiner Hauptmacht nach Alt-Brandenburg gegangen, um im Augenblicke der Entscheidung Sachsen näher zu sein. Hierher kam der sächsische Gesandte mit seinem Gesuch um Hülfe und Beistand. Gustav empfing ihn nicht freundlich. „Ich bedaure" — sprach er — „das Schicksal des Churfürsten; allein er trägt die Schuld von Allem selbst. Hätte er früher Vertrauen zu mir gehabt, so würde er sich jetzt nicht in dieser Verlegenheit befinden, und auch wäre Magdeburg nicht gefallen. Jetzt sucht man mich, weil man meiner benöthigt ist. Allein ich bin nicht Willens, mich und die übrigen protestantischen Stände um des Churfürsten Willen unglücklich zu machen. Ich kann kein Vertrauen zu einem Fürsten haben, dessen Räthe an dem Wiener Hof verkauft sind, und der mich verlassen wird, sobald ihm der Kaiser schmeichelt, oder die kaiserliche Armee sich zurückzieht. Tilly ist zwar durch die Verstärkungen, die er in letzter Zeit erhalten hat, sehr furchtbar geworden, aber ich scheue ihn nicht, und werde ihm entgegen gehen, sobald ich den Rücken frei weiß."

Arnheim fand die Beschwerden Gustav's ganz gegründet und bat ihn nur, jetzt alles zu vergessen, und seine Bedingungen zu eröffnen; der Churfürst sei geneigt, ihm die größte Sicherheit zu gewähren. Gustav verlangte: „daß der Churfürst ihm die Festung Wittenberg einräume; seinem Heere einen dreimonatlichen Sold zahle; daß er die Verräther in seinem Ministerium an ihn ausliefere, oder selbst bestrafe, und als Geißel ihm seinen ältesten Prinz sende." „Unter diesen Bedingungen" — schloß der König — „bin ich bereit, dem Churfürsten Beistand zu leisten; geht er sie nicht ein, so mag er sehen, wie er sich aus der Sache zieht." Arnheim kehrte zum Churfürsten, der ihn mit der größten Ungeduld erwartete, zurück, um ihm die Bedingungen vorzutragen. „Nicht nur Wittenberg" — rief der geängstigte Churfürst aus — „sondern auch Torgau und ganz Sachsen soll ihm offen stehen, und ich will ihm meine ganze Familie als Geißel geben, und ist ihm dies noch nicht genug, will ich mich selbst darbieten. Ich will die Verräther ausliefern, den verlangten Sold zahlen, und mein Leben und Vermögen der guten Sache aufopfern."

Am 26. August traf Arnheim wieder bei Gustav ein, und hinterbrachte ihm die Antwort des Churfürsten. Gustav hatte durch jene Bedingungen den Churfürsten nur augenblicklich etwas für sein früheres Mißtrauen züchtigen wollen, welches er ihm bewiesen hatte, als er Magdeburg zu Hülfe kommen wollte. Er sprach dieses auch ganz offen gegen Arnheim aus, und fügte hinzu: „Bei der Offenherzigkeit und dem Vertrauen, das der Churfürst mir jetzt bezeigt, fallen alle jene Bedingungen weg. Ich bin zufrieden, wenn er meiner Armee einen monatli_en Sold giebt, und hoffe ihn bald dafür entschädigen zu können." — Das Bündniß wurde geschlossen. Gustav Adolph versprach, den Churfürst mit allem Nachdruck beizustehen, die Kaiserlichen aus seinem Lande zu vertreiben, seinen churfürstlichen Rechten und Freiheiten auf keine Weise zu nahe zu treten, sondern Alles für die Rettung seines Landes zu thun. Der Churfürst dagegen machte sich verbindlich, sein Heer mit dem schwedischen zu vereinigen, mit dem Könige für einen Mann zu stehen, in Allem, was gemeinschaftlich beschlossen sei, sich des Königs oberster Leitung zu unterwerfen, ihm den Oberbefehl in Kriegssachen zu lassen, seine Truppen nicht von dem Könige wegzuziehen, so lange die Gefahr dauere, nicht ohne des Königs Wissen und Genehmigung Frieden zu schließen, dem König die Elbfestungen stets offen zu lassen, und ihn darinnen aufzunehmen und endlich der königlichen Armee die nöthigen Lebensmittel zu verabreichen, so lange sie in Sachsen gegen den Feind streite.

So war denn endlich der Bund mit Sachsen geschlossen; ein Ereigniß, das Gustav längst herbeigewünscht hatte, weil ohne diese Verbindung ein weiteres Vordringen nicht möglich war. Nun war die Stunde gekommen, wo er den Vernichtungszug gegen Tilly und seine Schaaren unternehmen konnte. Am 1. September 1631 hielt der König Heerschau über sein Volk; es bestand aus 13,000 Fußsoldaten und gegen 9000 Reitern. Er brach sofort mit dem Heere nach Wittenberg auf, wo er den Churfürsten von Sachsen und Brandenburg antraf. Am 3. September ging Gustav's Armee über die Elbe und stand bereits am 4. bei Düben, wo sie sich mit der von Torgau heranziehenden Armee des Churfürsten von Sachsen vereinigen sollte. Gustav schrieb darüber an den Kanzler Orenstierna: „Den 4. Morgens marschirten wir nach Düben und schlugen unser Lager draußen vor demselben auf, Chursachsen zu erwarten, das von Eilenburg her im Anzuge war und den 5. mit seiner Armee kam, ungefähr 20,000 Mann stark; gut montirt und schöne Leute von Ansehen*).

*) Für die Schweden war der Vergleich mit den Chursächsischen Soldaten nicht vortheilhaft. Während jene gut gekleidet, die Offiziere in glänzender Rüstung mit wallenden Federbüschen auf dem Helme, bestanden, kamen die Schweden,

Der Churfürst ließ seine Armee in verschiedene Bataillone rangiren und darauf anmelden, daß, wenn es uns gefällig wäre, er kommen wollte, uns zu salutiren. Wir nahmen deshalb einen hübschen Theil Kavallerie mit uns, und ritten ihm eine kleine Strecke entgegen. Unser Schwager, der Churfürst von Brandenburg, war in seiner Gesellschaft. Wir ritten mit dem Churfürsten die Runde um die sächsische Armee und von da zu unsrer Infanterie, und nachdem wir beide Armeen besehen hatten, nahmen wir die Churfürsten mit in unser Quartier."

Im Lager bei Düben fand man eine große Berathung statt, an welcher der König, die beiden Churfürsten und die angesehensten Offiziere beider Heere Theil nahmen. Die Meinungen waren anfangs sehr getheilt. Der König, welcher einerseits die Macht Tilly's etwas überschätzt zu haben scheint, und andererseits durchaus nicht glaubte, daß derselbe aus seiner festen, fast unangreifbaren Stellung hinter Leipzig herausgehen würde, war anfangs Willens, den einen feindlichen Flügel zu umgehen, nach Halle zu marschiren, sich dort in Besitz der Moritzburg zu setzen, hierauf Merseburg zu nehmen und so das feindliche

---

alle Spuren des Krieges an sich tragend, mit sonnenverbrannten und durchfurchten Gesichtern, unansehnlichen, wohl hier und da zerrissenen Röcken. Da sie die Nacht vorher auf einem neu gepflügten Felde gelegen hatten, so waren sie voll Staub, „wie die Küchenjungen", wie die Sachsen, sich lustig machend, sagten. Doch, bei Breitenfeld in der Schlacht — wer hielt da aus?!

Heer durch das Abschneiden von aller Zufuhr in die
Nothwendigkeit zu bringen, aus seiner Stellung herauszugehen und die Schlacht anzubieten. Der Plan
war wohl berechnet, und dürfte eines günstigen Erfol-
ges kaum ermangelt haben. Denn blieb Tilly in
seinem Lager hinter Leipzig, so konnte ihn Gustav
auf dieser Seite nichts anhaben, wäre vielleicht gar
zum Rückzuge genöthigt gewesen, der im Angesichte des
mächtigen Feindes sehr gefahrvoll blieb. So wenigstens entwickelte Gustav seine Gründe und schloß mit
den Worten: „Wenn wir uns jetzt zu einer Schlacht
entschlössen, so setzen wir, abgesehen von dem allgemeinen Wohl, eine Krone und zwei Churhüte gewiß-
sermaßen auf's Spiel. Das Glück ist im menschlichen
Leben, hauptsächlich aber im Kriege und besonders in
einem Haupttreffen, wandelbar; der Allmächtige könnte
leicht nach seinem unerforschlichen Rathe um unsrer
Sünde willen einen Unfall über uns verhängen, daß
wir den Kürzeren zögen, und der Feind die Oberhand
behielte. Zwar würde meine Krone dann, wenn sie
meine Armee und mich selbst verlieren sollte, einen
großen Verlust erleiden, aber immer noch eine Schanze
zum Besten haben. Denn sie ist so weit entlegen,
mit einer ansehnlichen Flotte versehen, in ihren Grenzen zur Genüge verwahrt, und im Innern des Landes
in einer so guten Verfassung, daß sie deshalb noch
kein hauptsächliches Unglück zu befürchten haben würde.
Dagegen um Euch, denen der Feind auf dem Halse
und im Lande liegt, wird es, dafern die Schlacht übel
ablaufen sollte, ganz und gar geschehen sein, und Euer

229

Churhüte dürften gewaltig wackeln oder gar springen. Daher ist es sicherer, dem Tilly die Lebensmittel abzuschneiden, und ihn so zu einem Aufbruch oder einem Rückzug zu zwingen, und alsdann auf ihn loszugehen; damit ist mehr als mit einer Hauptschlacht gewonnen."

Der Churfürst von Sachsen aber bestand auf eine Schlacht. Seine Gründe ließen sich allerdings auch hören. Er entgegnete, „daß Tilly auf keine andere Weise aus seinem Lande zu bringen sei, dieses aber nicht vermögend wäre, die vier großen Heere länger zu unterhalten, da ohnehin Tilly den besten Theil in Besitz hätte; bei längerem Zaudern müßte er mit den Seinigen zu Grunde gehen." Er sprach sich nun dahin aus, daß man ohne Verzug gegen Tilly nach Leipzig rücken und denselben mit aller Macht angreifen müsse, was er allein thun werde, wenn der König keine Schlacht wagen wolle.

Gustav Adolph gab diesen Gründen nach, und entschied sich nun auch für die Schlacht, drang aber darauf, daß man unverzüglich aufbrechen müßte, um Tilly zu treffen, bevor er seine letzten Verstärkungen an sich gezogen hätte. „Zuletzt ward unter uns ausgemacht" — schreibt er an den Kanzler — „vereint auf Leipzig zu gehen, dem Feind unter die Augen, und eine Feldschlacht zu wagen." Denn der kaiserliche General Aldringer stand mit 10,000 Mann schon bei Erfurt, und aus Schlesien eilte Tiefenbach herbei. Der Churfürst von Brandenburg verließ nun das Lager und kehrte nach Berlin zurück. Am 6. September brachen die beiden Heere von Düben auf und mar schirten den ganzen Tag in voller Schlachtordnung, die Schweden rechts, die Sachsen links, auf Leipzig zu. Sie gelangten am Abend in dem Dorfe Klein-Wölkau drei Stunden vor Leipzig an.

Am Abend versammelte Gustav, während die Armee im Freien blieb, die angesehensten Heerführer um sich und besprach sich mit ihnen über mancherlei Dinge, die bei der bevorstehenden Schlacht von Wichtigkeit waren. Obschon alle mit Muth und Kampfeslust erfüllt waren, so hielt er doch eine Anrede an sie, um sie für den kommenden Tag zu begeistern.

„Ich erblicke schon" — begann er zu sprechen — „auf euren vor Freude leuchtenden Gesichtern jene Siegesgewißheit und alle Zeichen eines ungebeugten nur nach Kampf und Feind verlangenden Muthes. Ich könnte mich der Mühe überheben, zu euch zu sprechen, denn schon ist die Sache so weit gediehen, daß nicht lange Worte, sondern gewichtige Thaten von Nöthen sind. Ich will den Feind, auf welchen wir losgehen, nicht geringschätzen oder verachten, noch durch meine Worte der entscheidenden Stunde etwas von ihrer Wichtigkeit nehmen; ich würde euch Unrecht thun, wenn ich glaubte, ihr würdet euch durch das Schwierige der Sache abschrecken lassen. Ich kenne euch besser und weiß aus Erfahrung, daß noch nie ein Kampf so heftig war, den ihr gescheut, keine Gefahr so groß, die ihr nicht unter meiner Leitung mit ungebeugtem Muthe besiegt hättet. Ja, der Feind, auf welchen wir losgehen, ist sehr mächtig und stark; ja, er ist geübt, und im langen Kriegsdienste abgehärtet und nicht ungewohnt dieses blutigen Kriegsspieles; ja; er ist siegreich und hat es, in den ununterbrochenen Kämpfen in seinem Glückslaufe nie gehemmt, fast vergessen, was es heißt, besiegt zu werden. Aber je berühmter dieser Feind ist, um so größer wird der Ruhm sein, den ihr durch die Besiegung dieses Feindes erlangen werdet. Denn alle Lorbeeren, die er in so vielen Kämpfen sich erfochten, werdet ihr durch diese einzige Schlacht ihm abnehmen; alle Ehre, die er während so mancher Jahre durch große Mühen erlangt hat, wird in vier und zwanzig Stunden mit Gottes Hülfe euer sein. Auch haben wir schon früher mit ihm gestritten und erfahren, was er vermag. Wir haben gesehen, daß er nicht so fürchterlich ist, wie es auf den ersten Anblick scheint, nicht so unbezwingbar, daß man nicht mit ihm um den Sieg streiten könnte. Wenn ich unsere und die feindlichen Kräfte betrachte und abwäge, so finde ich, daß wir dem Feinde wenigstens gleich, wenn nicht überlegen sind. Eurer Tapferkeit mißtraue ich nicht im Geringsten, sondern ich bin fest überzeugt, daß ihr Alle, vom Höchsten bis zu dem Geringsten, in den Kampf ziehen werdet, wie es Männern ziemt, denen der Ruhm theurer ist, als das Leben. Auch von den Sachsen, obschon sie nicht so kriegsversucht sind, als ihr, hoffe ich, daß sie ihrer Pflicht allenthalben nachkommen werden, denn es handelt sich in diesem Kampfe um das Vaterland und um das Wohl Aller. Vor allen Dingen aber ist auf unsrer Seite die gute Sache. Denn wir streiten nicht für irgend eines Menschen, sondern für Gottes Ehre

und Wahrheit: nämlich für den einzig zur ewigen
Seligkeit führenden Glauben, welchen die Katholischen
bisher so sehr unterdrückten, und jetzt gänzlich zu vernichten, auszurotten und zu verlöschen sich unterfangen
haben. Was sollten wir also zweifeln? Ja, der all-
gnädige Gott, der uns gegen alles Vermuthen und
was auch die Feinde dagegen unternehmen mochten,
ungeachtet aller Hindernisse auf eine wunderbare Weise,
gleichsam als ob er uns den Weg gebahnt hätte, bis
an diese Stelle führte, dieser wird auch vom Himmel
herab mit seiner göttlichen Hülfe bei uns sein, unsre
Hände stärken und über den hochmüthigen und stolzen
Feind uns den Sieg mildreichst verleihen."

Gustav machte die ihn Umstehenden noch auf die
zahllosen Schandthaten aufmerksam, welche die gegenüber stehenden Feinde bei der Erstürmung Magdeburgs
verübt hatten, welche die Rache des Himmels erheisch-
ten; „es könne nicht bezweifelt werden, daß die göttliche Gerechtigkeit die Verüber solcher fluchwürdigen
Thaten zur Strafe ziehen werde." — Auch auf die
zeitlichen Vortheile, welche der Sieg mit sich führen
würde, wies Gustav die Seinigen hin. „Ich erinnere
mich" — sagte er — „daß es bei Euch scherzweise
zum Sprichwort geworden ist; unter meiner Anführung würdet ihr zwar selig, aber nicht
reich werden." Und ich gestehe, in den Gegenden,
wo wir bis jetzt gekämpft haben, war alle Mühe
nach Bereicherung vergebens; denn sie waren vom
Feinde bereits ausgesogen, fast ganz verheert, oder uns
befreundet. Aber von nun an erwarten euch, wenn

ihr tapfer seid, nebst dem Lohne der ewigen Seligkeit
auch irdische Güter. Denn theils erwartet euch ein
Lager, überreich an der köstlichsten Beute, theils werden sich die Thore, durch welche der Sitz der pfäffischen
Glatzköpfe*) mit so vieler Sorgfalt bisher gesichert
blieb, mit einem einzigen glücklichen Streich euch auf-
thun. Und sind wir durch diese gedrungen, dann will
ich euch für alle Mühen und Gefahren, deren ihr euch
unter meiner Anführung unterzogen habt, so reichlich
belohnen, daß euch die Anstrengungen, welche dieser
Krieg verlangt, nicht reuen und ihr mit Schätzen und
Reichthum beladen, mir, nächst Gott, danken werdet."

Hierauf ritt der König im ganzen Lager herum,
feuerte Fußvolk und Reiterei freundlich zum Kampfe
an, und belehrte sie über Alles, was bei demselben etwa zu beachten sein konnte. So machte er seine Reiter, die meist kleine, schwache Pferde hatten, darauf
aufmerksam, daß sie bei dem Zusammentreffen mit der
feindlichen Reiterei, nur nach den Pferden stechen und
die Wunden so weit als möglich machen sollten, denn
den geharnischten Reitern auf ihren großen Schlacht-
roffen würden sie nicht gleich beikommen können.

Tilly ließ noch am 6. September sein Lager bei
Eutritzsch mit neuen Schanzen umgeben, da er keine
Luft hatte, sich vor Aldringers Ankunft in eine
Schlacht einzulassen. Es läßt sich nicht wohl in Ab-
rede stellen, daß sich in den Handlungen Tilly's in

---

*) Die sogenannte Pfaffengasse, d. h. die katholi-
schen Länder in Süddeutschland.

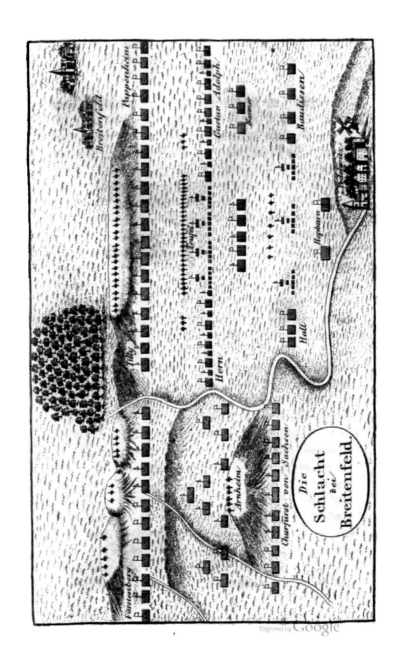

Die Schlacht bei Breitenfeld.

Google

dieser Zeit eine gewisse Unentschlossenheit kund giebt, die ihm viele Vorwürfe zugezogen hat. Vielleicht mochte sie ihren Grund in den Rücksichten haben, welche er auf der einen Seite gegen den Kaiser, auf der andern wieder gegen den Churfürsten Maximilian von Baiern zu nehmen hatte. Man hat es Tilly hart vorgeworfen, daß er die Vereinigung der schwedischen und sächsischen Armee nicht hinderte, und daß er, als die Vereinigung einmal geschehen war, nicht in seiner ersten Stellung hinter Leipzig blieb. So viel ist gewiß, daß Tilly selbst am 6. September noch entschlossen war, einer Schlacht auszuweichen, und nur Pappenheim und die übrigen jüngeren Unterfeldherren rissen ihn zu dem Entschlusse, die Schlacht zu liefern, hin.

Die Schlacht bei Breitenfeld.

Der verhängnißvolle 7. September brach an, der von beiden Seiten längst herbeigesehnte, aber auch gefürchtete Tag der Entscheidung. Am Morgen war schon die Nachricht von dem Anmarsche Gustav's in dem Kaiserlichen Lager verbreitet. Pappenheim erbat sich von Tilly 2000 Kürassire, um die Stellung des Feindes zu beobachten. Ungern und nur mit dem gemessenen Befehl, sich in nichts einzulassen, bewilligte es Tilly. Pappenheim, welcher an die Vereinigung des Königs mit den Sachsen nicht glauben wollte, versuchte immer noch, Tilly zur Schlacht zu bewegen, und stellte ihm vor, daß, wenn er diese herrliche Gelegenheit vorbeiließe, er es weder bei Gott,

dem Kaiser, noch dem Churfürsten von Baiern verantworten könne. — Kaum hatte Pappenheim den
Feind erblickt, als er sich auch mit ihm in einen Kampf
einließ, und sofort zu Tilly sandte und ihm meldete,
er müsse noch 2000 Reiter haben, sonst könne er sich
nicht zurückziehen. Tilly war so erzürnt, als er diese
Nachricht hörte, daß er die Hände über den Kopf zu-
sammenschlug und ausrief: „Dieser Mensch wird mich
noch um Ehre und guten Namen und den Kaiser um
Land und Leute bringen!" Er schickte zwar noch
2000 Reiter ab, ließ aber Pappenheim sagen, er
möchte sich sogleich, bei Verlust seines Kopfes, zurückziehen. Pappenheim wurde von dem König so gedrängt, daß seine Leute auf dem Rückzuge in die
größte Unordnung und Gefahr kamen. Tilly war
in der Besorgniß, der schönste Theil seiner Reiterei
möchte verloren gehen; er rückte nun mit seinem Heere
aus, und stellte es in Schlachtordnung auf.

  Gustav Adolph war morgens von Klein-
Wölkau aufgebrochen. Das Heer marschirte in zwei
großen Abtheilungen; die Schweden rechts, die Sachsen links. Als sie an den Loberbach kamen, war
ober Pappenheim angekommen, und machte ihnen
den Uebergang streitig. Es wurde mit der größten
Erbitterung gefochten, bis sich endlich Pappenheim
zurückziehen mußte; er zündete auf dem Rückzuge das
Dorf Podelwitz an. Kam Tilly jetzt mit seiner
Macht Pappenheim zu Hülfe, so würde der König
nach dem Ausspruche Kriegskundiger damaliger Zeit
in die größte Gefahr gekommen sein, da sein Heer

durch den ganz unvermutheten Ueberfall in der Auf=
stellung gestört worden war. Nach Pappenheim's
Abzuge stellte nun Gustav sein Heer in voller Schlachtordnung auf. Die königliche Armee bildete zwei
Treffen, jedes mit einer Reserve; also bildete sie zwei
große und zwei kleine Linien. Gustav hatte wieder
die Einrichtung getroffen, daß zwischen der Reiterei
Fußvolk versteckt aufgestellt wurde; dadurch hatte er
sich den Sieg über die feindliche Reiterei gesichert, die
weit besser beritten war, als die seinige. Jeder Abtheilung waren auch die leichten ledernen Kanonen beigegeben, welche mit dem größten Vortheil gebraucht
wurden, da sie von zwei bis drei Mann, oder von
einem Pferde, mit der größten Schnelligkeit fortgeschafft
werden konnten. Johann Banner befehligte den
rechten Flügel; Feldmarschall Horn den linken;
das Centrum Teufel. Gustav selbst wollte sich dahin wenden, wo Pappenheim einfallen würde, weil
er von diesem die meiste Gefahr befürchtete. Der Kö=
nig trug einen ledernen Koller, einen weißen Hut mit
grüner Feder, und ritt einen Fliegenschimmel.

Durch einen ziemlichen Raum von dem schwedischen
Heere getrennt, standen links bei dem Dorfe Göp-
schelwitz die Sachsen; sie waren ebenfalls in zwei
Treffen aufgestellt. Das erste befehligte Arnheim,
das zweite der Churfürst selbst. Tilly stand bei
der Ankunft der Schweden in voller Schlachtordnung.
Sein Heer bildete eine große Linie, und zog sich von
den Anhöhen bei Seehausen bis nach Breitenfeld
hin. Das Fußvolk, das in großen Vierecken aufgestellt

16

war, bildete die Mitte; die Reiterei deckte die Flanken. Den rechten Flügel, den Sachsen gegenüber, befehligte Graf Fürstenberg; den linken, gegen Gustav, hatte Pappenheim. Das Centrum führte Tilly selbst. Vor der Schlachtlinie waren auf einem Hügel bei Seehausen die Batterien aufgepflanzt. Tilly hatte sich den Vortheil verschafft, den Wind, welcher aus Westen kam, im Rücken zu haben, und sich so vor den Staubwolken und Pulverdampf geschützt, wodurch die Schweden an dem brennend heißen Tage viel zu leiden hatten. Die Stärke der beiden Heere mag sich ziemlich gleich gewesen sein. Gustav's Armee bestand aus 13,000 Mann Fußvolk und 8000 Mann Kavallerie; hierzu kamen die 15,000 Mann Sachsen. Tilly hatte eine Armee von 35,000 Mann zur Schlacht geführt. Gegen Mittag, als die Schweden den Loberbach überschritten hatten, eröffneten die Kaiserlichen die Schlacht mit einigen Kanonenschüssen. Die gegenseitige Kanonade währte bis gegen zwei Uhr; jetzt begann der Angriff von Seiten der Kaiserlichen. Pappenheim zog mit seinen den Feinden an Zahl überlegenen Reiterschaaren sich links bis an das Ende der feindlichen Reihen bei Podelwitz hinunter, um sie zu umgehen. Ein Theil des Fußvolkes vom linken Flügel Tilly's folgte ihm in einiger Entfernung nach. Mit unbeschreiblicher Wuth griff Pappenheim den rechten Flügel der Schweden an, den Banner befehligte. Gustav Adolph, das Entscheidende dieses Kampfes sofort erkennend, flog zur Unterstützung herbei, und führte die Reserve des ersten Treffens und einen Theil

des zweiten herbei. Die Kriegskunst Gustav's zeigte
sich jetzt in ihrem vollsten Glanze. Seine leicht zu
bewegenden Kanonen schmetterten ganze Reihen der
Feinde nieder. Eben so erfolgreich war die Einrichtung Gustav's, zwischen seine Reiter Musketire verborgen aufzustellen. Sobald die Reiter Schwert und
Pistolen gebraucht und abgeschwenkt hatten, zeigten
sich dem erstaunten Feinde die Musketire mit ihrem
Verderben bringenden Geschütz. Siebenmal erneuerte
Pappenheim seinen Angriff, und doch gelang es ihm
ungeachtet der außerordentlichsten Anstrengungen nicht,
den Sieg den Schweden zu entreißen. Die Fußregimenter, welche ihm folgten, waren unterdeß von der
schwedischen Reiterei, nach dem heftigsten Widerstande,
gänzlich aufgerieben worden. Nicht so günstig standen
die Sachen auf dem linken Flügel der schwedischen
Armee. Gustav wurde dorthin abgerufen, und überließ die Fortsetzung des Kampfes gegen Pappenheim
dem General Banner, dem es später gelang, die
Kaiserlichen nach Breitenfeld hin in die Flucht zu
schlagen, nachdem sie fast gänzlich aufgerieben worden
waren.

Graf Fürstenberg hatte mit seiner Reiterei zuerst die Sachsen angegriffen. Anfangs schwankte der
Sieg, und die sächsische Reiterei, von dem Geschütz
unterstützt, leistete trefflichen Widerstand. Bald aber,
als sie von dem Geschütz weniger kräftig unterstützt
wurde, weil die Kanonire meist erschossen waren,
fing sie an zu wanken. In diesem Augenblicke stürzte
sich Tilly auf die Sachsen. Die schrecklichste Verwir-

16*

rung erfolgte in ihren Reihen; gegen die andrängende
Uebermacht war jeder Widerstand vergebens; die Glieder waren zerrissen, und jeder suchte sein Heil in der
Flucht. Die kaiserlichen Reiter setzten den Fliehenden
nach und tödteten eine Menge derselben. Auch das
Gepäck der Schweden gerieth in Unordnung und wurde
geplündert. Der Churfürst theilte die Flucht der
Seinigen und entrann nach Eilenburg. Feldmarschall Arnheim eilte zu Gustav, um die unheilvolle
Nachricht zu überbringen. Denn schon stürzten sich die
siegestrunkenen Schaaren Tilly's auf den linken Flügel
der Schweden, der ganz entblößt ihrem Angriffe frei
gegeben war. Jetzt eilte der König herbei, und ver-
stärkte seinen linken Flügel durch das ganze zweite
Treffen und die Reserve. Der Augenblick der Entscheidung war da; ein Mißgriff, eine falsche Bewegung hätte jetzt den Kampf entscheiden müssen. Anführer
wie Gemeine fühlten das Wichtige des Augenblicks,
und von beiden Seiten suchte man sich in Anstrengungen
zu überbieten. Mit dem Feldgeschrei: „Jesus Maria"
stürzten die Kaiserlichen auf die Schweden, die es mit
ihrem: „Gott mit uns" erwiderten. Mann gegen
Mann stritt, das Schwert oder die Pike in der Hand,
denn von dem Feuergewehr wurde wenig Gebrauch
mehr gemacht. Der Verlust, namentlich an Offizieren,
war auf dieser Stelle des Kampfplatzes ungeheuer.
Während das leicht bewegliche schwedische Geschütz die
Reihen des Feindes lichtete, standen die schweren kaiserlichen Batterien fast in Unthätigkeit. Zuerst wankte
die Reiterei Tilly's, bald auch das Fußvolk. In die-

sem Augenblicke kam die Nachricht von dem Siege
Banner's über Pappenheim. Jetzt offenbarte der König seine Ueberlegenheit in der Kriegskunst und seinen
scharfen Blick, der stets das Rechte mit Blitzesschnelle
erschaute. In einem Augenblick verändern seine Schaaren ihre Reihen und stehen wieder in gerader Linie
vor dem Feind. Die Reiterei voran, stürzt sich der
König dem staunenden Feinde entgegen nach der
Anhöhe hinauf, auf welcher die kaiserlichen Geschütze
standen. Nichts konnte dem fürchterlichen Andrang der
Schweden widerstehen; die feindliche Batterie ist erobert, und sofort beginnen die Kanonen ihren zerschmet-
ternden Kugelregen auf Tilly's Schaaren zu werfen,
welche sich nun in wilder Flucht den Angriffen der
schwedischen Reiterei zu entziehen suchen. Der Sieg
war erkämpft. Tilly, mehrfach verwundet, kam
in die größte Gefahr. Schon hatte ihn ein feindlicher
Rittmeister gefaßt und schlug mit der Pistole auf sein
Haupt los, ihn auffordernd, sich zu ergeben, als der
Herzog Rudolph Max von Sachsen-Lauenburg zu seiner Rettung herbeieilte. Tilly zog nun einige Regimenter seiner Wallonen an sich, um unter ihrem Schutze
zu entkommen. Diese noch nie besiegten Schaaren zogen sich, ihren greisen Feldherrn in der Mitte, nach
einem Wäldchen hin, wo sie mit kalter Todesverachtung
gegen die andrängenden Feinde sich noch vertheidigten.
Ihre eignen Kanonen lichteten ihre Reihen. Immer
kleiner wurde die Schaar, bis es ihr bei einbrechender
Nacht gelang, sich dem Feinde zu entziehen. Von vier
Regimentern waren noch gegen 600 Mann übrig, die

ihren besiegten Feldherrn nach Halle geleiteten. Mitten
unter den Todten warf sich Gustav Adolph auf die
Knie und dankte dem für den erkämpften Sieg, in
dessen Dienst er sich und sein ganzes Leben gestellt
hatte.

Der Sieg Gustav's war ein glänzender. Die
ganze feindliche Armee, der Schrecken Deutschlands,
war fast vernichtet. Gegen 7000 Feinde bedeckten das
Schlachtfeld. Der Verlust des Königs betrug gegen
700, des Churfürsten von Sachsen aber gegen 2000
Mann; fast eben so viel wurden auf der Flucht gefangen. Das ganze kaiserliche Geschütz, 28 Kanonen,
über 100 Fahnen waren erbeutet, der nie besiegte Tilly
hatte in seinem 71. Jahre seinen Ruhm müssen vernichten sehen. Pappenheim hatte mit 1400 Reitern
das Schlachtfeld zuletzt verlassen und übernachtete noch
mit den Seinigen in der Nähe desselben; am folgenden Tage zog er sich im Angesicht der Schweden
zurück.

Tilly war nach Halberstadt gezogen, wo sich
Pappenheim mit ihm vereinigte, um dort für seine
Herstellung zu sorgen.

Vernehmen wir noch, ehe wir in unserm Berichte
weiter fortfahren, wie zwei der wichtigsten Theilneh-
mer an dem blutigen Kampfe sich über denselben aus-
sprechen. Pappenheim schrieb am 29. September
an Wallenstein: „Wunderbarlich hat mich Gott in
der letzten so unglücklichen Schlacht behütet; als der
Letzte von Soldaten und Offizieren bin ich auf dem
Schlachtfelde geblieben und habe in derselben ganzen

Nacht eine gute Anzahl Reiter und Fußvolk um mich versammelt. Und obwohl ich sie, sonderlich die Reiter, nicht mehr zum Fechten führen konnte, trat ich doch mit denselben am nächsten Tage bei hellem Sonnenschein, im Angesicht des Feindes, den Rückzug an, und brachte sie glücklich nach Aschersleben zum General. Ich glaube, meines Theils sowohl in als nach der Schlacht Alles gethan zu haben, was einem ehrlichen Soldaten wohl ansteht, und will es auch, so lange ich noch eine Ader rühren kann, gegen meine Leute, so Gott will, nicht anders beweisen. Zwar liegt bei dieser Verwirrung eine schwere Last auf mir, denn der Obergeneral liegt sehr krank darnieder; Schönburg und Erbitt sind todt, und ich habe allein den Fürstenberg zum Gehülfen. Dem Werke aus dem Grunde zu helfen, sehe ich kein anderes Mittel, als daß Euer Gnaden, Gott und der Religion zum Dienst, dem Kaiser und allgemeinen Vaterland zu Hülfe sich dieses Krieges annehmen und mit Gewalt durchgreifen. Es ist kein ander Mittel, und ist auch kein Anderer, der es zu thun das Ansehen und den Nachdruck hätte. Gott wird es Euer Gnaden wieder vergelten und die ganze Welt wird Sie rühmen müssen."

Gustav Adolph schrieb an Axel Oxenstierna: „Den 7. wie es zu grauen begann, ward befohlen zum Aufbruch zu blasen (von Klein-Wölkau aus), und da vor uns kein Wald war, sondern große und ebene Felder, und wir gute Gelegenheit hatten, so ließen wir die Armee in voller Bataille gegen die Stadt anrücken,

Der Marsch dauerte kaum 1½ Stunde, als wir die Avantgarde des Feindes erblickten, und seine Artillerie auf einen Hügel gepflanzt und hinter demselben seine ganze Macht. Er hatte Sonne und Wind sich zu großem Vortheile für den vielen Staub, welchen lange Dürre verursachte. Wir bemühten uns eifrigst, ihm diese Vortheile zu benehmen, konnten es aber nicht zu Wege bringen, weil die Unsrigen in Feindes Angesicht über einen schlimmen Paß gehen mußten.*) Wir dresfirten deßhalb die Betaille, nahmen selbst die rechte, und ließen dem Churfürsten die linke Seite, und gingen darauf immer näher auf den Feind, welcher, da er Gelegenheit sah, sogleich mit den Stücken zu spielen begann. Während der ganzen Schlacht spielten die Stücke auf beiden Seiten ohne Unterbrechung und thaten ziemlich Schaden. Die sächsische Reiterei und die Mannschaft bei der Artillerie hielten sich anfangs gut, allein nachdem die besten Constabeln erschossen worden, begaben sich die Uebrigen auf die Flucht und ließen ihre Kanonen im Stiche. Die sächsische Infanterie führte sich nicht besser auf, nahm compagnieweise Reißaus und sprengte aus, daß wir geschlagen und Alles verloren wäre, was großen Schrecken verursachte bei denen, welche bei unserer Bagage waren, die, die Sachsen laufen sehend, umkehrten und diesen Abend in solcher Confusion sich nach Döben zurückwendeten, daß ein Haufen Wagen unsrer Offiziere, wie des

---

*) Es kann damit nur der oben erwähnte Loberbach gemeint sein.

Churfürst's eigner von diesen Läufern geplündert wurde. Der Churfürst, der bei der Arriergarde hielt, lief auch selbst mit seiner ganzen Leibcompagnie und stand nicht eher als in Eilenburg. Unsre Leute, sowohl Schweden als Deutsche, soviel zum Schlagen kamen (denn von der Infanterie hatten nur drei Brigaden die Ehre) hielten sich vortrefflich und drängten sich fast, vorcommandirt zu werden. Der Feind stand wie ein Berg anfänglich, und focht ein und anderen Theiles lange mit solcher Hitze und solchem Eifer, daß es gar zweifelhaft schien, wer den Sieg behalten würde. Endlich begann der Feind zu weichen, dem wir so zusetzten, daß er genöthigt ward, sowohl seiner eigenen, als der eben gewonnenen sächsischen Artillerie zu entlaufen, und zuletzt mit dem ganzen Haufen den Rücken wandte und uns Meister des Feldes ließ, nachdem die Schlacht ununterbrochen von 2 Uhr bis zur dunkeln Nacht gedauert. Wir ließen den größten Theil unsrer Reiterei den Feind verfolgen und ruhten selbst auf der Wahlstatt aus." Weiter fährt der König fort, nachdem er über die Gefallenen berichtet: „Und obgleich der Verlust so tapferer Männer höchlich zu bedauern ist, so ist doch dieser Sieg — von dem hier auffen Alles abhängt — so merkwürdig, daß wir alle Ursache haben, Gott zu danken, der uns mildiglich beschützt hat in so augenscheinlicher Gefahr, daß wir in gleicher kaum früher gewesen sind."

Der Churfürst Johann Georg von Sachsen eilte auf die ihm ganz unerwartete Nachricht von dem erfochtenen Siege sogleich wieder in Gustav's Lager.

Während er auf Vorwürfe von Seiten des Königs gefaßt war, wurde er von diesem freundlichst empfangen. Gustav dankte ihm sogar dafür, daß er ihm zur Schlacht angerathen habe. Voll Freude über den Sieg, über die Befreiung seines Landes, bot Georg dem König alle seine Streitkräfte zur Verfügung an; ja er ging soweit, zu versprechen, ihm die römische Königskrone verschaffen zu wollen.

Gustav Adolph verdankte den erkämpften Sieg nächst Gott seinen weisen Verbesserungen im Kriegswesen, seinem großen Feldherrntalente, welches sich grade im Augenblicke der Gefahr und Entscheidung auf das Glänzendste bewährte, und der Tapferkeit seines Heeres, das mit Liebe und Vertrauen an dem siegreichen Führer hing. Diese Tapferkeit aber war nicht jene rohe, wilde Kampfeslust, welche die Begierde nach Raub und Mord aufstachelt, wie bei Tilly's Banden, sondern sie war höherer Natur, und wenn auch nicht bei Allen, so doch beim größten Theil aus der Liebe zu der Sache, aus der Begeisterung für den hohen Zweck des Kampfes hervorgegangen. Daher mußte auch diese Tapferkeit, die keine Ermattung kennt, kein Opfer scheut, den Sieg erringen.

Welche Freude, welcher Jubel verbreitete sich durch Deutschland, als die Siegeskunde seine Gauen durchflog! Endlich konnten die Herzen der Protestanten freier schlagen, denn die Fesseln waren mindestens gebrochen, die man der Glaubensfreiheit angelegt hatte. Für den Augenblick war die Herrschaft des Kaisers vernichtet, die Ausführer seiner Pläne lagen auf dem Schlacht-

felbe, ober waren zerftreut. Dankbar aber erkannten
auch die Befreiten es an, von wem die Rettung gekommen fei. Gepriefen und gefeiert wurde der Name
Guftav Abolph's überall, wo proteftantifche Herzen
fchlugen; fein Bildniß verbreitete fich in ganz Deutfchland, und war an allen Orten, felbft in den Hütten
der Armuth zu finden.

Der mächtigfte Schritt zur Erreichung des hohen
Zweckes, den Guftav verfolgte, der ihn von feinem
Lande und Kinde über's Meer herübergezogen hatte,
war gethan. Das Vertrauen der Proteftanten zu ihm
war erweckt; der Kleinmuth, die Furcht vor dem allmächtigen Kaifer und feinen unüberwindlichen Schaaren
mußten mit der Vernichtung der letzteren fchwinden.
Den gräßlichen Verheerungen und Greuelthaten in
einem der fchönften Theile Deutfchlands war Einhalt
gethan. Die Folgen, welche der Sieg bei Breitenfeld hatte, werden das fo eben Ausgefprochene rechtfertigen.

Guftav Abolph's Verbefferungen im Kriegswefen.

Um die Ueberficht in den Gang der Begebenheiten während der verhängnißvollen Schlacht nicht
zu ftören, haben wir nur der gewichtvolleren Vorgänge
Erwähnung gethan. Bei näherer Betrachtung aber
ftellen fich diefe wieder als das Refultat anderer oft
geringfügig erfcheinender Umftände heraus. Guftav

Adolph gewann die Schlacht bei Breitenfeld
hauptsächlich durch seine überlegene Kriegskunst, und
durch die vortheilhaften Einrichtungen, welche er in
seiner Armee getroffen hatte. Es dürfte manchem Leser
nicht unlieb sein, darüber wenigstens einige Andeutungen zu hören.

Der Hauptcharakter der kaiserlichen Kriegsknechte,
hinsichtlich ihrer Bewaffnung, war Schwerfällig-
keit, welche man aus dem ritterlichen Mittelalter über-
kommen hatte. Das Festhalten an dem Hergebrach-
ten und wohl auch die Scheu vor den Kosten hatte
die Abschaffung des Unzweckmäßigen in der Bewaffnung bisher verhindert. Die Kuirassire bildeten im
kaiserlichen Heere die schwere Reiterei; sie waren
vom Kopf bis zum Fuß in Eisen gehüllt; ihre Waffen
ein langes, breites Schwert und zwei lange Pistolen.
Schützen (Karabiner), Dragoner und Kroaten machten
die leichte Reiterei aus; die Karabiner waren halb
bepanzert; die Dragoner wurden mehr als Fußvolk
benutzt, und kämpften meist mit ihrer Büchse und ihren
Pistolen. Das Fußvolk bestand aus Musketiren und
Pikeniren, welche letztere das schwere Fußvolk bildeten.
Sie waren ebenfalls gepanzert; ihre Waffen Lanze und
Schwert. Die Musketire schützte nur die Pickelhaube,
ihre Hauptwaffe war die schwere auf einem Gabel-
stockruhende Muskete, welche kein Feuerschloß hatte.
Das Feuer war daher höchst unsicher.

In dem schwedischen Heere gab es bei der
Reiterei nur Kuirassire und Dragoner. Um die Be-
weglichkeit derselben zu fördern, hatte Gustav seinen

Kuiraffiren nur einen Halbküraß und den Helm ge-
laffen; ihre Waffen waren ein leichter Karabiner, zwei
Pistolen und ein langes Schwert. Die Feuerwaffen
hatten sämmtlich deutsche Schlösser. Die Dragoner
hatten gar keinen Kuiraß, ihre Waffe war eine Flinte, doch
theilweise noch ohne Schloß, ein Säbel und ein Beil,
weil sie meist zu Fuß dienten und beim Sturmlaufen
gebraucht wurden. Ihre Schnelligkeit benutzte Gustav
bei seinen immer so glücklichen Ueberfällen. Während
das kaiserliche Fußvolk zur Hälfte aus Pikeniren und
zur Hälfte aus Musketiren bestand, hatte Gustav Adolph
nur ein Drittel Pikenire beibehalten, welche statt der
schweren Lanze eine leichte Partisane hatten. Die Mus-
keten ließ Gustav so leicht machen, daß der lästige Ga-
belstock wegfiel; auch führte er zuerst die zweckmäßigen
ledernen Patrontaschen ein. Der bei weitem größte
Theil der Feuergewehre hatte Radschlösser. Durch
diese Einrichtungen waren die schwedischen Soldaten
beweglicher gemacht, und übertrafen die Kaiserlichen an
Schnelligkeit und Sicherheit in ihren Bewegungen.
Noch mehr suchte Gustav beides auch durch eine zweckmäßigere Eintheilung der Regimenter herzustellen.

In der Aufstellung der Soldaten hatten die
kaiserlichen Feldherren auch bei größerer Vervollkommnung
und häufigerm Gebrauch der Feuerwaffen nichts geändert. Das kaiserliche Fußvolk wurde in riesenhaften
Vierecken von 3 bis 4000 Mann aufgestellt. Tilly
theilt zwar in der Breitenfelder Schlacht die Regimenter in Brigaden von 1500 bis 1600 Mann, doch
stellte er diese wieder in einer zu großen Tiefe auf, wo-

durch bei den Schwenkungen viel Zeit verloren ging.
Wallenstein ging in der Schlacht bei Lützen zu
der alten Einrichtung zurück, und stellte sein Fußvolk
in ungeheuern Vierecken von 5000 Mann auf.*) Die
Unbeweglichkeit wurde dadurch noch größer, und welche
Verwüstungen richtete das feindliche Feuer in solchen
dicht gedrängten Massen an! Auch bei der Reiterei
war die tiefe Aufstellung üblich.

Gustav Adolph hatte das Unzweckmäßige dieser Aufstellungsweise bald erkannt. Sein Fußvolk stand
nur 6 Mann hoch; die Pikenire standen dicht anein-
ander; die Musketire waren in Rotten von 5 Mann
aufgestellt, wodurch die Schwenkungen mit größter
Schnelle vollführt wurden. Noch zweckmäßiger war die
Einrichtung Gustav's, eine Waffe die andere unterstützen zu lassen; so mischte er die Musketire unter die
Pikenire und die Reiterei, und gab ihnen leichtes Geschütz zur Unterstützung. Durch diese Einrichtung namentlich gewann Gustav die Breitenfelder Schlacht.
Ein sachkundiger Zeitgenosse Gustav's und Augenzeuge
sagt über dessen kunstreiche Aufstellung: „Die Schlacht-
reihe Gustav Adolph's ist wie eine wohlgebaute
Festung im Stande, den Feind überall auf's Beste zu
empfangen, wo er auch angreifen mag. Kein Muske-
tir verliert einen Schuß, während aus den unförm-
lichen kaiserlichen Vierecken höchstens zwei bis drei
Glieder Feuer geben können und die übrigen unthätig
dastehen." Auch seine Reiter stellte Gustav in nicht

---

*) Vergl. die beigefügten Schlachtpläne.

so schwerfälligen Massen, wie die Kaiserlichen auf, son-
dern in leicht beweglichen Schwadronen von 15 Mann
Front und vier Mann tief. Jede Schwadron war durch
Musketire und kleines Geschütz unterstützt.

Fast noch wichtiger waren die Einrichtungen, welche
Gustav bei der Artillerie gemacht hatte, welcher Waffe
er überhaupt die größte Aufmerksamkeit schenkte. Tilly
und Wallenstein hatten fast nur große Kanonen,
die meisten mit einem Kaliber von 36 — 48 Pfund.
Das Fortschaffen dieser Geschütze verursachte die größte
Mühe und Last, zu jedem gehörten mindestens 20
Pferde; daher kam es auch, daß Tilly nur wenig Kanonen bei sich führte. Wo die kaiserlichen Batterien
in der Schlacht standen, mußten sie bleiben, und wurden nicht selten Beute der Feinde, wie in der Breitenfelder Schlacht. Schon seit dem Jahre 1624 hatte
Gustav in Schweden seine Kanonen umgießen und
kleiner machen lassen; später führte er die kleinen ledernen Kanonen ein. Dadurch war er zuerst in Besitz
von fliegender Artillerie gekommen, welche ihm die größten Dienste leistete. Mit diesen leicht beweglichen Geschützen errichtete er auch verdeckte Batterien, die hinter
den Linien der Musketire standen, welche ihre Glieder
öffneten, wenn der Feind einbrechen wollte, und denselben den Kugeln der Kanonen preisgab. Die Be-
dienung war bei den Stücken außerordentlich schnell
und gut; sämmtliche Musketire waren auf diesen Dienst
eingerichtet, so daß es nie an Kanoniren fehlen konnte.
An Artillerie war Gustav seinen Gegnern stets überlegen, wie in neuerer Zeit Napoleon; in der Schlacht

bei Breitenfeld hatte er 100 Stück; bei der Belagerung von Frankfurt an der Oder 200; im Lager
bei Nürnberg 300, und bei Lützen gegen 100 Stück.

Wenn Gustav Adolph durch diese Einrichtungen die äußere Kraft seines Heeres zu steigern und
zu erhöhen wußte, so hatte er aber auch längst schon
dafür gesorgt, daß die innere geistige Kraft in gleichem
Maaße gestählt wurde. Die Mannszucht im schwedischen Heere war eine musterhafte, und, was die Hauptsache war, sie war nicht das Resultat tyrannischer Grausamkeit oder verschwenderischer Belohnungen, wie bei
Wallenstein, sondern sie ruhete auf höherem moralischen
Grunde; sie ging aus dem freien Willen der Krieger
hervor, für die Gustav wie für seine Kinder sorgte.
Wir haben schon früher*) der berühmten „Kriegsartikel" gedacht, welche Gustav zu Grunde gelegt
hatte. Der Geist der Humanität, Erweckung des rechten Ehrgefühles zeichnen sie vor Allem aus. Dadurch wurde das Selbstgefühl auch der unteren, gemeinen Soldaten geweckt und genährt, weil sie ihre Men-
schenwürde anerkannt und geehrt fanden. Von noch
größerem Einfluß auf die Mannszucht war der Geist
der Gottesfurcht, der einfachen und wahren Reli-
giösität, welche Gustav durch Wort und Beispiel zu
verbreiten suchte. Alle die sittlichen Rohheiten, welche
dem niederen Krieger so häufig anhängen, Fluchen,
Schwören, Lästern waren verpönt und wurden bestraft.
Jedes Regiment mußte sich Morgens und Abends zum

---

*) Vergl. S. 64.

Gebet aufstellen. Mit Gebet und Gesang ging das
Heer in den Kampf, und im Bewußtsein höheren Bei-
standes mehrte sich der eigene Muth.

Zu allen diesen Einrichtungen kam nun als das
Wichtigste das Beispiel des Königs selbst. An Muth
und Tapferkeit, an Ausdauer in Ertragung der größten Beschwerden und Gefahren — that es ihm keiner
gleich; sein sittlich reiner Wandel, sein einfacher und
dadurch hoher Glaube leuchtete wie ein glänzendes
Gestirn seinen Kriegern vor, und riß sie mit fort auf
der Bahn, die er betreten hatte.

Dieses waren die Mittel, durch welche Gustav
Adolph bisher gesiegt hatte, und in der blutigen Schlacht
bei Breitenfeld dem ergrauten, kriegserfahrenen Tilly
und den tapfern bis zur Todesverachtung kühnen Schaaren Pappenheim's den Sieg zu entreißen wußte. Dieses waren die Mittel, durch welche Gustav in Zeit
von wenig Monaten bis in das Herz Deutschlands
drang, seine Waffen in den Fluthen des Main und
Rhein sich spiegeln ließ, Tilly am Lech schlug, in
München einzog, und endlich bei Lützen des Friedländers Schaaren vernichtete und denselben zur Flucht
aus Sachsen zwang, nachdem der königliche Held sein
Leben im Kampfe gelassen hatte. Doch die Darstellung dieser Begebenheiten gehört dem nächsten Buche zu.

17

Drittes Buch.

Geschichte · Gustav Adolph's von der Schlacht bei Breitenfeld bis zu seinem Tode in der Schlacht bei Lützen, am 6. November 1632.

Erster Abschnitt.

Gustav Adolph's Siegeszug in Franken. — Eroberung von Mainz, am 13. December 1631.

Der Aufbruch aus Sachsen. Ankunft in Erfurt.

In schnellem, unaufhaltsamen Fluge trug Gustav Adolph seine siegreichen Waffen in wenig Monaten bis zu den Ufern des Rheins, bis zu den bebenden Sitzen der Hauptfeinde des evangelischen Glaubensbekenntnisses. Verschwunden waren nun mit einmal all' die Hemniße, welche seinem Siegeslauf so wie seinen Unternehmungen oft so drückende Fesseln angelegt hatten. Nicht mehr waren es die von den Kaiserlichen ausgehungerten, verwüsteten, Menschen- und Dörfer leeren Steppen Pommerns und der Mark Brandenburg, welche der Schauplatz seiner Thaten sein sollten. Die gesegnetsten Fluren Deutschlands, bisher von allem Ungemach des Krieges verschont, öffneten sich in all' ihrer Fülle und ihrem Reichthum den hart geprüften, unter Entbehrungen der härtesten Art doch immer siegreichen Schaaren des großen Königs.

Am 8. September, dem Tage nach dem Breitenfelder Siege, zog Gustav Adolph mit den Seinen vor Leipzig. Der kaiserliche Befehlshaber Wangler verweigerte die Uebergabe der Stadt und verlangte Bedenkzeit, in der Hoffnung, daß Tilly vielleicht zum Entsatz herbeieilen möchte. Gustav wollte sich in der Verfolgung der Vortheile, die ihm sein so eben erfochtener Sieg verschaffen mußte, nicht aufhalten lassen, und überließ die Einnahme der Stadt Leipzig dem Churfürsten von Sachsen, der mit seinem wieder gesammelten Heere herbeieilte. In wenig Tagen, schon am 12. September, übergab auch der kaiserliche Befehlshaber demselben die Stadt. Das Land war nun von den Feinden befreit, und öffentliche Dankfeste wurden deshalb abgehalten. Der König war nach Merseburg gezogen, vor welcher Stadt er ein feindliches Corps von 3000 Mann bis auf 1500 vernichtete, welche schwedische Dienste nahmen. Ueberhaupt hatten sich so viele kaiserliche Flüchtlinge unter seinen Fahnen gesammelt, daß jetzt schon sein Heer stärker war, als vor der Schlacht bei Breitenfeld. Am 9. September zog Gustav in Merseburg ein; am 12. war er in Besitz von Halle und der Moritzburg. Halle gehörte damals zum Magdeburger Erzstift; nachdem der Rath und die Bürgerschaft dem König den Eid der Treue geschworen hatten, bestätigte derselbe alle ihre Freiheiten und Privilegien. Der Fürst Ludwig von An-

17*

halt, der mit dem König ein Bündniß abgeschlossen
hatte, wurde als Gustav's Statthalter im Erzstift
eingesetzt, und Johann Stahlmann zum Kanzler der
Regierung in Halle.

Inzwischen war der Churfürst von Sachsen nach
Halle gekommen, um mit Gustav Adolph die weiteren Unternehmungen zu berathen. Auch der Herzog
Wilhelm von Weimar war zugegen. Zuerst kam
in Frage, ob man Tilly, der an der Weser wieder ein
Heer zusammengezogen hatte, weiter verfolgen solle.
Der König lehnte dieses ab, und stimmte für den sofortigen Aufbruch nach Franken, wohin Tilly schon
folgen würde; das nördliche Deutschland müsse, ur-
theilte er, endlich aufhören, Schauplatz des Krieges zu
bleiben, wenn es nicht gänzlich zur Wüstenei werden
sollte. Daß man den Kaiser und die Liga von zwei
Seiten angreifen, zugleich nach Böhmen und Franken aufbrechen müsse, darüber war man einig; eben
so auch, daß der König und der Churfürst mit ihren
Heeren getheilt handeln müßten. Die Hauptfrage aber
war: Wer von Beiden sollte nach Böhmen, wer
nach Franken ziehen? Der Churfürst wollte für sich
Franken wählen, und schlug vor, der König müßte sofort mit seinem Heere in Böhmen einbrechen, nach
Wien gehen, und vom Kaiser den Frieden fordern.
Er selbst wollte in Franken die Gewalt der Liga brechen, und sich mit den protestantischen Fürsten verbinden.

Gustav Adolph, besonders unterstützt von dem
Herzog Wilhelm von Weimar, ging darauf nicht ein,

fondern wollte, daß der Churfürst von Sachsen Böhmen und Schlesien gewinnen sollte, während er,
der König, an den Main und Rhein zu gehen beabsichtigte. Schon damals ist dieser Entschluß des Königs Gegenstand des Tadels gewesen. Selbst der Kanzler Orenstierna begrüßte später den König in Frankfurt am Main mit den Worten: „Es wäre ihm lieber
gewesen, wenn er ihn hätte in Wien zu dem bei
Breitenfeld erkämpften Siege Glück wünschen können.“
Gustav selbst hatte folgende Gründe, die er auch schon
in Halle mehr oder weniger offen aussprach. Zunächst
war der Einbruch in Franken das Wichtigere und Ge-
fahrvollere. Der König hatte aber vollen Grund, sowohl in die Einsicht und Politik des Churfürsten, als
in die Feldherrntalente seines Feldmarschalls Arnheim
kein besonderes Vertrauen zu setzen. Der Churfürst
wollte gar zu gern als dritte Partei zwischen dem Kaiser und Gustav auftreten, und bei dieser Gelegenheit
im Trüben fischen. Auch hing er immer noch, von
dem Wiener Hofe geleitet, in unglaublicher Verblendung
an dem Kaiser. Deshalb wollte ihn Gustav zum offenen Bruch mit dem Kaiser zwingen, dadurch, daß er
ihn Böhmen angreifen ließ. — In Frankfurt am
Main fand grade damals eine Versammlung der protestantischen Stände statt, welche Gustav zur Hülfe
herbeiriefen; dieser Hülferuf hing mit seinem Zweck,
den Protestanten in Oberdeutschland Freiheit und Errettung zu bringen, aufs engste zusammen. Daher
wollte er selbst gegen die Liga ziehen, und die katholischen Bisthümer für sein Heer und seine Zwecke be-

nußen. — Der König schreibt den 17. September aus Halle an den Kanzler: „Uns verlangt auf einige Zeit nach Eurer Gegenwart, eben jeßt nach dem herrlichen Sieg über den Feind, um mit Euch zu überlegen, wie wir die Sachen, zur Restitution unserer bedrängten Glaubensgenossen, am besten vornehmen möchten." Seine Bescheidenheit ließ ihn auch nicht auf die glänzenden Erfolge rechnen, die er erkämpfte. In demselben Briefe schreibt er weiter: „Wir wollen uns in eigner Person nach Thüringen begeben, zu benußen, was da noch übrig ist, es so fügend, daß wir da unsere Winterquartiere nehmen können." Doch diese sollten am Rhein aufgeschlagen werden!

Des Königs Vorschlag wurde endlich angenommen. Der Churfürst von Sachsen, obschon mißvergnügt, zog heim, um in Böhmen einzufallen; Gustav aber rüstete sich zum Aufbruch nach Thüringen, denn weiter gingen seine Pläne jeßt noch nicht.

Wir verfolgen jeßt Gustav auf seinem Siegeszuge weiter, und werden über die Erfolge, welche der Churfürst von Sachsen erkämpfte, später berichten

Noch von Halle aus hatte der König, um sich den Weg nach Franken zu bahnen, und sich die Gemüther geneigt zu machen, Gesandte abgeschickt, welche besonders die süddeutschen Reichsstädte für ihn gewinnen sollten. Martin Chemniß in Begleitung des Rittmeister Relinger sollte diesen Auftrag ausführen. Sie kamen zuerst zum Markgrafen Christian von Brandenburg-Baireuth; von da wandten sie sich nach **Nürnberg.** Die Bürgerschaft dieser angesehenen Stadt war dem König von Herzen ergeben, und wünschte nichts sehnlicher, als seine Ankunft. Der Rath aber, voll Bedenklichkeiten wegen des Kaisers, durch dessen Gold mehrere Mitglieder bestochen waren, wollte keinen entscheidenden Schritt thun, und bei der in Deutschland so beliebten Halbheit verharren. Gustav wußte recht wohl, daß der Rath gern den Schein eines ihm angethanen Zwanges für sich haben wollte. **Chemnitz** trug also dem Rathe einen förmlichen Absagebrief des Königs vor, worinnen dieser drohete: „die Stadt, wenn sie kein Bündniß mit ihm schließe, feindlich zu behandeln, und mit Feuer und Schwerdt gegen sie zu verfahren." Jetzt schloß der Rath offen ein Bündniß mit dem König. Eben so ging es auch in **Ulm** und **Straßburg,** welche Städte auch ein Bündniß mit **Gustav** eingingen.

Am 17. September brach **Gustav Adolph** mit seinem Heere von **Halle** auf, und zog über **Querfurt** nach **Thüringen.** Die Stadt **Erfurt** besaß eine reichsstädtische Unabhängigkeit, hatte aber eine Kanzlei des Churfürsten von **Mainz** in ihren Mauern, welcher große Rechte in der Stadt ausübte. Der größte Theil der Einwohner war lutherisch. Der Rath schickte sofort eine Gesandtschaft an den König, mit der Bitte, „die Stadt Erfurt mit Besatzung zu verschonen." Der König schlug das Gesuch mit Bedauern ab, und ließ den Herzog Wilhelm von Weimar mit einem Kürassirregimente vorausgehen. Durch eine List gelang es dem Herzog, sich eines Thores zu bemächtigen, durch wel-

ches die Reiter in die Stadt zogen. Am 22. September
hielt der König seinen Einzug; der Magistrat übergab
ihm die Schlüssel der Stadt. Der König versicherte,
daß er die Stadt bei ihren Rechten und Freiheiten
schützen werde. Am 24. September berief er den Magistrat und die Aeltesten der Innungen vor sich, und
sprach sich über den Zweck seines Erscheinens auf deutschem Boden aus. Er bezeugte ihnen vor Gott, daß
er sein Reich nur verlassen habe, um seine Verwandten
und Glaubensbrüder in Deutschland von dem schweren
Joche zu befreien, unter welchem sie so lange geseufzet
und geblutet hätten. Er hätte für seine Person längst
einen ehrenvollen Frieden schließen können, wenn er
seine Glaubensgenossen neuen Bedrückungen hätte preiß-
geben wollen. Aber lieber werde er Alles, ja Leib
und Leben wagen, ehe er die Sache der deutschen Religionsfreiheit verlasse. „Ich bin zwar" — fuhr er
fort — „noch gesund, und erfreue mich des Wohl-
ergehens, aber auf's Neue gehe ich erbitterten Feinden
entgegen, die mir auf alle Art und Weise zu schaden,
und mich aus dem Wege zu räumen bemüht sein
werden. Vielleicht läßt es Gott zu, daß mir das Glück
den Rücken kehrt, und daß ich entweder um meine Gesundheit, oder gar um das Leben komme. Doch scheue
ich solche Gefahr nicht; ich bin vielmehr fest überzeugt,
daß mir ohne Gottes gnädigen Willen nichts Widriges
begegnen kann, und daß Alles, was mir in meinem
Berufe zustößt, selbst wenn es der menschlichen Vernunft als das Aergste erscheinen sollte, mir doch zum
Besten gereichen muß. Ja, ich werde mich glücklich

schätzen, wenn Christus mich so viel würdigen wird,
daß ich um seines Namens willen Unglück, Wider-
wärtigkeit, Kreuz, Gefahr oder Tod leiden und aus-
stehen möge." Gustav gab nochmals sein königliches
Wort, daß er die Stadt bei allen ihren Rechten und
Freiheiten lassen wolle, und machte ihr noch bekannt,
daß er das Theuerste, was er auf Erden habe, seine
Gemahlin, dem Schutze der Stadt Erfurt anvertrauen werde.

Die Bürgerschaft war von den Worten des Königs gewonnen. Es kam ein Vergleich zu Stande, in
welchem festgesetzt wurde, daß „Stadt und Rath alle
Verbindungen mit dem Churfürst von Mainz
aufgeben, dagegen dem König von Schweden und dem
Hause Sachsen Treue schwören, und schwedische Besatzung einnehmen sollten, die sie aber nicht zu unterhalten
hätten. Der Königin wurde der Sutterheim'sche Pa-
last eingeräumt, und ihr das Recht zugesprochen, in
der Stadt so lange sie wolle zu residiren zc."

Auch die katholische Geistlichkeit erfuhr Gustav's
Milde, und erhielt freie Religionsübung zuerkannt.
Doch mußte sie schwören, dem Könige treu und er-
geben zu sein, und nichts Böses gegen ihn zu unter-
nehmen. Zu den Jesuiten, die sich im Gefühle ihrer
Schuld vor ihm auf die Knie warfen, sprach der Kö-
nig: „Für die Unruhen, die Ihr angestiftet, für das
Blut, das Ihr vergossen, werdet Ihr einst an Gottes
Throne Rechenschaft geben müssen. Ich kenne Euch
besser, als Ihr glaubt; Eure Absichten sind bös,
Eure Lehren gefährlich, Euer Verhalten ist strafbar.

Mifchet Euch nicht in Staatsgefchäfte; noch
einmal fage ich Euch, bleibt ruhig und ermahnt Eure
Brüder zum Gehorfam, dann foll Euch nichts ge=
fchehen."

Alles, was zur proteftantifchen Kirche und Schule
gehörte, erfuhr den befondern Schutz des Königs; Be=
freiung von jeder Kriegsfteuer, Einquartierung und
andern Laften wurde ihnen zu Theil.

In Erfurt fchloß auch Guftav den Bund mit den
Herzögen von Weimar feft ab, und geftattete ihnen,
mit ihrem Heere Eroberungen in dem Gebiete der
Liga zu machen. Herzog Wilhelm von Weimar
wurde zum Stadthalter über Erfurt und Thüringen
eingefetzt.

**Aufbruch Guftav Adolph's von Erfurt. —
Einnahme von Würzburg.**

Am 26. September brach Guftav mit feinem
Heere von Erfurt auf und fetzte feinen Marfch über
den Thüringer Wald unaufhaltfam fort; oft ließ er
fein Heer fogar des Nachts bei Fackelfchein marfchiren.
Ein Theil der Armee war unter Baudiffen nach
Gotha gezogen, um von dort weiter nach Würzburg
vorzurücken; der König felbft ging über Arnftadt,
Ilmenau, und ftand anfangs October vor dem feften
Königshofen. Der Commandant übergab die Stadt
den Schweden, welche große Beute an Kriegsvorräthen
und Lebensmitteln machten. Furcht und Entfetzen ver=

breitete sich unter den Katholiken in Franken; der Bischof von Würzburg verließ seine Residenz, obgleich ihm Gustav vortheilhafte Bedingungen hatte zusichern lassen. Bald zogen die Schweden in Schweinfurt ein, einer protestantischen Reichsstadt, die keinen Widerstand leistete, und schon vorher durch Gustav's Briefe gewonnen war. Am 3. October war der König vor Würzburg. Die Stadt war nicht sonderlich befestigt, wohl aber galt das auf dem linken Ufer des Mains auf steiler Höhe liegende Schloß Marienberg für uneinnehmbar. Ein äußeres Thor der Stadt war bald erbrochen, und noch am Abend setzten sich einige Regimenter in den Vorstädten fest. Der König ließ nun den Magistrat zur Uebergabe auffordern; am andern Morgen öffneten sich Gustav die Thore, welcher einzog, und sogleich alle Anstalten traf, das Schloß mit Gewalt zu nehmen. Die Besatzung des Schlosses leistete den heftigsten Widerstand, und Hunderte von Schweden verloren ihr Leben. Am 7. October beschloß der König einen neuen Sturm, welcher nach den größten Anstrengungen endlich gelang. Die Schweden drangen in den Schloßhof; die noch übrige Besatzung wollte sich ergeben, erhielt aber die Antwort: „Magdeburger Quartier," und fiel unter den Händen des Feindes. Nur der Schloßcommandant, Rittmeister Heinrich Keller von Schleitheim, erhielt das Leben geschenkt, unter der Bedingung, die im Schlosse verborgenen Schätze anzuzeigen.

Ueberaus groß war die Beute, welche die Schweden an Gold, Silber und Geräthe aller Art machten.

Aus der ganzen Umgegend hatte man die Koftbarkeiten
in das Schloß gebracht, weil man sie hier sicher
glaubte. Große Vorräthe des herrlichsten Weins lagen
in den Kellern des Schloffes, welche den Siegern nicht
unwillkommen waren. Die reiche Bibliothek des Bischofs schickte Guftav Adolph nach Upsala. Einen
großen Theil der Beute überließ er aber seinen Kriegern
als Entschädigung für die großen Mühen und Entbehrungen, die sie vom Strande des Meeres bis an die
Ufer des Mains erduldet hatten. Alle Soldaten hatten
neue Kleider. Der Ueberfluß in dem schwedischen Heere
war so groß, daß die Soldaten eine Kuh für einen
Reichsthaler verkauften. Der Gesandte Guftav's, Salvius, schrieb nach Schweden: „Se. königl. Majestät
hat nun ganz Frankenland inne, und die Stände haben da Se. Majestät als Herzog von Franken ge-
huldigt. Unsere finnischen Bursche, die sich nun an's
Weinland da oben gewöhnen, werden wohl nicht sobald wieder heim kommen. In den liefländischen Kriegen mußten sie oft mit Waffer und verschimmeltem
groben Brot zur Bierfuppe vorlieb nehmen; nun macht
sich der Finne seine „Kallstäl" (kalte Schale) in der
Sturmhaube aus Wein und Semmeln."

Guftav Adolph hatte nach der Einnahme von
Würzburg sogleich eine Regierung für das eroberte
Franken eingesetzt, die halb aus Franken, halb aus
Schweden bestand. Eine Proklamation verkündigte
diese Einrichtung. Guftav setzt die Ursachen des Krie-
ges darinnen auseinander und sagte unter anderm:
„Er sei nach Deutschland herübergekommen, um dieses

Landes Freiheit zu retten, und der Unterjochung aller
andern Nationen vorzubeugen. Bei diesen wohlwol-
lenden Absichten hätte er mit Recht gehofft, daß nicht
nur die Protestanten, sondern auch die Katholiken ihn
unterstützen würden, da sie ja ein gemeinschaftliches Interesse gegen die Tyrannei des Kaisers haben müßten,
und in seinem Bündnisse mit dem König von Frankreich sei daher den Mitgliedern der Liga ausdrücklich
Neutralität zugestanden worden. Dessenungeachtet aber
hätten die Bischöfe die feindseligste Gesinnung gegen
ihn, als den Befreier Deutschlands, an den Tag gelegt, und ihn dadurch genöthigt, in Franken einzufallen. Er finde es daher für nöthig, sich des Landes
und der armen Unterthanen anzunehmen, so lange bis
der allweise Gott nach seinem allein guten Willen die
Sachen durch einen erwünschten Frieden anders gestalten würde. Zu diesem Zwecke habe er eine Landes-
regierung eingerichtet. Alle Amtleute, Beamtete, Räthe
und Gemeinden sollten sich vor derselben stellen und
den Huldigungseid leisten. Die Gehorsamen werde er
in seinen königlichen Schutz nehmen, bei ihrer Gewissensfreiheit und der öffentlichen Ausübung derselben
auch ihre andern Rechte und Freiheiten beschützen, gegen Böswillige aber und Verächter dieser königlichen
Gnade werde er strafend einschreiten."

Neue Siege Gustav Adolph's gegen Tilly.

Ehe wir in der Darstellung der Begebenheiten
weiter gehen, ist es nöthig, uns nach Tilly umzu-

sehen, den wir seit seiner Niederlage bei Breitenfeld aus den Augen gelassen haben. Nachdem derselbe von seinen Wunden in Halberstadt in etwas wieder genesen war, brach er am 13. September wieder auf und ging nach Hildesheim. Zwar hatte sich wieder einiges Volk zu ihm gesammelt, aber nicht so viel, als er gehofft hatte. Pappenheim hatte sich schon früher mit ihm vereinigt. Nachdem Tilly am 23. September bei Corwey über die Weser gegangen war, zog er einige Hülfstruppen, die ihm der Churfürst von Kölln schickte, an sich, und richtete seinen Marsch nach Hessen, um dem Könige nachzuziehen. Bei Fritzlar vereinigte er sich mit Albringer und Fugger, welche ihm so viel Volk zuführten, daß seine Armee wieder fast so stark war, wie bei Leipzig vor der Schlacht. Das arme Hessenland fühlte nun wiederum alle Schrecken der greulichsten Verwüstungen. Der Landgraf Wilhelm mußte flüchten und sich in festen Plätzen verbergen. Die Siege Gustav's riefen Tilly zum Glück für Hessen vorwärts; am 9. October brach er von Fulda auf, um Würzburg zu befreien. Am 12. stieß der Herzog Karl von Lothringen mit 12,000 Mann zu ihm, der von Maximilian von Baiern und von dem Kaiser durch Versprechungen zu diesem Zuge gegen den König vermocht worden war. Tilly hatte jetzt ein Heer von fast 40,000 Mann, mit welchem er an den Ufern des Mains ankam. Er hätte für Gustav höchst gefährlich werden können, da dieser, wenn es zu einer Schlacht kam, kaum die Hälfte hätte entgegensetzen können. Allein der Churfürst von Baiern

hatte Tilly den gemessenen Befehl gegeben, keine Schlacht
mehr zu wagen, weil er seine letzte Armee nicht aufs
Spiel setzen wollte. Tilly beklagte sich mit Thränen
in den Augen über diesen Befehl, der ihn hinderte,
den erlittenen Schimpf an Gustav zu rächen. Dieser
hatte unterdessen sich Würzburgs und ganz Frankens
bemächtigt, wie bereits erzählt wurde, und Tilly mußte
sich begnügen, einige Städte zu besetzen, wie M.ainz,
Aschaffenburg, Heidelberg, Worms.

Kaum hatte Gustav Adolph von dieser Theilung
der Kräfte Tilly's gehört, als er sie auch zu benutzen
beschloß. Ein Versuch, Werthheim zu nehmen, gelang vollständig; ein kaiserliches Regiment, welches
vor demselben ein Lager bezogen hatte, wurde theils
zersprengt, theils gefangen. Ebenso fiel auch Rothenburg an der Tauber in die Hände der Schweden;
die 600 Mann starke kaiserliche Besatzung nahm Dienst
bei dem König. Ein starkes Corps des Lothringer
Kriegsvolkes wurde beim Weiterziehen der Schweden
gänzlich vernichtet. Noch stand eine andere sehr bedeutende Heeresabtheilung Tilly's an der Tauber.
Gegen diese zog Gustav Adolph selbst von Würzburg herbei, und schlug sie bei Crelingen vollständig.
Die Lothringer jagte er bei Mergenthal in wilde Flucht;
ihr Herzog kehrte bald nach diesem für ihn so unglücklichen Feldzuge, auf welchem er über die Hälfte seiner
Truppen verloren hatte, heim.

————

Gustav Adolph's Zug an den Rhein. — Einzug in Frankfurt.

So hatte denn Gustav Adolph mit Blitzesschnelle fast ganz Franken sich unterworfen, und die Macht des Kaisers und der Liga auch hier gebrochen. Durch seine Staatsklugheit waren die Verhältnisse bald geordnet Bündnisse mit den protestantischen Reichsständen nah' und fern geschlossen, denn die Zaghaften und Rücksichten nehmenden zwang jetzt die Furcht vor der Macht des Königs, sich zu entscheiden. Schwierigkeiten genug hatten sich Gustav während der letzten Wochen entgegengestellt; nicht nur, daß er das mächtige Heer Tilly's stets berücksichtigen mußte, welches ihn von allen Seiten umschwärmte und die größte Vorsicht nöthig machte, hatte er auch noch mit drückendem Geldmangel zu kämpfen. Es blieb dem König nichts weiter übrig, als zu Mitteln zu greifen, die ihm wohl nicht angenehm waren. So schreibt er schon in Querfurt den 18. September an den Pfalzgrafen Johann Casimir: „Wir haben mit Einem Namens Zwirner unterhandelt, der mit einigen seiner Consorten uns eine Partie schlechtes Geld schlagen soll." Am 1. November schrieb er an denselben Pfalzgrafen von Ochsenfurt: „daß er ernste Maßregeln ergreifen müsse, um den Werth der Kupfermünze aufrecht zu erhalten." „Wir wünschten gerne, wenn es die Sicherheit des Landes zuläßt, wieder mit sechs Regimentern unterstützt zu werden, überdieß mit 1000 schwedischen und 500 finnischen Reitern, und daß die Mannschaft

uns nicht nackt über den Hals geschickt werde,
wie solches bisher geschehen."

Der Obristlieutenant Christoph Haubald mußte
Ende October den Versuch machen, Hanau zu neh=
men. Mit sechs Compagnien Kuirassiren und einigen
Hundert Dragonern rückte er von Würzburg aus, und
erschien am 1. November früh vor der Altstadt. Die
Dragoner saßen ab, erstiegen den Wall, von der Dun-
kelheit begünstigt, stießen die Wachen nieder und öffne=
ten nun das Thor, durch welches Haubald mit seinen Kuirassiren einzog. Die Thore zwischen der Alt-
und Neustadt wurden sogleich geschlossen, und die Be=
satzung in der letzteren somit verhindert, zu Hülfe zu
kommen.

Mit Anbruch des Tages forderte Haubald den
Kommandant Brandeis auf, sich zu ergeben. Die
Verderben drohenden Kanonen unterstützten das Gesuch. Der kranke Graf von Hanau gab seine Ein=
willigung zur Kapitulation, und die ganze Besatzung
ergab sich auf Gnade und Ungnade. Der größere Theil
derselben nahm schwedische Dienste.

Kaum hatte der König den günstigen Erfolg die=
ses Unternehmens erfahren, als er mit seiner ganzen
Macht, 20,000 Mann, von Würzburg aufbrach, wo
Feldmarschall Horn mit starker Besatzung zurückblieb,
und an den Ufern des Main hinauf nach dem Rhein
zog. Was auf diesem Wege noch in den Händen der
Feinde war, wurde von dem König genommen; so
Steinheim, Aschaffenburg, Seligenstadt. Von
Offenbach aus ließ nun Gustav Adolph durch

18

den Grafen Solms den Magiſtrat von Frankfurt
erſuchen, „daß ſie dem evangeliſchen Weſen zum Beſten
ten ihm die Stadt öffnen und Beſatzung einnehmen ſollten; im widrigen Falle ſei er gezwungen,
dieſes mit Gewalt zu verſuchen." Es erſchienen Geſandte von Frankfurt aus, welche den König erſuchten,
die Stadt mit jenem Antrage zu verſchonen, da ſie
ihren dem Kaiſer geleiſteten Eid nicht brechen könnten,
und ſich auch durch das Eingehen in des Königs Forderung mancherlei Gefahren hinſichtlich ihrer Meſſen
und Privilegien ausſetzen würden. Auch dieſe freie
Reichsſtadt theilte alſo, und jetzt noch, nach dieſen Erfolgen Guſtav's, die Rückſichtsnahme der andern Reichs-
ſtände, wenn wir nicht lieber annehmen wollen, daß
ſie auch, zum Schein wenigſtens, gezwungen ſein wollte.
Der König vermerkte auch dieſe Geſinnungen ſehr übel,
und antwortete: „Es befremdet mich ſehr, daß ihr von
euren Meſſen redet, und für ein geringeres Intereſſe
mehr Eifer zeigt, als für die großen Vortheile der
Glaubensfreiheit, und dabei euren Privatvortheil
dem allgemeinen Beſten vorziehet. Ich habe von der
Inſel Rügen an bis zum Main herauf den Schlüſſel
zu allen feſten Plätzen gefunden, und werde ihn auch
zu eurer Stadt finden, wenn ihr mir den Durchzug
verweigert." Die Deputirten baten ihn hierauf, er
möchte ihnen geſtatten, ſich zuerſt mit dem Churfürſt
von Mainz zu berathen. Auch dieſes ſchlug der König ab, und ſagte: „Ich bin jetzt für euch der Churfürſt von Mainz, denn ich habe Aſchaffenburg in meinen Händen. Ich will euch eine eben ſo kräftige Ab-

folution ertheilen, als der Churfürft. Es ift mir etwas Leichtes, Frankfurt meinen ganzen Ernft zu zeigen, wenn ich mich als Feind bewelſen will. Sehr
gern würde ich euch mit meinem Antrage verſchonen,
wenn mich nicht die Noth dazu zwänge, und ich es
nicht des böſen Nachbars wegen thun müßte. Deutſchland iſt ein ſehr kranker Körper, der
nur durch heftige Mittel geheilt werden kann,*) und wenn ihr Frankfurter einige Be-
ſchwerlichkeiten davon habt, ſo bedenkt, daß es mir
ſelbſt nicht beſſer geht. Ich ſehe wohl, ihr möchtet
mir gern nur den kleinen Finger reichen, aber ich bedarf die ganze Hand, um mich daran halten zu können."

Der König folgte den Geſandten, welche mit dieſem Beſcheide nach Frankfurt zurückkehrten, auf dem
Fuße nach. Am 17. November ſtand er mit ſeinem
Heere in Schlachtordnung vor Sachſenhauſen. Auf
nochmaliges Anſuchen Guſtav's — öffneten ſich die
Thore, und er hielt mit ungewöhnlicher Pracht ſeinen
Einzug durch Sachſenhauſen, die Mainbrücke hinüber
durch die ganze Stadt. In Sachſenhauſen blieb eine
Beſatzung von 600 Mann; Guſtav ſelbſt zog denſel-
ben Tag noch vor Höchſt, welches ſich ihm Abends
auch übergab. Die Beſatzung nahm Dienſte im Heere
des Königs. In Höchſt traf Guſtav Adolph alle
Anſtalten, um den Uebergang über den Rhein in's
Werk zu ſetzen. Eine Menge Schiffe wurden zuſam-

---

*) So beurtheilte der große König die Zuſtände Deutſch-
lands am 16. November 1631. — Was würde er jetzt ſagen?

mengebracht und mit den nöthigen Brüstungen verse=
hen. Der Churfürst von Mainz konnte leicht erra=
then, wem diese Rüstungen gelten sollten. Er traf
alle Anstalten, um die Einfarth der schwedischen Fahr=
zeuge in den Rhein zu verhindern, und nahm 2000
Spanier in seinen Dienst. Er selbst aber entfloh mit
seinen Schätzen nach Köln. Nachdem Gustav noch die
wichtigen Plätze Kostheim und Fliersheim einge=
nommen hatte, kehrte er am 20. November nach Frank=
furt zurück, wohin ihn politische Angelegenheiten riefen.
Die Schweden drangen unaufhaltsam bis zum Rhein
vor, mit Glück die Spanier schlagend, wo sie densel=
ben begegneten. Herzog Bernhard von Weimar
nahm das Schloß Ehrenfels, Bingen gegenüber,
und den fabelhaften Mäusethurm. Der Landgraf von
Hessen war mit seinem Heere auch herbeigekommen,
und Alles war zum Angriff auf Mainz bereit, nach=
dem auch der König wieder aus Frankfurt beim Heere
eingetroffen war, welches Mainz gegenüber bei Kastel
lagerte.

Tilly vor Nürnberg.

Inzwischen hatte Gustav Adolph mit dem
Landgrafen Georg von Hessen=Darmstadt einen Ver=
gleich abgeschlossen, der für denselben günstigere Be=
bingungen enthielt, als den anderen Reichsständen waren
zugestanden worden. Die nahe Verwandtschaft des
Landgrafen Georg mit Chursachsen ließen Gustav hier

Rücksichten nehmen. Der Landgraf stand ganz unter dem Einflusse des Wiener Hofes, was Gustav sehr wohl wußte. ` Er versuchte es, zwischen letzterem und dem Kaiser die Vermittelung zu einem Frieden zu über-nehmen. Der König ließ den bereitwilligen „Friedens-stifter" gewähren, und pflegte zu sagen, wenn er beim Spiel von ihm Geld gewann: „Dieses Geld freut mich doppelt, denn außer dem Vergnügen zu gewinnen, er-halte ich auch noch kaiserliches Geld." Die Frie-densunterhandlungen kamen zu keiner Blüthe, geschweige denn zu einer Frucht und Reife.

Eben als der König im Begriff stand, über den Rhein zu setzen und Mainz zu nehmen, kam die Nach-richt, daß Tilly mit seiner ganzen Macht sich auf Nürnberg zu werfen beabsichtige. Es war leicht zu vermuthen, daß die Stadt einem gleichen Schicksale, als Magdeburg erfahren hatte, entgegengehe. Um dieses zu verhindern, brach Gustav sogleich mit einem Theile seines Heeres nach Hanau auf.

Wie bereits oben erzählt wurde, hatte Tilly von dem Churfürst Maximilian von Baiern den Befehl, keine Schlacht zu wagen, sondern sich der baierischen Grenze zu nähern. Das neue Zaudern des alten Feldherrn mißfiel dem thatendurstigen Pappenheim höchlich. Die Vorwürfe Tilly's, daß Pappenheim an dem Verlust der Breitenfelder Schlacht Schuld sei, und ihn um Ehre und Ruhm gebracht habe, beantwortete Pappenheim mit Klagen über die Unentschlossenheit des Generals, und daß er, um das Interesse Baierns zu wahren, lieber das Wohl des ganzen Reiches auf's

Spiel setze. Es kam endlich zum offenen Bruch, und Pappenheim trennte sich mit seinen Kuirassiren ganz von Tilly, und ging nach Westphalen.

Tilly mochte wohl das Wahre in Pappenheim's Vorwürfen fühlen und das Mißvergnügen seiner Krieger fürchten; er zog am 18. November vor Nürnberg, und forderte die Stadt auf, sich ihm zu ergeben, das Bündniß mit Schweden zu brechen und Proviant zu liefern. Die Bevölkerung der Stadt hatte schon vorher alles gethan, um dieselbe in guten Vertheidigungsstand zu setzen. Die sämmtlichen Bürger traten unter das Gewehr, so daß der Kommandant Graf Solms über 30,000 Mann zu verfügen hatte. Alle Anträge Tilly's wurden daher abgewiesen, und die Vertheidigung der Stadt ging glücklich von Statten. Schon rüstete sich Tilly zu einem Sturm, als ein Ereigniß eintrat, welches seine Pläne zerstörte. Ein baierischer Soldat, zum Kriegsdienste in der Liga gezwungen, beschloß zu dem protestantischem Heere überzugehen. Am 23. November schlich er sich aus dem Lager Tilly's, nachdem er zuvor eine brennende Lunte unter ein Pulverfaß gelegt hatte. Die Folgen waren fürchterlich; der ganze Pulvervorrath, 125 Centner, flog in die Luft, viele Stücke wurden zerstört, und eine Menge Menschen verwundet oder getödtet. Tilly war gezwungen, sein Lager aufzuheben, und in größter Eile abzuziehen. „Ich sehe, daß ich kein Glück mehr habe," rief er aus. Am 24. November brach er auf, und die herbeieilenden Nürnberger fanden noch die gedeckten Tische in den Zelten. Tilly hatte sein Heer getheilt; eine Abthei-

Zur Erinnerung an
Gustav Adolph's Uebergang über den Rhein.

...ang zog nach Böhmen, mit der andern ging er selbst nach Nördlingen der Donau zu.

___

Gustav Adolph's Uebergang über den Rhein. Eroberung von Mainz.

Schon war Gustav Adolph in Hanau eingetroffen, als er den Abzug Tilly's von Nürnberg erfuhr. Sogleich kehrte er nach Frankfurt zurück. Am 1. December brach er von hier nach Darmstadt auf, nahm die von den Spaniern besetzten Städte Bensheim, Heppenheim ꝛc. und kam am 6. December bei Stockstadt am Rhein an. Der Feind hatte alle Fahrzeuge zerstört, und es war ein besonderes Glück für Gustav, daß er noch durch einen Nierensteiner Schiffer zwei große Nachen erhielt, welche zusammen 300 Mann faßten. Am 7. früh setzten 300 Mann vom Leibregiment unter Anführung des Grafen Niklas Brahe zum erstenmal über. Sobald sie an's Ufer gekommen waren, wurden sie von 1000 spanischen Kuirassiren mit größter Wuth angefallen. Mit beispielloser Tapferkeit hielt sich das Häuflein Schweden, bis die Fahrzeuge Unterstützung brachten. Nun war für die Spanier kein Heil mehr, als nur in der Flucht zu finden, welche sie auch ergriffen.

An der Stelle, wo Gustav Adolph zuerst übersetzte, zwischen Stockstadt und Gernsheim, wurde später eine hohe Denksäule aufgerichtet. — Unter dem Morgengesange: „Aus meines Herzens Grunde"

ließ der König noch Geschütz und einige Reiterregimenter
übersetzen, und zog darauf nach Oppenheim, welches
er sogleich nahm. Eben so fiel nach einigen Tagen auch
das Schloß, bei dessen Vertheidigung 500 Spanier
blieben. Am 9. December erschien der König vor
Mainz. Die Stadt war gut befestigt, und dem spanischen General Don Philipp von Sylva zur Vertheidigung übergeben. Anfangs leistete man heftigen
Widerstand. Als aber die Schweden immer näher
und näher vordrangen, und schon die Sturmleitern an-
legten, ergab sich der Kommandant am 13. December
mit der 2000 Mann starken Besatzung, welche freien
Abzug erhielt. Eine große Menge Kriegsgeräthe fiel
in die Hände der Schweden; 80 Stück Geschütz, Lebensmittel und Wein die Menge. Die Bürgerschaft
mußte 80,000 Rthl. für die Befreiung von der Plünderung zahlen; die Juden und katholischen Geistlichen
aber noch besonders. Der König nahm seine Wohnung auf dem Schloße, und ließ in der Schloßkirche
am andern Tage feierlichen Gottesdienst halten, wobei die evangelischen Kernlieder: „Erhalt' uns Herr
bei deinem Wort" und „Nun lob' meine Seele den
Herrn" erschallten.

Die letzten Tage des Jahres 1631 waren auch
an andern Orten für Gustav Adolph siegreiche.
Der Rheingraf hatte Simmern und Bacherach
erobert; der Landgraf Wilhelm von Hessen-Kassel mehrere Bergschlösser am Rhein. Speier und
Worms schlossen Bündnisse mit Schweden, und Her-

zog Bernhard von Weimar hatte sich auch Mann-
heims zu bemächtigen gewußt.

Gustav Adolph's Völker, welche seit der
Schlacht bei Breitenfeld das Siegesschwert fast nicht
aus der Hand gelegt hatten, bedurften endlich der
Ruhe und Erholung, die ihnen der König auch auf
14 Tage nun gewährte. Er selbst verlebte diese Tage
theils in Mainz, theils in Frankfurt, wo Fürsten und
Gesandte aller Mächte vor ihm erschienen und seine
glänzende Umgebung bildeten. Auch Marie Cleo-
nore war herbeigekommen, um den Glanz ihres siegreichen Gemahls zu theilen. Hier war es auch, wo
ihn der Kanzler Orenstierna mit den bereits oben
(S. 281) erwähnten Worten begrüßte.

Zweiter Abſchnitt.

Erfolge der ſchwediſchen Waffen an andern Orten. Wallenſtein's Wiederauftreten. Verhandlungen.

Ohne Abſchweifung ſind wir in dem vorherge-
henden Abſchnitte den Schritten Guſtav Adolph's, an
welche ſich der Sieg unzertrennlich geheftet hatte, von
der Breitenfelder Schlacht an bis zu ſeinem Einzuge
in Mainz gefolgt; es iſt nun aber an der Zeit, auch
über die Erfolge zu berichten, welche die Feldherrn des
Königs und ſein Verbündeter, der Churfürſt von Sachſen, an andern Orten erkämpften.

Der Feldmarſchall Guſtav Horn. Ake Tott. Johann Banner.

Der König hatte bei ſeinem Aufbruch von Würzburg (S. 273) den Feldmarſchall Horn als Statthalter in Franken zurückgelaſſen. Dieſer war keineswegs unthätig geblieben. Seine erſte Eroberung war
Mergentheim, welches am 16. December fiel, wo
er reiche Beute machte, und durch die Garniſon, welche
meiſt ſchwediſche Dienſte nahm, ſich verſtärkte. Wenige Tage ſpäter kam auch Winsheim in ſeine Hände.
Horn ging nun auf Heilbronn los. Die Bürger dieſer damals wohlhabenden Reichsſtadt waren

Protestanten und dem König zugeneigt, wofür sie von
der 700 Mann starken katholischen Besatzung auf's
Grausamste behandelt wurden. Am 19. December
stand Horn bereits in Weinsberg, und ließ am an=
dern Tage durch einen Trompeter die Stadt zur Ueber=
gabe auffordern. Das Begehren wurde von der Be=
satzung abgewiesen, und die Feindseligkeiten begannen.
Die Geneigtheit der Einwohner der Stadt, sich mit
den Schweden zu vereinigen, brachte den Komman=
danten endlich am 21. dahin, sich zu ergeben. Tags
darauf zog er ab, doch nahm der größere Theil seiner
Mannschaft schwedische Dienste. Horn kehrte nach
diesen günstigen Erfolgen nach Würzburg zurück.

Ein anderer Schauplatz des Kampfes war noch
im nördlichen Deutschland. Ake Tott, dessen wir
schon früher erwähnten, (S. 215) war mit der Bela=
gerung von Rostock beauftragt. Bis zur Breitenfel=
der Schlacht waren alle seine Bemühungen, sich der
Stadt zu bemächtigen, vergebens gewesen. Als aber
Ake Tott den Kommandanten Biermond mit der
Niederlage Tilly's bekannt machen ließ, übergab dieser
freiwillig die Stadt, und zog unter ehrenvollen Be=
dingungen am 6. Oktober 1631 mit seinen Mann=
schaften ab. Ihm folgte die katholische Geistlichkeit,
so wie alle Räthe und Diener Wallenstein's, die
sich noch in Mecklenburg aufgehalten hatten. Der
letzte Ort, welcher noch in den Händen des Kaisers
sich befand, war Wismar. Ake Tott zog nun in
Begleitung der Mecklenburgischen Herzöge vor diese
Stadt. Oberst Gramm vertheidigte dieselbe mit aller

Anstrengung und nicht ohne Glück. Erst am 12. Januar 1632 übergab er die Stadt und zog ab. So war nun ganz Meklenburg wieder in den Händen der Herzöge und von den Feinden gesäubert.

Die Trümmer des unglücklichen Magdeburgs vertheidigte noch der kaiserliche General Wolf von Mannsfeld gegen Johann Banner, der es mit seiner geringen Macht eingeschlossen hatte. Schon waren Unterhandlungen zur Uebergabe angeknüpft, als im November Pappenheim herbeikam, und Bannern zurückdrängte. Der Zerstörer Magdeburgs sah aber bald ein, daß er sich in den traurigen Ueberresten der Stadt nicht würde halten können; zudem war die ganze Umgegend zur Wüste gemacht worden. Was noch an Gebäuden stand, ließ er abbrennen, die Geschütze in die Elbe werfen, und zog am 8. Januar 1632 ab, indem wenige Wagen den letzten Raub ihm nachführten. Banner zog mit drei Regimentern in den Trümmerhaufen ein, der von der Stadt noch übrig war, und erließ nun sogleich Bekanntmachungen, in welchen er die noch lebenden Einwohner zur Rückkehr aufforderte. Gustav unterstützte diese auf alle mögliche Weise, doch nur langsam ging während des Kriegsgetümmels der Wiederaufbau vor sich.

***

Der Churfürst Johann Georg von Sachsen.

Am 12. September 1631 hatte sich die kaiserliche Besatzung in Leipzig ergeben und dem Churfürsten die Thore der Stadt geöffnet. Sächsisches Volk trat an die Stelle der abgezogenen kaiserlichen Garnison. Im ganzen Lande wurde ein Dankfest für die Befreiung von den Feinden gefeiert. Doch war diese Befreiung noch nicht überall gelungen. Der Feldmarschall Tiefenbach war von Schlesien aus mit 10,000 Mann in die Lausitz eingebrochen. Städte und Dörfer wurden niedergebrannt, und aller Gräuel verübt, wie es jene Raubschaaren zu thun gewohnt waren. Sogar bis Dresden waren einzelne Streifpartein vorgedrungen. Der Churfürst war schon im Begriff, mit seinem Heere vorzurücken, als die Nachricht von dem Abzuge Tiefenbach's kam. Der Kaiser hatte dieses befohlen, in der Absicht, dadurch den Churfürsten zum Frieden geneigt zu machen, obschon ihm seine Minister und Tiefenbach selbst nicht beistimmten, sondern meinten, es wäre, nachdem der Bruch doch einmal geschehen, besser, mit den Waffen einen Vergleich zu .erlangen. Der Kaiser hielt es unter seiner Würde, selbst mit dem Churfürsten zu unterhandeln, und bediente sich dazu des spanischen Gesandten Marquis von Cadareta zu Wien, welcher den Freiherrn von Eschede mit Friedesanträgen an den Churfürsten schickte. Dieser sollte seine Beschwerden und Anforderungen schriftlich aufsetzen, und damit zwei Personen an einen gewissen Ort absenden, wo vier kaiserliche Gesandte mit ihnen verhandeln sollten. Doch das Selbstgefühl Johann Georg's war seit seiner Verbindung mit Gustav geweckt worden. Er wies die kaiserlichen Anträge mit der Bemerkung zurück, „daß er dieses bereits zu wiederholten Malen unter den flehendlichsten Bitten um Abstellung

seiner Beschwerden gethan habe. Er beklagte sich über
den Undank des Kaisers, mit welchem derselbe seiner
und seiner Vorfahren dem Hause Oesterreich geleiste-
ten Dienste belohnt habe, und erklärte, daß er gern
einen allgemeinen Frieden sehnlichst wünsche, aber sich
in besondere Unterhandlungen bei seiner Verbindung
mit Gustav Adolph, dem er nächst Gott die Erhaltung seines Landes und seiner Würde verdanke, nicht
einlassen könne."

Am 27. September zog der Churfürst von Leipzig fort, besetzte die festen Plätze in der Lausitz, und
ließ Arnheim in Böhmen einbrechen. Die Besatzung
in den böhmischen Grenzstädten war gering und konnte
keinen Widerstand leisten, deshalb hielt nichts die Eroberungen der Sachsen auf. Tiefenbach hatte den
Befehl erhalten, Prag zu decken, wo er aber zu spät
ankam. Bald war Tetschen, Aussig, Töplitz genommen; Alles floh nach Prag, wohin das sächsische
Heer mit größter Schnelle zog. Die Besitzungen der
katholischen Herren wurden verheert und geplündert;
die Güter der Protestanten aber verschont. Auch ließ
Arnheim die Besitzungen Wallenstein's unangetastet.
Dieser hatte seine Gemahlin nach Wien gehen lassen,
und sich selbst mit seinen Schätzen aus Prag entfernt.
Dasselbe thaten die meisten reichen Einwohner und der
Adel. Die Straßen nach Wien und Budweis
waren mit Flüchtigen bedeckt, welche so viel von ihrer
Habe zu retten suchten, als möglich war. In Prag
herrschte die größte Verwirrung und Bestürzung; der
kaiserliche Statthalter war mit den Reichskleinodien

entflohen, und hatte den Kommandant Don Balthasar
Marabas ohne Verhaltungsbefehle mit seiner Besatzung
von einigen hundert Mann zurückgelassen. In seiner
Verlegenheit wandte er sich an Wallenstein, sich
dessen Rath erbittend, erhielt aber von demselben die
trockene Antwort: „Er möchte thun, was er wolle, er
habe kein Kommando mehr, und wisse nichts zu rathen." Bei solchen Verhältnissen hielt es Marabas
für das Beste, mit seinen Soldaten die Stadt zu verlassen, und zog sich nach Tabor zurück.

Die Einwohner strömten zu den Thoren hinaus,
um die sächsische Armee zu sehen. Arnheim wollte
es anfangs nicht glauben, als man ihm erzählte, die
Stadt sei von den Kaiserlichen verlassen, und befürchtete irgend einen Hinterhalt. Als ihn aber der Haus-
hofmeister Wallenstein's dasselbe versicherte, wandte er
sich an seine Offiziere mit den Worten: Ihr Herren,
die Stadt ist ohne Schwertstreich unser." Er schloß
sofort mit dem Rath eine Kapitulation, durch welche
den Einwohnern ihr Eigenthum und ihre Glaubensfreiheit gesichert wurde. Am 11. November zogen
4000 Mann Sachsen ein. Der Churfürst nahm große
Rücksichten auf das kaiserliche Eigenthum; er wohnte
nicht im Schlosse, den Pallast des Reichsoberhauptes,
sondern in dem Lichtensteinschen Hause; die kaiserliche
Kunstkammer ließ er versiegeln, und eignete sich nur
die vorgefundenen Kanonen zu, welche er nach Dresden abführen ließ. Mit den Sachsen waren auch eine
Menge der Vertriebenen zurückgekehrt, welche sich ihrer
früheren Besitzungen wieder bemächtigten; unter ihnen

war auch Graf von Thurn. Der evangelische Gottesdienst wurde in mehreren Kirchen wieder hergestellt
und die Jesuiten vertrieben. Der Churfürst verfolgte seine Vortheile nicht so rasch, als es wohl möglich
gewesen wäre; Arnheim hatte fast die Hälfte Böhmens erobert, ohne großen Widerstand gefunden zu
haben. Zu früh setzte der Churfürst seinen Fortschrit-
ten ein Ziel; er ließ seine Armee Winterquartiere beziehen und „die Chursächsischen waren mit dem, was
ihnen Gott und das Glück bei Ausgang des Jahres
bescheeret, zufrieden, ließen sich keine Sorge mehr an-
fechten, ruhten in den Winterquartieren und machten
gut Geschirr" wie ein Zeitgenosse sich ausdrückt. Unterdessen gewann der Kaiser Zeit, neue Kräfte zu sammeln, und Böhmen ging, wie wir später sehen werden,
für Sachsen eben so schnell verloren, als es erobert
worden war.

Wallenstein's Wiederauftreten.

So groß die Macht Kaiser Ferdinand's wenige Jahre zuvor gewesen war, so tief war sie gesunken,
als das verhängnißvolle Jahr 1631 sich zu Ende neigte.
„Der Kaiser zitterte in seiner Hofburg." Böhmen war zum Theil erobert und ohne Vertheidiger;
der Weg nach der Kaiserstadt stand dem Sieger offen,
und es lag nur an diesem, daß er nicht dort erschien.
Wunderbar fast waren die Fortschritte Gustav Adolph's;
ganz Norddeutschland war für den Kaiser verloren,

und schon spiegelten sich die schwedischen Waffen in
den Wellen des Rhein und Nekar. Tilly, allenthalben vom Unglück verfolgt und geschlagen, irrte mit
seinen Schaaren in Baiern herum, rathlos, wohin er
sich wenden sollte. Ohne Armee, ohne Heerführer sah
sich Kaiser Ferdinand dem Untergange preisgegeben.

Im ganzen Reiche gab es nur einen Mann,
der jetzt rathen, der jetzt noch helfen konnte. Es war der
so schwer beleidigte, der zurückgesetzte Wallenstein.

Der Kaiser, welcher nur nothgedrungen in des
Herzogs von Friedland Abdankung auf dem Reichstage zu Regensburg gewilligt hatte, war mit demselben
fortwährend in gutem Vernehmen geblieben. Auch in
Wallensteins Brust scheint sich kein Groll gegen Ferdinand festgesetzt zu haben. Wiederholt schreibt er an
Tilly und Questenberg, im März 1631, „daß er
sich nicht im Geringsten vom Kaiser beleidigt finde."
Der Herzog von Friedland hielt nach seiner Abdankung ein prachtvolles Hoflager bald zu Gitschin,
bald zu Prag, und war mit der größten Sorgfalt auf
die Wohlfarth seiner zahlreichen Besitzungen bedacht.
Dabei ließ er aber keinen Augenblick die wichtigen
Vorfälle des Kriegs aus den Augen, und suchte sogar
dem Kaiser durch Rath zu nützen. So schickte er im
März 1631 seinen Kämmerer nach Wien zu dem Herzog Eggenberg, um dem Kaiser zu rathen, sich mit
dem König von Dänemark gegen Gustav Adolph
zu verbinden. Eggenberg antwortete ihm den 24ten
März, „daß der Kaiser aus dieser Mittheilung des
Herzogs fortdauernde Treue und Ergebenheit gnädigst

19

289

erſehen habe." Der Kaiſer ladet in einem Schreiben am 5. Mai Wallenſtein dringend ein, nach Wien zu kommen, „um in allerhand erheblichen Vorfallenheiten, ſonderlich was den Stand des Krieges anlange, des Herzogs räthliches Gutachten zu vernehmen." — „Ich verſehe mich zu Ew. Liebden ganz gnädigſt, Sie werden mir auf einen oder andern Wege nicht aus Handen gehen" Der Kaiſer bezeichnete ihn noch als: „Herzog von Mecklenburg, Friedland und Sagan." Und ſo finden ſich eine Menge Urkunden, welche auf der einen Seite die fortdauernde Anhänglichkeit und Treue Wallenſtein's gegen den Kaiſer, auf der andern aber das volle Vertrauen Ferdinand's zu den Friedländer bezeugen. Als nach der Breitenfelder Schlacht die Verlegenheit des Kaiſers ſich auf's Höchſte ſteigerte, ließ er durch Queſtenberg Wallenſtein um Rath bitten. „Jetzt erkennen wir" — ſchreibt dieſer — „unſere Unklugheit, daß es uns ſchwer fallen wird, mit den Schweden und Churſachſen zugleich Krieg zu führen. Wir wollten gerne wieder zurück auf unſere vorige Stelle, und wiſſen nicht wie?" Dieſes Wie ſollte Wallenſtein beantworten, und durch Arnheim den Churfürſt von Sachſen wieder mit dem Kaiſer verſöhnen. Wallenſtein unterzog ſich auch dieſen Verhandlungen, und ſuchte Arnheim von dem Einfall nach Böhmen abzuhalten, und zum Frieden zu bewegen. Noch am 26. December 1631 ſchreibt er an denſelben: Zuletzt, wenn die meiſten Länder werden in Aſche liegen, wird man Frieden machen müſſen."

Am kaiserlichen Hofe waren die Ansichten getheilt.
Daß man ein neues Heer und einen andern Feldherrn
bedürfe — darüber waren alle einig. Die eine Partei wollte den König von Ungarn, des Kaisers Sohn,
„einen verborgenen Schatz von Vernunft, Fähigkeit und
Freundlichkeit" an die Spitze des Heeres stellen; die
andere Partei aber, welche an diesen verborgenen Schatz
nicht glauben wollte, verlangte nach Wallenstein,
welcher allein im Stande sei, auch das Heer zu schaffen, was man noch nicht hatte. Der Kaiser theilte
die letztere Ansicht, und Ende Oktober reiste der Frei-
herr von Questenberg nach Prag, um Wallenstein
zu bitten, ein Heer zu schaffen und sich an die Spitze
desselben zu stellen. Dieser lehnte den Antrag ab,
körperliche Leiden vorschützend. Der Kaiser vernahm
dieses „mit sehr bestürztem Gemüth, daß sich eins billig darüber hätte erbarmen können." Ferdinand schrieb
eigenhändig an Wallenstein noch ein „gnädigstes Ersuchen und Begehren" sich mit dem ehesten aufzu-
machen und mit ihm über die Bedingungen zu unterhandeln, indem er hoffe, daß Wallenstein ihn in der
gegenwärtigen Noth nicht verlassen werde." Wallenstein hatte Prag verlassen und versprach nach Znaim
zu kommen, um dort mit dem Herzog von Eggenberg
zu unterhandeln. Doch verzögerte er seine Ankunft,
weil er gehört hatte, daß man ihm das Kommando
nur neben oder unter dem Könige von Ungarn geben
wollte. Dieses wollte er aber nicht. „Und wenn man
mir ein Kommando neben dem Herrgott anbietet,
so nehme ich es nicht an, denn befehlen will ich allein,

19*

ober gar nicht." — Eggenberg erlangte von Wallen=
stein vor der Hand nur das Versprechen, ein Heer
von 50,000 Mann aufzubringen, über welches er den
Oberbefehl vorläufig auf 3 Monate übernehmen sollte.
Wallenstein willigte endlich ein; sogleich entwickelte er
seine Thätigkeit nach allen Seiten hin. Kaum war
es bekannt geworden, daß der Friedländer Werbungen
veranstaltete, als sich alle jene alten Offiziere, die seit
seiner Verbannung sich zurückgezogen hatten, um ihn
sammelten. In allen Provinzen des Reichs wurden
Werbebuden aufgeschlagen; der Herzog öffnete seine
Schätze, die vermögenden Obersten thaten dasselbe.
Bald eilten Tausende von allen Seiten herbei zu den
Fahnen, an die so lange Sieg und Ruhm sich gefesselt
hatte. Die vornehmsten Kriegshäupter der alten Zeit
wurden in ihrem Range erhöhet, und jedem, der zur
Vermehrung des Heeres beitrug, überreicher Ersatz
verheißen. Natürlich konnte Wallenstein die ungeheuren Ausgaben nicht allein bestreiten, der Staat mußte
auch Opfer bringen. Die kaiserliche Familie, der Adel,
die hohe Geistlichkeit gaben ansehnliche Spenden freiwillig; außerordentliche und hohe Steuern, welche keinen Stand verschonten, brachten ebenfalls große Summen zusammen. Schon im Februar stand das neue
Heer, 50,000 Mann stark, wie durch einen Zauber-
schlag hervorgerufen, marschfertig da. Nur bis zum
Schluß des März hatte Wallenstein den Oberbefehl
übernommen. Mit Unruhe und Besorgniß sah der
Kaiser die kurze Frist ihrem Ende sich nähern. Fürst
Eggenberg war krank, und so wurde der einflußreiche

Beichtvater der Königin von Ungarn, Pater Quiroga, an den Friedländer geschickt, um ihn zu bewegen, den Oberbefehl zu behalten. Alle Schritte waren vergebens; eben so wenig richtete der Bischof von Wien aus, dem der Kaiser noch ein Handschreiben mitgab, vom 25. März 1632, in welchen er in den beweglichlichsten Ausdrücken bittet, „ihm nicht aus Handen zu gehen" und verspricht, „mit Dankbarkeit und kaiserlicher und königlicher Gnade zu erkennen, niemals zu vergessen." Endlich in der Mitte des April erschien Eggenberg wieder, und brachte die Sache zum Abschluß. Herzog Wallenstein übernahm den Oberbefehl unter folgenden Bedingungen: Der Herzog von Friedland soll nicht allein der römisch-kaiserlichen Majestät, sondern auch des ganzen Hauses Oesterreich und der Krone Spanien Generalissimus sein; diese Gewalt steht ihm im vollsten Umfange mit unbeschränkter Vollmacht zu; weder der Kaiser noch der König von Ungarn dürfen sich bei der Armee befinden; dem Herzog wird ein österreichisches Erbland zugesichert, und die Oberlehnsherrschaft in allen eroberten Ländern; das Begnadigungsrecht des Kaisers darf sich nur auf Leben und Ehre erstrecken, nicht aber auf die Güter, worüber der Herzog zu entscheiden hat; alle kaiserlichen Erbländer stehen ihm zum Rückzuge offen rc.

Der Kaiser nahm diese Bedingungen an, und hatte von seiner Macht und Würde nur noch den Namen; der That nach war er Knecht und Wallenstein Herr geworden. Allerdings kann man es Wallenstein

nicht verargen, daß er unbeschränkte Gewalt verlangte, theils um in seinen Plänen nicht durch seine
Feinde und den Wiener Hof gestört zu werden, theils
auch um dem selbstständigen König Gustav Adolph in
gleicher Selbstständigkeit gegenüberstehen zu können,
und dadurch sich dessen Besiegung zu erleichtern. Allein Wallenstein hatte doch seine Bedingungen zu einer
Höhe geschraubt, welche die Klugheit nicht billigen
kann; er scheint dieser weniger Gehör gegeben zu haben, als seinem verletzten Stolz und seinem Rachege-
fühl gegen seine Feinde. Durch diese Bedingungen
legte er den Grund zu seinem künftigen Sturz, denn
der Kaiser mußte in jedem Augenblick vor ihm und
dem Mißbrauch seiner Macht zittern. Doch ist nicht
zu vergessen, daß es die Aufgabe Wallenstein's war
ein Kaiserreich zu retten.

Verhandlungen in Mainz und Frankfurt.

Wir können die oben am Schluß des ersten Abschnittes abgebrochene Darstellung der Kriegsbegebenheiten nicht eher weiter fortführen, bis wir einiger
Verhandlungen gedacht haben, welche in diese Zeit
fallen. Die Liga war aufgelöst; ihre Mitglieder von
Gustav besiegt; die noch unbesiegten, wie Baiern, suchten bei dem Kaiser Schutz und Hülfe. Gustav Adolph
war das Oberhaupt des protestantischen
Deutschlands. Diese Erfolge der Siege Gustav's
hatte Frankreich weder voraussehen, noch wünschen

können, als es sein Bündniß mit Schweden abschloß.*)
Wenn Gustav noch Lothringen und Elsaß eroberte, so
war er Frankreichs nächster Nachbar. Diese Befürch-
tung und die Besorgniß, daß Gustav nämlich es hauptsächlich auf die Vernichtung des Katholicismus abgesehen habe, und nicht zögern würde, den Hugenotten
in Frankreich eben so zu helfen, wie er den Protestanten in Deutschland half, gaben Anlaß zu einigen Er-
örterungen zwischen dem französischen Hofe und dem
König Gustav Adolph. Der vertriebene Bischof von
Würzburg war als Gesandter der Liga nach Paris gegangen, und unterließ nicht, die ungereimtesten
Gerüchte über Gustav's Absichten gegen die Katholiken
auszubreiten, und den König zu bestürmen, sich von
Schweden zu trennen. Richelieu mußte Alles auf-
bieten, um die Ränke des Bischofs zu nichte zu machen,
dem er wiederholt versicherte, daß es Gustav nur auf
den Kaiser abgesehen, und die Liga nur deshalb angegriffen habe, weil sie den Kaiser unterstütze. Sobald
die Liga vollständige Neutralität beobachte, würde sie
von Gustav nichts zu befürchten haben. Maximilian
von Baiern hatte im Mai 1631 ein geheimes Bündniß mit Frankreich abgeschlossen, in welchem sich Frankreich verbindlich gemacht hatte, Baiern gegen feindliche
Angriffe zu schützen. Der Churfürst Maximilian
verlangte nun, als Gustav sich seinem Lande näherte,
Frankreichs Hülfe, mußte aber von Richelieu hören,
daß er den Sinn des Bündnisses falsch deute. Gegen

*) Vergl. S. 154.

Oesterreich würde ihm Frankreich beistehen, nicht
aber gegen Schweden, dem es schon früher verbunden
gewesen sei. Der Churfürst müße die ihm angebotene
Neutralität annehmen, sonst könne ihm nicht geholfen
werden. Um die Verhältniße zu ordnen, erschien ein
französischer Gesandte, Marquis von Breze bei Gustav
in Mainz. Früher schon hatte Frankreich verlangt,
Gustav solle nicht nach dem Elsaß vorrücken; ein französisches Heer würde sich dort aufstellen, um die Provinz, welche schon in uralten Zeiten Frankreich zuge-
hört hätte, wieder mit demselben zu vereinigen. Der
König Gustav gab dieses nicht zu, sondern antwortete: „Ich bin gekommen als ein Beschützer
Deutschlands, nicht als sein Verräther, darum kann ich nicht zugeben, daß eine Stadt oder eine
Landschaft davon abgerissen werde." Als nun Richelieu meinte, es würde gut sein, wenn wenigstens ein
französisches Heer nach Deutschland vorrücke, gab ihm
Gustav zu verstehen, daß zwei so verschiedene Heere
sich kaum in Deutschland vertragen würden; Frankreich
möge gegen Spanien ziehen.

Der Marquis von Breze sollte die Mißver-
ständniße zwischen den verbundenen Mächten heben,
und Gustav dahin bestimmen, den Mitgliedern der
Liga Neutralität zuzugestehen. Der König erklärte
sich bereit, und stellte die Bedingungen auf, unter welchen er dem Churfürsten von Baiern und den übrigen
Gliedern der Liga Neutralität zugestehen wollte. Der
uns schon bekannte Gesandte Charnace reiste mit diesen
Vorschlägen nach München ab. Von hier aus schrieb

dieser auch sogleich an Gustav, er hoffe, daß der Vergleich bald ohne Schwierigkeiten zu Stande kommen werde. Der Churfürst Maximilian hatte es aber weder mit Gustav Adolph, noch mit Frankreich ehrlich gemeint; es war ihm an der Neutralität nichts gelegen. Während die Unterhandlungen darüber gepflogen wurden, fiel den Schweden ein bairischer Kurier in die Hände, welcher an Pappenheim 100,000 Reichsthaler in Wechseln überbrachte, und die Aufforderung, die Kriegsrüstungen mit dem größten Eifer zu betreiben. Die Pläne des Baiern waren also verrathen und lagen offen vor. Gustav Adolph brach entrüstet alle Verhandlungen mit Maximilian ab, und schloß nur mit einigen Ligisten Verträge ab.

Um jedoch dem gesammten deutschen Volke seine Neigung, einen Frieden abzuschließen, zu erkennen zu geben, und um zugleich den Zweck des Kampfes noch einmal vor allem Volke aufzustellen, eröffnete er sowohl Baiern, als den andern römisch-katholischen Ständen im Januar 1632 die Bedingungen, unter welchen er Frieden schließen wolle. Es waren folgende:

1) Das Restitutionsedict wird aufgehoben.

2) Beide Religionen, die evangelische und katholische, werden frei in Stadt und Land ausgeübt, und Niemandem wird Gewissenszwang angethan.

3) Böhmen, Mähren und Schlesien werden in den vorigen Stand gesetzt, und alle daraus vertriebenen Personen wieder aufgenommen.

4) Der Churfürst von der Pfalz, Friedrich V.,

wird in seine Staaten eingesetzt, und dem Herzog von Baiern der Churhut wieder abgenommen.

5) Die Ausübung der evangelischen Religion wird in Augsburg wieder hergestellt. Die Stadt erhält ihre früheren Freiheiten wieder.

6) Alle Jesuiten sollen als Störer des allgemeinen Friedens und als Urheber aller Unruhen aus dem deutschen Reiche auf immer verbannt werden.

7) Evangelische wie Katholische sollen in jedes geistliche Stift aufgenommen werden, damit beide Religionen unangefochten bleiben, und das Reich in einen blühenden Zustand komme.

8) Die Klöster in Würtemberg, die gegen alles Recht in den vergangenen Jahren weggenommen worden sind, werden in den vorigen Stand gesetzt.

9) Der König von Schweden soll aus Dankbarkeit für die Rettung des deutschen Reiches zum römischen König erwählt werden.

10) Die durch das Restitutionsedict in Würtemberg und den Reichsstädten verursachten Kosten werden vergütet; in den Stiftskirchen sollen von beiden Religionen eine gleiche Zahl Chorherren sein.

Auf Gustav's Einladung erschien Friedrich von der Pfalz in Frankfurt, und wurde mit königlicher Ehre aufgenommen und empfangen. Der englische Gesandte Bane ersuchte Gustav dringend, die Wiederherstellung des unglücklichen Friedrich wenigstens in der Pfalz zu bewirken. Der König beklagte sich sehr über die Verbindung Englands mit Spanien, und über den geringen Beistand, den er sowohl, als auch Friedrich

felbft von England erhalten habe. „Wenn der König
von England" — ſchloß er ſeine Rede an den Ge=
ſandten — „ein Bündniß mit mir gegen Spanien
ſchließt, mir 12,000 Mann ſtellt und unterhält, ſo
verpflichte ich mich, die Spanier und Baiern ſo weit
zu bringen, daß ſie Alles wieder herausgeben ſollen,
was ſie dem churpfälziſchen Hauſe entriſſen haben."
Vane hatte dazu keine Vollmacht. „Nun," — ſprach
Guſtav, — „ſo gebt Euch keine Mühe, mich zur
Wiederherſtellung des Königs von Böhmen zu be=
wegen. Ihr kommt zu ſpät. Ich habe Frankreich
Neutralität gegen Baiern verſprochen." — Der ent=
ſetzte König Friedrich wurde in ſeinem Vertrauen zu
Guſtav, der ihn auf beſſere Zeiten vertröſtete, nicht
irre, und blieb bis in den Herbſt des Jahres 1632
bei ihm. Am 19. November 1632 ereilte ihn der Tod;
auf dem Krankenlager erhielt er die Nachricht von
Guſtav's Fall bei Lützen, und dies war der letzte
Schlag, welchen der Gebeugte ertragen konnte.

Noch eine merkwürdige Verhandlung fand in den
Tagen der Ruhe zu Frankfurt mit dem Churfürſt von
Brandenburg ſtatt. Schon im Mai 1631 hatte
Guſtav bei ſeiner Anweſenheit in Berlin (vergl. S. 172)
dem Churfürſten den Vorſchlag gemacht, ſeine Tochter
Chriſtine mit dem einzigen Sohne des Churfürſten
zu vermählen. Er gab als Grund die Unſicherheit
ſeines jeder Kugel ausgeſetzten Lebens an. Nach ſei=
nem Ableben ſollte der Sohn des Churfürſten König
von Schweden werden. Der Drang der Ereigniſſe
verhinderte damals weitere Verhandlungen. Im Ja=

nuar 1632 kam der brandenburgische Kanzler Götz
zu dem König nach Frankfurt. Während der Verhandlungen sagte Gustav zu ihm: „Ich werde mit Eurem
Herrn wegen Pommern noch in große Streitigkeiten gerathen; allein sie können in Güte beigelegt werden.
Nehmen wir die Heirathsangelegenheit zwischen des
Churfürsten Sohn und meiner Tochter wieder auf,
und sorgen Sie dafür, daß mir der Prinz bald zugeschickt werde, damit ich ihn mit meiner Tochter erziehen lassen und Gelegenheit geben kann, die Liebe der
Schweden zu gewinnen. Ich finde dabei keine andere
Schwierigkeit, als die Religion*); allein darüber läßt
sich vergleichen. Ich will den jungen Prinzen
zum Churfürst von Mainz und Herzog von
Franken machen; nur muß der Churfürst von
Brandenburg in allen Stücken mit mir gemeinschaftlich
handeln."

Der Vorschlag des Königs fand in Berlin große
Schwierigkeiten. Der Staatsrath erklärte, daß man
ohne Verletzung des Gewissens für das Opfer der
wahren calvinischen Lehre kein Königreich eintauschen
könne. Die Doctoren Crell und Berg stimmten
bei, und berührten noch das nahe Verwandtschafts-
verhältniß. Zuletzt gaben sie den Bescheid, daß unter
Gustav's Leitung erst eine allgemeine Verhandlung
protestantischer Theologen gehalten, und die streitigen
Punkte unter Lutheranern und Reformirten beseitigt

----

*) Das brandenburgische Churhaus huldigte der Lehre
Calvin's.

werden müßten, ehe man weiter über die Heirath
verhandeln könne. Der Liebling des Churfürsten, der
Minister Graf Schwarzenberg, war es aber, der
im Interesse des Wiener Hofes die Angelegenheit
hintertrieb.

Noch gehören in diesen Abschnitt die Verhan-
lungen zwischen Gustav Adolph und dem Welfischen Hause. Herzog Georg von Lüneburg hatte
schon seit dem Jahre 1630 eine engere Verbindung
mit dem König gesucht. Im Herbst 1631 kam er zu
dem König nach Würzburg, um den Bund fester zu
schließen. Gustav Adolph überließ dem Herzog
Georg alle dem Welfischen Hause angehörenden Lande
nebst dem Stifte Hildesheim zur Verfügung, wofür
der Herzog sechs Regimenter zu stellen hatte.

Ein ähnlicher Vertrag wurde auch mit dem Herzog Friedrich Ulrich von Braunschweig-Wolfen-
büttel eingeleitet. Die mit Gustav Verbundenen
mußten erklären: „daß sie den König und dessen Erben
und Nachfolger im Reiche und der Krone Schweden
für ihren Schutzherrn achten und demselben mit Leib,
Gut und Blut nach äußerstem Vermögen beistehen
wollten."

Dritter Abschnitt.

Guſtav Adolph's Einbruch in Franken und Baiern. Sein
Einzug in München.

Feldmarschall Guſtav Horn in Bamberg.

Während Guſtav Adolph im Februar wieder zu
den Waffen griff, und ſeine Eroberungen am Rheine
fortſetzte, hatte der Feldmarſchall Guſtav Horn den
Feldzug in Franken mit der Belagerung von Hochſtätt
ſchon Ende Januar eröffnet, welches bald fiel. Am
1. Februar ſchickte Horn einen Theil ſeines Heeres
nach Bamberg. Die Stadt war ohne alle Vertheidiger, deßhalb beſchloſſen die wenigen zurückgebliebenen
Domherren eine Kapitulation abzuſchließen. Schon
waren die Unterhandlungen ihrem Abſchluß nahe, als
500 Mann Landwehr heimlich in die Stadt kamen.
Die Bürger ſchloſſen ſich an dieſelben an, und begangen von den Mauern herab auf die Schweden zu
feuern. Die Schweden drangen nun mit Gewalt in
die Stadt; die Landwehr floh und die Bürger begaben ſich unter dem Schutze der Nacht in ihre Häuſer,
voll Furcht vor dem Schickſale, welches die Stadt tref=
fen würde. Doch geſchah derſelben nichts, und die
Schweden begnügten ſich mit der Plünderung der vor-

nehmften Häuſer, namentlich berer, welche ben Domherren und Jeſuiten zugehörten. Horn war unter-
beſſen ſelbſt angekommen; er berief ſofort den Magiſtrat zuſammen, ließ ihm bem Könige Treue ſchwören,
und in der Domkirche evangeliſchen Gottesdienſt abhalten.

Der Biſchof von Bamberg hatte ſich um Hülfe
an ben Churfürſt von Baiern gewendet, und denſelben endlich bewogen, an Tilly, der mit ſeiner Hauptmacht bei Rördlingen ſtand, den Befehl ergehen zu
laſſen, die Schweden aus dem Bisthum zu vertreiben.
Erfreut über die Gelegenheit, an ben ſo verhaßten
Schweden Rache nehmen zu können, brach Tilly ſofort
auf, nahm einige Orte auf ſeinem Zuge weg und gelangte mit 20,000 Mann und vielem Geſchütz in
Forchheim an. Horn wußte bereits, daß der An-
zug Tilly's ihm gelte; er berief einen Kriegsrath zuſammen, da er nicht für ſich allein die Vertheidigung
der Stadt unternehmen wollte. Viele riethen zum
Rückzuge, die Mehrzahl aber zur Vertheidigung der
Stadt. Der König hatte bereits dem Herzog von
Weimar befohlen, Horn zu unterſtützen, nun durfte
man wohl hoffen, die Stadt erhalten zu können. Die
Verſchanzungen wurden ſogleich mit allem Eifer betrieben.

Am 28. Februar wurde Horn benachrichtiget,
daß feindliche Reiter nahe bei der Stadt geſehen worden ſeien; ſogleich ſchickte er Befehl an die vor der
Stadt ſtehende Reiterwache, ſich in kein Gefecht einzu-
laſſen, beſah die Verſchanzungen und hieß das Reiter-

regiment Baubiffen sich bereit halten. Diefer letzte Befehl wurde leider falsch verstanden, und Oberstlieute= nant Bülow rückte mit seiner Schaar dem Feinde entgegen. Obgleich Horn, diefes bemerkend, Befehl zum Rückzuge gab, so wurde doch Bülow's Reiterei durch die feindliche Uebermacht in Unordnung gebracht und mußte weichen. Der Feind folgte auf dem Fuße nach und hielt schon einige Straßen befetzt, als ihn Horn mit der größten Anstrengung wieder zurücktrieb und so lange beschäftigte, bis das Kriegsgeräthe und das Geschütz eingeschifft und die Brücke über die Reg= nitz abgebrochen war. Hierauf zog er sich in Ordnung zurück und ging bei Eltmann über den Main.

Diese Nachrichten bestimmten Gustav Adolph, vom Rhein aufzubrechen, und sich mit Feldmarschall Horn zu vereinigen. Pfalzgraf Christian von Birkenfeld und Herzog Bernhard von Weimar sollten, unter des Reichskanzler Orenstierna oberster Leitung, die Eroberungen am Rhein während der Ab= wesenheit des Königs fortsetzen. Diefer ließ seine Ge= mahlin nach Frankfurt zurückgeleiten und hielt am 9. März Heerschau bei Aschaffenburg. Die Streitmacht betrug gegen 25000 Mann, welche sofort aufbrach und weiter rückte, und sich bei Kitzingen am 12. März mit Horn vereinigte, welcher zuvor noch einen glücklichen Ueberfall gegen einige Regimenter Tilly's ausgeführt hatte. Wenige Tage nach der Vereinigung Gustav's mit Horn kam auch Johann Banner und Herzog Wilhelm von Weimar herbei, so daß das Heer des Königs über 30000 Mann stark war. Diefer

Macht hielt sich Tilly nicht für gewachsen; er ging zurück, und zog auf Befehl des Churfürsten Maximilian der Donau zu, um Baiern gegen den heranrückenden Feind zu schützen.

***

Gustav Adolph in Nürnberg.

Am 21. März war Gustav Adolph in Fürth eingezogen, und begab sich Tags darauf, einer Einladung des Raths zu Nürnberg zufolge, in Begleitung von König Friedrich von Böhmen und anderem hohen Gefolge in diese Stadt. Der Rath und ein großer Theil der Bürgerschaft war dem Könige entgegengezogen; unter lautem Frohlocken und Jubel wurde er empfangen, und in die alte, ehrwürdige Reichsstadt geleitet, wo jung und alt in den Straßen dicht geschaart standen, um den längst ersehnten Retter zu sehen und zu begrüßen. Prachtvolle Geschenke, Beweise des Reichthums und der Kunstfertigkeit, welche die Stadt auszeichnete, wurden dem König dargebracht, worunter zwei kunstreiche silberne, reichvergoldete Trinkgeschirre, Erd- und Himmelsgloben darstellend, sich besonders auszeichneten. Der König entgegnete auf die an ihn gerichtete Anrede:

„Ich bedanke mich für das Geschenk, welches ihr mir verehrt habt; doch könnt ihr mir nichts Besseres verehren, als Beständigkeit bei dem allgemeinen evangelischen Wesen. Ich bitte, ihr wollt euch ja nicht davon abwenden lassen, nicht durch Furcht oder Schrecken, nicht durch Verheißungen oder Drohungen, nicht durch

20

Wollust oder Eitelkeit, oder andere Leidenschaften, denen
die Menschen unterworfen sind; besonders aber bei dem
in diesen Zeiten herrschenden Fürsten des Geldgeizes.
Die Feinde werden nicht unterlassen, Alles zu versuchen, zu verheißen, auch zu drohen und zu schrecken,
damit sie euch abwendig machen mögen. Denn es ist
bekannt, welch' mächtige und listige Feinde wir haben,
und wie das Haus Oesterreich, Spanien und der Papst
sich verbunden haben, alle Evangelischen auszurotten
und zu vertilgen. Dahin zielen auch ihre Unternehmungen, dahin gehen alle ihre Anschläge, dahin wenden sie alle ihre Macht und Stärke, dahin stehet all'
ihr Thun und Lassen, Dichten und Trachten. Aeußer-
lich suchen sie zwar Frieden, aber einen solchen Frieden, der sowohl euch, als allen Evangelischen zum
Untergang und vieler Millionen Seelen zum Verderben
gereichen müßte. Daher erinnert euch bei den mir
verehrten Kugeln, der himmlischen und der irdischen,
immer den Blick von der Erde nach dem Himmel zu
richten, damit, wenn der Feind euch dieser irdischen
Kugel Schätze und Herrlichkeiten vor Augen stellt,
dieser Glanz euch nicht so verblende, daß ihr des Himmlischen vergesset, und jenem nachstrebend dieses euch
selbst unwürdig macht. Gott hat euch zu Regenten
gesetzt, und so viele Tausende euch anvertraut in einer
so volkreichen Stadt, als ich meine Lebetage nicht gesehen habe. Ich will nicht zweifeln, ihr werdet sie
also regieren, daß ihr es dermaleinst vor dem Rich-
terstuhle Gottes und der ganzen Christenheit werdet
verantworten können.

Ihr seid Patricier, und eure Vorältern sind vor
langen Jahren in der Welt berühmt gewesen; diesem
ihren Lobe und Fußtapfen strebet nach, und thut als
gute Patrioten das Eurige bei diesem großen Werke.
Bedenket, was Gott über euch verhängen möchte, wenn
er euch in eurer Feinde Hände überlieferte, wie sie
mit euch und den eurigen umgehen würden. Es hat
euch der allmächtige Gott viel erleben laffen, und es
ist wahr, daß ihr viel gelitten und ausgestanden habt.
Gott hat uns dadurch unsere Sünden zu erkennen geben wollen, aber dabei doch gewaltig beschützt. Nicht
genug kann ich mich wundern, und muß es für eine
augenscheinliche Fügung Gottes halten, der einen Feind
so verblendet, daß er sich dieser und anderer Städte
im Reiche nicht bemächtigt hat, die er doch vor zwei
und drei Jahren schon in seiner Gewalt besaß, und
nur zugreifen durfte. Wunderbar hat euch Gott erhalten, wie er mich denn auch zu diesem Werke berufen; denn ich hätte mich eher des jüngsten
Tages versehen, als daß ich nach Nürnberg
kommen sollte. Mein armes Land und Leute
und was mir lieb ist, habe ich verlassen, und
manchen treuen Helden mit mir herausge-
führt, welche ihr Leben neben dem meinigen
gewagt, Alles dem allgemeinen evangelischen Wesen und der Erhaltung der deutschen Freiheit zum Besten. Ich will auch dabei
und besonders gegen euch thun, was mir nur immer
möglich ist, so weit mir Gott Gnade verleiht; und

20*

was ich euch habe durch verschiedene Gesandte versprechen lassen, will ich halten.

Bedenket also, was das Werk auf sich hat, und
um Gottes Barmherzigkeit willen bleibet beständig,
lasset euch nicht abwendig machen, und ermuthigt andere von euch abhängige Stände. Ich sage dieses
nicht, als ob ich Zweifel in euch setzte, sondern um
euren Eifer noch mehr anzuspornen. Es wird euch
Gott nicht alle Tage einen solchen Prediger schicken,
als wie mich, der ich begehre, euch zu helfen, zu trösten, allen Beistand zu leisten, so viel mir Gott Kraft
verleihen wird. Duldet und leidet noch etwas, bleibet
treu, thut das Eurige in diesem Werke, so wird Gott,
der so wunderbar durch seine Engel euch bisher Hülfe
erzeigte, ferner seine Gnade geben, daß diese Stadt
blühe, grüne und zunehme, damit euer Ruhm in der
ganzen Welt sich ausbreite. So wollen wir Gott alsdann mit einander loben, ehren, rühmen und preisen,
hier zeitlich und dort ewiglich." —

Daß solche Ansprache, welche den hohen Geistes-
adel des Königs, seine lautere, einfache Gottesfurcht
eben so deutlich bekundete, wie sie von der Reinheit
seiner Absichten Zeugniß ablegte, ihren Zweck nicht
verfehlte, daß Aller Herzen dem königlichen Sprecher
entgegenschlugen — wird nicht befremden.

Der Uebergang über den Lech. — Gustav Adolph in Augsburg.

Schon am Abend desselben Tages folgte Gustav seinem Heere nach Schwabach nach. Am 26. März erschien er vor Donauwörth, welches von dem Herzog Rudolph Maximilian von Sachsen-Lauenburg vertheidigt werden sollte. Auf die Aufforderung zur Uebergabe erfolgte die Antwort, daß dem König nichts als „Kraut und Loth und die Spitze des Degens" zu Diensten stehe. Die Ausfälle der Belagerten wurden abgeschlagen, und die Beschießung der Stadt begann. Die Einwohner, welche Baiern abgeneigt waren, drangen in den Herzog, die Stadt zu übergeben; doch that er es erst dann, als alle Aussicht auf Hülfe von Tilly verschwunden war. Mit großem Verlust verließ er unter dem feindlichen Feuer die Stadt, und zog sich zurück. Der evangelische Gottesdienst wurde von Gustav sogleich wieder hergestellt; der König selbst verweilte einige Tage in der Stadt. Von hier aus schickte er verschiedene Heeres-Abtheilungen aus, um die Orte an der Donau bis Ulm, das ihm verbündet war, zu erobern, was auch vollständig gelang.

Während der König mit seinem Heere noch auf dem linken Ufer der Donau stand, hatte Tilly seine Truppen auf dem rechten vereinigt, und eine feste Stellung bei dem Städtchen Rain eingenommen, wo sich der Churfürst von Baiern mit ihm vereinigte.

Denn klar lag Gustav's Absicht vor, über den Lech zu gehen, und in das Herz von Baiern einzufallen. Dieses wollte Maximilian um jeden Preis verhindern. Sämmtliche Brücken über den Lech waren bis Augsburg abgebrochen; dieses aber selbst so wie alle Plätze befestigt und mit starker Besatzung versehen.

Der Lech hat zwar nur eine Breite von höchstens 50 bis 60 Fuß, doch ist der Uebergang wegen seiner reißenden Strömung und steilen Ufer nicht leicht; zumal war er damals durch die Frühjahrswässer sehr angeschwollen. Tilly hatte vor sich den Lech, hinter sich die Aicha, einen Bach, der durch das Städtchen Rain fließt; zur Rechten die Donau, zur Linken Rain. In dieser Stellung hatte er sich verschanzt und mit seinen Schaaren eingegraben. Der König untersuchte wiederholt, oft mit der größten Lebensgefahr, den Lech, um einen Uebergangspunkt zu finden. Endlich blieb er bei dem Entschlusse stehen, gerade dem Feinde gegenüber den Uebergang zu versuchen, weil das diesseitige Ufer fast nur 12 Fuß höher war, und der Fluß hier einen Bogen machte, wodurch am andern Ufer fast eine Halbinsel gebildet wurde. Zuvor hielt er einen Kriegsrath und theilte den Obersten seinen Plan mit. Gustav fand Widerspruch, namentlich von Seiten des Feldmarschall Horn, welcher den Plan, im Angesicht des Feindes überzusetzen, zu kühn und gefährlich fand, und den Rath gab, lieber nach Böhmen zu gehen, und Wallenstein's Macht zu vernichten. „Wir," — entgegnete der König, — „wir, die wir über die Ostsee und so viele große Flüsse in Deutschland gegangen

sind, sollten uns fürchten, über einen Bach, wie der
Lech ist, zu gehen?" Der Uebergang wurde sofort
beschlossen, und von Gustav durch die geschicktesten
Maßregeln vorbereitet. Zunächst ließ er drei Batterien
von 75 Stück Geschützen an der Stelle auffahren, wo
der Lech jene Krümmung macht. Vom 3. April an
begann ein fürchterliches Kreuzfeuer gegen die Feinde.
Die Baiern standen zum Theil in einem Walde; dieser wurde
das Ziel der schwedischen Kugeln, welche unaufhörlich
Aeste und Stämme zerschmetterten, wodurch die Baiern
großen Verlust erlitten. Mitten unter dem Pulverdampf, der noch durch angezündete Feuer von Stroh
und andern viel Rauch gebenden Dingen vermehrt
wurde, ließ der König die Brücke schlagen, welche am
5. April fertig war, ohne daß Tilly es hätte hindern
können. Sogleich wurden 300 Finnen auf das andere
Ufer geschickt, welche daselbst, Schaufel und Muskete
in der Hand, einen Halbmond aufwarfen, welcher sofort mit Kanonen besetzt wurde. Jetzt beginnt der
Uebergang des Fußvolkes und der Geschütze; die Reiterei geht an zwei seichten Stellen durch den Lech, und
der fürchterlichste Kampf entsteht. Groß waren die
Anstrengungen der Feinde und Tilly's, welcher sich
der größten Gefahr aussetzte, um nicht eine zweite
Niederlage durch Gustav Adolph zu erleiden. Vergebens! Eine Kugel zerschmettert ihm das rechte Bein,
und tödtlich verwundet wird der greise Feldherr vom
Kampfplatz getragen; zugleich wird auch der zweite
General, Aldringer, verwundet. Nach dem heftigsten Kampfe ziehen sich die Baiern in ihr Lager zu-

rück, welches sie während der Nacht in größter Unordnung verlaffen, den sterbenden Feldherrn in einer
Sänfte mit sich führend. Sie zogen nach Neuburg
und Ingolstadt. Hier starb Tilly am 20. April,
nachdem er bis dahin noch die fürchterlichsten Schmerzen
erduldet hatte. Kurz vor seinem Tode ermahnte er
den Churfürsten von Baiern, Ingolstadt und Regensburg zu verwahren. „Regensburg" hauchend,
verschied er.

Es dürfte nicht unangemeffen sein, über Tilly,
welcher in der Geschichte Gustav Adolph's und des
dreißigjährigen Krieges eine so bedeutende Rolle spielt,
wenigstens Einiges zu berichten.

Johann Tzerklas, Graf von Tilly, 1559
in Flandern geboren, erhielt seine Erziehung durch
Jesuiten. Als der jüngste von mehreren Brüdern
wurde er für die Kirche bestimmt. Er zog es aber
vor, sich dem Kriegswesen zu widmen. Er erlernte
daffelbe, von der untersten Stufe auf dienend. Unter
Alba, Don Johann von Oesterreich und Alexander
Farnese focht er im niederländischen Kriege mit.
Unter Kaiser Rudolph II. war er Oberstlieutenant im
ungarischen Kriege, und trat hierauf in die Dienste
Maximilian's von Baiern. Hier wurde er als
Feldhauptmann an die Spitze des Heeres gestellt, welches die Liga zusammengebracht hatte. So weit hatte
er sich durch seine Tapferkeit, mehr noch aber durch
seine Alle überflügelnde Kriegskenntniß emporgeschwun-
gen. Er galt als der größte Feldherr seiner Zeit, bis
ihm Gustav Adolph diesen Ruhm, den er sich in

zwanzig gewonnenen Schlachten erworben hatte, streitig machte. Vor Gustav's Ankunft in Deutschland
war Tilly stets unbesiegt geblieben. In Folge seiner
Erziehung hing er mit ganzer Seele an dem Katholicismus und war gegen die Feinde desselben mit fana-
tischer Wuth durchdrungen, welche noch durch politische
Rücksichten genährt wurde. Es ist auch nicht unwahr-
scheinlich, daß er ein heimliches Mitglied der Jesuiten war.

Ungeachtet der höchst ansehnlichen Geschenke, welche
Tilly von Marimilian und von dem Kaiser erhielt, besaß er wenig Vermögen. Er wandte Alles auf das
Heer der Liga. Den Rest seines Vermögens, 60,000
Thlr., vermachte er jenen Wallonen Regimentern, die
bei Breitenfeld mit so unverwüstlicher Tapferkeit fochten und den besiegten „alten Vater" in ihre Mitte
nahmen. Als Mensch verdient er durch seinen einfachen, tugendhaften Wandel alle Anerkennung, wenn
man von den unerhörten Grausamkeiten absieht, welche
seine Schaaren verübten. Namentlich ist es die Zerstörung Magdeburgs und die Unzahl der dort verübten Schandthaten, welche Tilly's Namen mit Fluch
belastet auf die Nachwelt brachten. Daß ihm nicht alle
einzelnen Handlungen der Grausamkeit und des Blut-
durstes zur Last gelegt werden können, ist bereits oben
bemerkt worden; doch ist es immer noch Pflicht der
Lobredner Tilly's aus der neueren Zeit, sein Standbild
in der Walhalla von manchem Vorwurfe zu rei-
nigen.

Fahren wir nach dieser Abschweifung in der Dar=
stellung der Begebenheiten am Lech weiter fort.

Am Morgen des 6. April fand Gustav das
Baiersche Lager verlassen; er soll bei dessen Anblick
ausgerufen haben: „Wäre ich an der Baiern Platze
gewesen, ich hätte diese Stellung nie verlassen, noch
dem Feinde die Thüre in meine Erbstaaten geöffnet,
selbst wenn mir eine Kugel Bart und Kinn wegge=
nommen hätte." — Das Städtchen Rain ergab sich;
der König ging nun am Lech hinab nach Augsburg.
Am 8. April war er in Lechhausen, Augsburg ge=
genüber. Die Anstalten zur Belagerung Augsburg's
wurden gemacht, doch versuchte Gustav Adolph zuvor
den Weg der Güte. Die Unterhandlungen hatten Er=
folg; am 10. April zog der Befehlshaber der Stadt
ab. Der König ließ nun den Rath der Stadt zu sich
nach Lechhausen kommen, um einen Vergleich mit dem=
selben abzuschließen. Der 1629 eingesetzte katholi=
sche Magistrat mußte weichen, und einem protestan=
tischen Platz machen; die Stadt huldigte der Krone
Schweden, erhielt aber alle ihre Rechte und Frei=
heiten bestätigt. Am 14. April hielt Gustav Adolph
feierlichen Einzug in den ehrwürdigen Sitz des evan=
gelischen Bekenntnisses, begleitet von hohem Gefolge.
Der Zug ging in die Annenkirche, wo der königliche
Hofprediger die Predigt hielt, über die Worte des 12.
Psalms: „Weil die Elenden verstöret werden
und die Armen seufzen, will ich auf, spricht
der Herr, ich will Hülfe schaffen, daß man
getrost lehren soll."

Mit eben der Freude, mit eben dem Jubel wie
in Nürnberg wurde der königliche Held auch in
Augsburg gefeiert. Nach dem Gottesdienst versammelte sich der neue protestantische Rath auf einem freien
Platze vor dem König und leistete den Huldigungseid: „Wir geloben und schwören, daß wir dem durchlauchtigsten Fürsten und Herrn, Herrn Gustav Adolph,
der Schweden, Wenden und Gothen König u. s. w.
unserm gnädigsten Herrn und König, getreu, hold, gehorsam und gewärtig sein, deren Bestes prüfen, Schaden aber warnen und äußerster Möglichkeit nach abwenden, auch Alles thun und lassen wollen, was getreue Unterthanen ihrem natürlichen Herrn zu leisten
schuldig sind, treulich ohne Gefährde, so wahr uns
Gott helfe zu Seel' und Leib."*)

Hierauf wurde der Magistrat zur königlichen Tafel
gezogen; der König erhielt die üblichen Ehrengeschenke,
besah die Stadt und kehrte am Abend nach Lechhausen zurück. Am 15. April zog der König von Lechhausen ab, nach Ingolstadt zu, wo sich der Churfürst von Baiern, durch die Kanonen der Stadt geschützt, aufgestellt hatte. Die Versuche Gustav's, die
Stadt zu nehmen, waren bei der günstigen Lage der-

---

*) Diese dem Könige von der freien Reichsstadt geleistete Huldigung wurde ihm später sehr übel ausgelegt. Zu
gleicher Zeit erschien in Augsburg eine Denkmünze auf Gustav
Adolph mit der Inschrift: „Gustava et Augusta, caput religionis et regionis," welche im Wort= und Buchstabenspiel
den Sinn hat: Gustavsburg — Augsburg, Sitz der evangelischen Religion wie des Reichs.

selben an der Donau vergebens. Bei der erfolglosen
Bestürmung des Brückenkopfes kam der König in die
größte Gefahr. Eine feindliche Kanonenkugel ging,
sein Bein streifend, durch den Leib seines Pferdes,
welches sich umschlug und auf ihn stürzte. Er arbeitete sich unter dem Pferde vor und bestieg mit den
Worten: „Der Apfel ist noch nicht reif" ein anderes.
Wenige Augenblicke später wurde dem jungen Markgrafen von Baden an des Königs Seite der Kopf
weggeschossen. Als der König in das Lager zurückgekehrt war, und ihm seine Umgebung Glück zu der
wunderbaren Rettung wünschte, und zugleich ihn dringend bat, sein Leben nicht so jeder Gefahr auszusetzen,
sprach er: „Der Tod des Markgrafen und die noch
rauchende Kugel, die mir so nahe gewesen ist, erinnern
mich an meine Sterblichkeit. Mensch, du mußt sterben, — dieß ist das alte Gesetz der Natur, davon mich
weder meine hohe Geburt, noch meine königliche Krone,
noch die Waffen und vielfachen Siege befreien werden.
Ich muß mich also dem Willen Gottes und seiner
Führung ergeben. Er wird, wenn er mich auch von
dieser Welt wegnehmen sollte, doch die gerechte Sache,
die ich jetzt verfechte, nicht verlassen. — Mir ist zwar
nicht unbekannt, daß das Glück meiner Waffen mir
viel Feinde erweckt hat, die mich meines Ruhmes zu
berauben und die Einfältigen zu bereden suchen, daß
ich diesen Krieg nicht in der Absicht führe, Deutschland
zu seinem vorigen Stand und Ansehen zu bringen,
sondern um mich zu bereichern. Allein ich nehme
Gott und mein Gewissen zum Zeugen, und

die vertriebenen Fürsten selbst, die ich ohne allen Eigen-
nutz in ihre Länder wieder eingesetzt habe, meine königs
liche Kammer, aus der ich schon so viele Tonnen Goldes zu diesem Kriege hergegeben habe, meine Gläubi-
ger zu Frankfurt und anderwärts, von denen ich große
Summen geliehen habe. Dieses Alles mag bezeugen,
ob ich bei diesem Kriege meinen eigenen Vortheil, oder
nicht vielmehr meiner Glaubens- und Bundesgenossen
Wohlfarth gesucht habe. Die Drangsale, die ich erlitten, die Gefahren, denen ich mich freiwillig aussetze,
und künftig mich zu unterwerfen bereit bin, mögen bezeugen, daß ich mein Reich und Alles, was mir lieb
ist, in keiner andern Absicht verlassen habe, als der
grausamen Tyrannei des Hauses Oesterreich Einhalt
zu thun, meine Nachbarn, Bluts- und Religionsver-
wandte, und die evangelischen Fürsten und Stände
Deutschlands in die vorige Freiheit zu setzen, und einen
beständigen sichern Frieden zu erwerben."

Der Churfürst Maximilian von Baiern ver-
stärkte die Besatzung von Ingolstadt, zog ab, und wandte
sich nach dem für ihn so wichtigen Regensburg.
Durch List, Verrath und Gewalt wußte er sich der
ihm abgeneigten Stadt zu bemächtigen. Auf diese
Nachricht beschloß der König von Ingolstadt abzuzie-
hen, weil er einsah, daß er die Stadt ohne großen
Verlust an Zeit und Menschen nicht würde nehmen
können. Bevor wir ihn aber auf seinem Zuge nach
Alt-Baiern begleiten, liegt uns ob, über einige
Verhandlungen zu berichten, welche in dem Lager vor
Ingolstadt gepflogen wurden.

hut wohl aufwiegen, welchen sie mir in Preußen abgenommen haben.*)"

Die Eifersucht des französischen Hofes wurde
immer größer; die Freundschaft immer lauer, die Hülfsgelder blieben endlich ganz aus.

Einige Wochen später ließ Richelieu bei Gustav
Adolph anfragen: „Wie weit er noch seine Eroberungen zu treiben gedächte, und wo er ihnen eine Grenze
setzen wolle?" Der König antwortete kurz: „Da, wo es
mein Interesse fordert." Als Richelieu drohte, ein
französisches Heer gegen ihn marschieren zu lassen, ließ
ihm Gustav sagen, „der König von Frankreich brauche
sich nicht so weit zu bemühen; an der Spitze von
100,000 Mann würde er nach Paris kommen, und
den Streitigkeiten ein Ende machen."

Gustav Adolph in München.

Am 24. April verließ der König mit seinem Heere
das Lager, um in Alt-Baiern einzubringen. Hier
hatte er einen neuen Feind zu bekämpfen, nämlich den
fürchterlichsten Haß der Einwohner gegen die Schweden, welchen die Pfaffen immer mehr anzufachen suchten. Oeffentlich ließen sie beten: „Herr, erlöse
uns von dem Erbfeind, dem schwedischen
Teufel." Gustav hatte die strengste Mannszucht einschärfen lassen, um das Vorurtheil zu widerlegen; sie
wurde auch gehalten. Doch das hinderte die Baiern

---

*) Vergl. S. 139.

nicht, jeden einzelnen Schweden auf das Unmenschlichste
zu behandeln. Solche Unglückliche, welche den wüthen=
den Baiern in die Hände fielen, wurden auf das Grau=
samste verstümmelt und dem qualvollsten Tode preis=
gegeben. Natürlich war es, daß die Schweden sich zu
rächen suchten, wo sie konnten. Unaufhaltsam drang
Gustav in dem reichen, von dem Kriege bisher gänz=
lich verschonten Baiern vor. Am 26. April eroberte
er Moosburg; am folgenden Tage nahm Horn
Landshut ein; Freiburg fiel ebenfalls und schon
zitterte die Hauptstadt München. In Freiburg er=
schienen Abgesandte des Magistrats von München, um
mit Gustav zu unterhandeln. Dieser ließ sich aber
nicht hinhalten, und erschien am 7. Mai vor der Haupt=
stadt selbst. Auf den Knieen überreichten Abgeordnete
dem König die Schlüssel der Stadt. Er sagte zu den=
selben: „Ihr habt es gut gemacht und eure Unter=
werfung entwaffnet mich. Mit Recht hätte ich an
eurer Stadt das Unglück von Magdeburg rächen
können. Allein fürchtet nichts und seid wegen eurer
Güter, eurer Familien und eurer Religion unbesorgt.
Geht in Frieden, mein Wort gilt mehr, als alle Ka=
pitulationen in der Welt." Mittags zog Gustav Adolph
mit einigen Regimentern ein, und nahm sein Quartier
mit dem König von Böhmen im Schlosse. — Als
er am andern Tage die Pracht und den Geschmack
des Schlosses bewunderte, fragte er, wer der Baumei=
ster dieses herrlichen Gebäudes sei. Auf die Antwort,
daß es der Churfürst selbst sei, erwiderte er: „Könnte
ich diesen Baumeister haben, so wollte ich ihn nach

21

Stockholm schicken." Mit Freimuth antwortete man
ihm, „dafür würde sich derselbe wohl zu hüten wissen."
Am 8. Mai besuchte der König das Zeughaus und
fand zu seinem Erstaunen nur Laffetten. „Stehet auf
von den Todten und kommet zum Gericht" rief er aus,
und ließ die Dielen des Fußbodens aufbrechen. Man
fand 140 Stück prächtige Kanonen, in der einen 30,000
Stück Ducaten. Das Geheimniß war dem Könige
verrathen worden, welcher die Kanonen nach Augsburg
bringen ließ und das Gold unter seine Soldaten vertheilte. — Am folgenden Tage besuchte Gustav das
Jesuiten-Collegium, und unterhielt sich mit dem Pater Rector in lateinischer Sprache über kirchliche Ge-
genstände. Hierauf fand eine große Heerschau statt,
zu welcher die Münchener herbeiströmten. Wie groß
war das Erstaunen derselben, als sie die Kriegserfah-
rungen der Schweden, die Leutseligkeit des großen
Königs sahen, mit welcher derselbe vom Pferde stieg,
den Soldaten selbst die Handgriffe beim Gebrauch der
Waffen zeigte, und mit ihnen, als seinen Spießgesellen
gar freundlich sprach, wie ein Zeitgenosse erzählt.

Von den Besaßungen, welche Gustav in Augsburg und Schwaben zurückgelassen hatte, waren inzwischen
Memmingen, Kempten und andere Orte erobert worden. Es entstand darüber ein Aufstand unter dem
Landvolke, welches unter Anführung des kaiserlichen
Oberst von Schwenden bei Weingarten sich vereinigt
hatte. Sie wurden von den Schweden umringt und
mußten sich ergeben. Doch war der Aufruhr damit
nicht zu Ende; neue Zusammenrottungen entstanden.

Am 12. Mai trieben die von Augsburg und Ulm heranrückenden Schweden bei Kempten einen andern Haufen Bauern auseinander. Die Nachricht von diesen Unruhen und von den Verwüstungen, womit sie begleitet waren, veranlaßte den König, von München wieder aufzubrechen, und er kam grade zu rechter Zeit, um den kaiserlichen Obersten Ossa von der Eroberung Biberachs abzuhalten und zum Rückzug zu nöthigen. Gustav war zuerst nach Augsburg gegangen, und von da nach Memmingen gezogen, welches das Ziel seiner Eroberungen in Baiern wurde, das bis auf wenige feste Orte in seiner Gewalt war. —

Ueber alle Berechnung hinaus waren die Fortschritte, welche Gustav Adolph in wenig Monaten von Neuem gemacht hatte; groß das Staunen Europas, größer aber der Schrecken des Kaisers und Maximilian's von Baiern. Der Weg nach Wien stand dem Sieger offen. Wer sollte Widerstand leisten? Eben so bedrängt war die Lage des Churfürsten von Baiern, welcher rath- und hülflos in Regensburg geblieben war, von wo aus er Boten über Boten um Beistand an den Kaiser abschickte, und — an seinen erbittertsten Feind — an den „Friedländer." Es ist nun an der Zeit, zu berichten, von welchen Erfolgen das neue Erscheinen Wallenstein's auf dem Kampfplatze begleitet war.

21*

Vierter Abschnitt.

Die Zeit der Belagerung von Nürnberg.

Wallenstein's Erfolge in Böhmen.

Nachdem Wallenstein den Oberbefehl über die von ihm neu geschaffene Armee übernommen hatte, machte er es sich zur nächsten Aufgabe, die Sachsen wieder aus Böhmen zu treiben. Seine Verbindungen mit Arnheim hatten ununterbrochen fortgedauert, eben so wie dessen Bemühungen, den schwachen Churfürst von Sachsen zu einem Friedensschluß mit dem Kaiser zu bewegen, und somit die Verbindung mit Gustav Adolph zu zerreißen. Das war Wallenstein's Absicht, die er keinen Augenblick aus den Augen ließ. Auf alle Weise suchte man Gustav's Absichten bei dem Churfürsten zu verdächtigen, um ihn zum Abfall zu bewegen. Der König unterließ nicht, Johann Georg zu warnen, und dieser lehnte die ihm gemachten Vorschläge ab, wenn auch wohl nur aus Mißtrauen gegen Wallenstein. Bereits im Monat Februar 1632 hatte dieser mehrere Städte Böhmens wieder erobert; so Saatz, Kaden, Kommotau. Am 4. Mai stand das kaiserliche Heer vor Prag; Wallenstein begann sofort die Stadt zu beschießen. Am folgenden Tage war

Prag durch List und Gewalt in seinen Händen; die Besatzung erhielt freien Abzug. Arnheim zog die Besatzungen aus den Städten an sich, und langte glücklich mit seinem Heere Ende Mai in Sachsen wieder an. So schnell war ganz Böhmen dem Kaiser wieder erobert worden, der auch nicht unterließ, die schmeichelhaftesten Briefe an seinen siegreichen Feldherrn zu erlassen, und ihn zu ermahnen, „seine werthe Person recht in Obacht zu nehmen, weil an ihrer Erhaltung dem gemeinen Wesen so unendlich viel gelegen sei." Seinen Plan, nach Sachsen zu ziehen, und den Churfürsten zu demüthigen, mußte Wallenstein wegen der Fortschritte Gustav's in Baiern und der ernsten Ermahnung des Kaisers, dem Churfürsten Maximilian beizustehen, für jetzt wieder aufgeben. Doch übereilte er sich bei dieser Hülfeleistung keineswegs. Am 2. Juni noch schrieb Maximilian an Wallenstein: „Gern wollte ich mich noch eine kleine Zeit gedulden, im festen Vertrauen, Ew. Liebden werden alsdann, die Sachen mögen sich in Böhmen gestalten, wie sie wollen, mit dem Heere heraus in's Reich rücken, um die Hauptwurzel alles Unheils auszureißen." Kurz darauf brach er von Regensburg auf, zog nach Böhmen zu, und schlug bei Weyden sein Lager auf, aus welchem, er an Wallenstein schrieb: „Ich bin der Hoffnung Ew. Liebden bald zu sehen und Ihr die aufrichtige Zuneigung meines Gemüthes erkennen zu geben." Von dieser Zuneigung hatte nun Wallenstein allerdings keine Beweise; tiefer, unversöhnlicher Haß und Rachsucht glühte gegen den Baiern in seinem Herzen.

Nur die Rückſicht auf den Kaiſer und das Allgemeine
nöthigte ihn, ſich zu ſtellen, als ob er jenen Verſiche-
rungen glaube. Er war mit ſeinem Heere in dem
ihm ſpäter ſo verhängnißvollen Eger angekommen,
wo er ſich mit dem Churfürſten vereinigte, nachdem
man ſich vorher über die Bedingungen verſtändigt hatte.
Wallenſtein hielt nun Heerſchau, und fand ſeine Armee gegen 60,000 Mann ſtark, welcher 80 Kanonen
folgten. „Innerhalb vier Tagen ſoll es ſich zeigen,
wer von uns beiden, ich oder der Schwede, Herr in
Deutſchland iſt,“ rief er in ſtolzem Selbſtgefühl aus,
als das rüſtige Heer an ihm vorüberzog.

Guſtav Adolph's Lager in Nürnberg.

Sobald Guſtav Adolph die Vertreibung der Sachſen aus Böhmen in Memmingen vernommen hatte,
vereinigte er ſeine in Baiern ſtehenden Heeresabtheilungen in Donauwörth, und zog dem Churfürſt
von Baiern bei ſeinem Aufbruche von Regensburg
nach. Herzog Bernhard von Weimar und Johann
Banner blieben mit 12,000 Mann zurück. Er zog
nun über Nürnberg nach Sulzbach, konnte aber die
Vereinigung des Baiern mit dem Friedländer nicht
mehr hindern. In Ungewißheit, ob dieſer ſich gegen
ihn oder gegen Sachſen wenden werde, blieb der König
zwei Tage in Sulzbach. Jetzt kam die Nachricht
von Wallenſtein's Anzuge. Den faſt dreimal ſtärkeren
Feind konnte Guſtav in ſeiner offenen Stellung nicht

erwarten; Nürnberg war in der größten Gefahr
und hatte vielleicht das Schicksal Magdeburgs zu befürchten. Um Nürnberg zu schützen zog sich Gustav
gegen diese Stadt, und ließ den Magistrat kund thun,
daß er Alles zum Schutze Nürnbergs thun wolle und
in seinen Mauern ein Lager zu beziehen entschlossen
sei. Die Einwohner, hocherfreut, legten sofort mit Hand
an das Werk, um unter Gustav's Leitung die Stadt
zu befestigen. Am 21. Juni begannen mehrere Tausende Schanzen aufzuwerfen, welche um alle Vorstädte
gehen sollten; die schwedischen Soldaten rückten ein,
und vollendeten die Verschanzungen. Das Lager war
durch die Pegniz in zwei Hälften getheilt; ein brei-
ter und tiefer Graben ging um die Verschanzungen;
alle Eingänge waren geschützt, und 300 Feuerschlünde
droheten von den Schanzen und Thürmen der Stadt
Verderben zu schleudern. An Getreide war in der
Stadt kein Mangel, nur konnten die Mühlen nicht
Mehl genug schaffen. Empfindlich wurde aber bald
der Mangel an Futter, welches Meilen weit hergeholt
werden mußte. Gegen 50,000 Pfund Brot wurden täglich
ins Lager geschickt, und doch deckte dieses kaum das Bedürfniß.

Die Stimmung der Einwohner war günstig;
durch kirchliche Feierlichkeiten suchte man den rechten
Geist zu erhalten. Auch fehlte es nicht an Liedern,
welche den Stolz der Einwohner berührten:

,,Nürnberg, des Reiches Zier auserkoren,
Der Feind hat dir den Tod geschworen,
Doch Gott sich gnädig zu dir wendt;
Aus Schweden dir einen Vater sendt,

Der für dich unter dem Himmelssaal
Wacht mit aller seiner Helden Zahl.
Drum hilf, daß ihnen nichts gebricht,
Ihr Wohlstand deine Erlösung ist.
Gern Magdeburg jetzt Alles thät,
Wenn nicht nach Schad der Rath zu spät."

Alle männlichen Einwohner vom 18. bis zum 40. Jahre bewaffneten sich, und waren jeden Augenblick zum Kampfe für die Stadt bereit. Aus ihnen wurde ein Regiment von 24 Kompagnien, nach dem Alphabet benannt, errichtet, welches den täglichen Waffendienst verrichtete. Der Geist, welcher in Nürnberg herrschte, war allerdings sehr verschieden von dem, welcher in Magdeburg gewaltet hatte. Doch wußte auch Gustav alle Kräfte und Bestrebungen nach einem Ziele hin zu lenken.

Der Oberst Taupadel wurde mit einem Dragonerregiment vom König ausgeschickt, die Bewegung der nahenden Feinde zu erspähen. Als er die erste Abtheilung derselben erblickte, welcher er sich für gewachsen hielt, griff er sie an, wurde aber von der Uebermacht bewältigt. Der größte Theil seiner Leute wurde niedergehauen, und er selbst gefangen. — Wallenstein zog mit seiner Heeresmacht heran, überschritt die Rednitz, und bezog auf den Anhöhen am linken Ufer ein Lager, welches er sogleich durch gewaltige Schanzen befestigen ließ*). Von seinem Lager aus

---

*) Er kam, wie ein Zeitgenosse berichtet, „in Donner und Blitz, im Lichte der flammenden Oberpfalz nach Nürnberg."

konnte er die Stadt und das Lager Gustav's über-
sehen, von welchem ihn nur der Fluß und die Ebene
zwischen demselben und der Stadt trennte. Der Plan
des Friedländers war, den König durch Hunger zum
Abzug zu zwingen, und dadurch dann zu einem Friedensschluß. „Man hat Schlachten genug. geliefert; es
ist Zeit, daß wir einer andern Methode folgen," —
sagte er zu seiner Umgebung, welche erwartete, daß
er den König angreifen würde. Wallenstein glaubte
dadurch dem Kaiser und Reich einen größeren Dienst
zu leisten, als wenn er den Krieg auf die gewohnte
Weise fortgesetzt hätte. Um das Vertrauen des Königs
zu gewinnen, schickte er den gefangenen Oberst ohne
Lösegeld zu Gustav zurück, nachdem er ihn zuvor an
seine Tafel gezogen, und mit einem herrlichen Pferde
beschenkt hatte. Während der Unterhaltung äußerte
er sich gegen den Oberst: „er hielte den König für
den besten und tapfersten Kavallier in der Welt, und
wünschte sehr, daß zwischen dem Kaiser und König
ein heilsamer Friede geschlossen würde."

Obschon kein Grund vorliegt, an der Aufrichtig-
keit der friedlichen Gesinnungen Wallenstein's zu zweifeln, so schien Gustav demselben doch entweder nicht
zu trauen, oder er versprach sich von diesem nicht die
rechte Unterlage zu einem allgemeinen Frieden zu erlangen. Der König machte den Rath der Stadt mit
den Anträgen Wallenstein's bekannt, und überließ es
demselben, einen Vergleich einzugehen, oder in der Vertheidigung fortzufahren. Natürlich zog man das Letz-

tere vor, und dankte dem König für seine Bereitwilligkeit, Beistand zu leisten.

Die Feindseligkeiten bestanden anfangs nur in
kleinen Gefechten zwischen den Streifpartheien, welche
von beiden Heeren zur Herbeischaffung des Futters
ausgeschickt wurden. — Den ersten Verlust erlitt
Gustav dadurch, daß die kleine Festung Lichtenau,
welche eine Besatzung von Nürnbergern vertheidigen
sollte, am 27. Juli in die Hände der Feinde fiel.
Wallenstein ließ nun von hier aus die ganze Umgegend brandschatzen. Doch sollte Gustav für diesen
Verlust glänzende Entschädigung erhalten. Er erfuhr
durch einen Gefangenen, daß in dem Städtchen Frei-
städl ein Zug von einigen Tausend Wagen mit Brot,
Mehl, Salz, nebst einigen Hundert Stück Schlachtvieh aus der Pfalz und Baiern für Wallenstein angekommen sei, und daß bereits dieser einige Regimenter
abgeschickt habe, um den Zug zu geleiten. Sofort
schickte der König den Oberst Taupadel mit seinen
Dragonern und andern Reitern ab, sich des Zuges
zu bemächtigen. In der Nacht vom 31. Juli gelangte
dieser vor der Stadt an, auf Leitern erstiegen die Dragoner die Mauern, Petarden öffneten das Thor, durch
welches die Küraffire einbrachen; Bürger und Soldaten wurden niedergehauen, die Wagen bespannt und
darauf geladen, was fortzubringen war. Gegen 1000 Stück
Schlachtvieh fielen in die Hände der Schweden, welche
mit dieser Beute nun abzogen, nachdem die Stadt in
Brand gesteckt worden war. — Der König war mit
einigen Tausend Mann dem Obersten entgegengezogen,

um ihn zu decken; unterwegs stieß er auf den kaiserlichen General S p a r r e , welcher zu gleichem Zwecke
ausgerückt war. Unter der persönlichen Anführung
G u s t a v ' s erfochten die Schweden einen glänzenden
Sieg; Sparre und andere Hauptleute wurden gefangen; 600 Kaiserliche bedeckten das Schlachtfeld, die
andern suchten ihr Heil in der Flucht. Glücklich langte
der Beutezug in Nürnberg an, wo der König ein
Dankfest feiern ließ; die Soldaten, welche den Sieg
erkämpft hatten, wurden reich belohnt.

Inzwischen war der König in keiner günstigen
Lage. Gewohnt, in offner Feldschlacht den Feind zu
sehen und zu besiegen, mußte er sich hinter seinen Verschanzungen halten. Der lange Aufenthalt in einem
Lager ist, namentlich wenn Mangel eintritt, der Zucht
und Ordnung höchst nachtheilig. So drohete auch die
rühmliche Mannszucht in der Armee des Königs im
Nürnberger Lager in Verfall zu kommen, weniger unter den Schweden, als unter den deutschen Truppen,
welche sich zu Gewaltthätigkeiten sowohl gegen die Bürger, als Landleute hinreißen ließen. Die Maßregeln
der Befehlshaber, welche meist dem höheren deutschen
Adel angehörten, welcher längst mit unzufriedenen
Blicken den Siegen Gustav's zugesehen hatte, waren
nicht kräftig genug, der eingeschlichenen Zuchtlosigkeit
zu steuern. Noch ehe Gustav Adolph das Lager bezog, liefen Klagen ein über die empörendsten Grausamkeiten, welche namentlich die d e u t s c h e n Soldaten an
den armen Einwohnern verübten. Am 29. Juni rief
der König alle deutschen höheren und niederen Offiziere

zufammen, und hielt in Gegenwart des Pfalzgrafen und anderer Großen eine Anfprache an fie, welche ihnen eben fo wenig zur Ehre gereichte, als fie heute noch gar fehr zur Lehre dienen kann. In der höchften Entrüftung, wie ihn noch Niemand gefehen, fprach er mit Donnerftimme:

„Ihr Fürften, ihr Grafen, ihr Herren, ihr Edelleute, ihr feid diejenigen, welche Untreue und Frevel an ihrem eigenen Vaterlande beweifen, welches ihr felbft zerftöret, verderbet und verheeret. Ihr Oberften, ihr Offiziere vom Höchften bis zum Niedrigften, ihr feid diejenigen, die ftehlen und rauben ohne Unterfchied, keinen ausgenommen; ihr beftehlet eure eigenen Glaubensgenoffen; ihr gebt mir Urfache, daß ich einen Ekel an euch habe. Gott, mein Schöpfer, ift mein Zeuge, daß mir das Herz in meinem Leibe gällt, wenn ich nur einen von euch anfchaue. Ihr feid Frevler und Verbrecher an den Gefetzen und meinen Geboten, und gebt Urfache, daß man öffentlich fagt: „Der König als unfer Freund thut uns mehr Schaden, als unfere Feinde." Ihr folltet, wenn ihr rechte Chriften wäret, bedenken, was ich an euch bewiefen und bis jetzt gethan habe; wie ich meinen königlichen Leib und Leben für euch und eure Freiheit, um eures zeitlichen und ewigen Wohles willen daran fetze.

Ich habe eurethalben meine Krone ihres Schatzes entblößt, und gegen 40 Tonnen Goldes aufgewendet; dagegen habe ich von euch und eurem deutfchen Reiche nicht fo viel erhalten, daß ich mich damit nur fchlecht

bekleiden könnte; ja, ich wollte eher bloß geritten sein,
als mich mit dem Eurigen zu bekleiden. Ich habe
euch Alles gegeben, was mir Gott in meine Hand
gegeben hat; ich habe nicht einen Stall behalten, den
ich nicht unter euch getheilt hätte. Keiner unter euch
hat mich jemals um etwas angesprochen, das ich ihm
verweigert hätte; denn das ist mein Brauch, Keinem
eine Bitte abzuschlagen. Würdet ihr mein Gebot in
Acht genommen haben, so wollte ich die eroberten Län=
der alle unter euch ausgetheilet haben. Ich bin, Gott
sei Lob und Dank, reich genug, begehre nichts von
dem Eurigen, und wenn ihr auch also Gott vergessen,
und eure Ehre nicht bedenken, oder gar von mir gehen
wolltet, und gleich zu entlaufen gedächtet, so soll doch
die ganze Christenheit erfahren, daß ich mein Leben
für euch, als ein christlicher König, der den Befehl
Gottes zu verrichten begehrt, auf dem Platze lassen
will. Wollt ihr euch gegen mich empören, so will
ich mich zuvor mit meinen Finnen und Schweden also
mit euch herumhauen, daß die Stücken von uns hin=
wegfliegen sollen.

Ich bitte euch um der Barmherzigkeit Gottes
willen, gehet in euer Herz und Gewissen; bedenket,
wie ihr haushaltet, wie ihr mich betrübet, so daß mir
die Thränen in den Augen stehen möchten. Ihr han=
delt übel an mir wegen eurer schlechten Zucht, nicht
aber wegen eures Fechtens, denn darinnen habt ihr
immer gehandelt wie redliche und rechtschaffene Edel=
leute, wofür ich euch dankbar bin. Ich bitte euch da=
her noch einmal um der Barmherzigkeit Gottes willen,

gehet in euch, und bedenket, wie ihr dermaleinst eures Thuns halber Rechenschaft geben wollet vor Gottes Throne. Mir ist so wehe unter euch, daß es mich verdrießt, mit einer so verkehrten Nation umzugehen. Wohlan, nehmet meine Erinnerung zu Herzen; mit Ehestem wollen wir an unsern Feinden sehen, wer ein ehrliches Gemüth und rechter Edelmann ist."

Diese Worte machten den größten Eindruck; Alle waren erschrocken und erstarret; Vielen standen die Thränen in den Augen. Als man dem Könige das Zelt eines Korporals zeigte, vor welchem geraubte Kühe standen, ergriff er denselben bei den Haaren und übergab ihm dem Profoß zur Strafe mit den Worten: „Komm her, mein Sohn, es ist besser, ich strafe dich, als daß Gott nicht allein dich, sondern um deinetwillen mich und uns alle strafe."

So standen nun die beiden größten Feldherren sich schon wochenlang gegenüber, ohne etwas Entscheidendes zu unternehmen. Wallenstein wollte keinen Angriff auf Gustav's Lager wagen, weil er von der Erfolglosigkeit eines Sturmes im Voraus überzeugt war; der König konnte aber das kaiserliche Lager nicht angreifen, noch auch eine Schlacht anbieten, bevor er Verstärkungen an sich gezogen hatte. Die Befehle, zu ihm zu stoßen, waren schon längst an seine andern Heeresabtheilungen ergangen. Bevor wir aber diese Vereinigung berichten, dürfte es angemessen sein, zu erzählen, welche Ereignisse auf andern Schauplätzen des Krieges bisher stattgefunden hatten.

Anderweite Ereigniffe in diefer Zeit.

Der Reichskanzler Drenstierna, welcher den Oberbefehl am Rhein hatte (vergl. S. 304.), sandte den Feldmarschall Horn, der später zu ihm stieß, nach Koblenz, welches die Spanier am 21. Juni räumten. Horn überließ es gegen eine große Summe den Franzosen, und kehrte an den Oberrhein zurück, um die spanischen Besatzungen aus der Pfalz, wo sich noch welche fanden, zu vertreiben. Zu gleicher Zeit war der Rheingraf in Straßburg angekommen, gewann den Adel aus dem Elsaß für sich, und eroberte die ganze Provinz. Jetzt kam Gustav's Befehl an den Kanzler, mit allen verfügbaren Heeresabtheilungen zu ihm zu stoßen, worauf Drenstierna sogleich nach Franken aufbrach, wo sich die übrigen Feldherren an ihn anschließen sollten.

Werfen wir jetzt einen Blick auf Sachsen. Als man in Wien gesehen hatte, daß alle Schonung, die Wallenstein dem Churfürsten wiederfahren ließ, denselben zum Abfall von Schweden nicht bewegen konnte, ergriff man die entgegengesetzten Maßregeln, und es erging der Befehl, in Sachsen einzubrechen. Tiefenbach drang zuerst in die Lausitz ein; die fürchterlichsten Verwüstungen bezeichneten seinen Weg, den er unter Mord und Brand verfolgte. Görlitz und Zittau fielen zunächst in seine Hände. Arnheim eilte herbei, konnte zwar Zittau nicht wieder erobern, zwang aber die Kaiserlichen, sich wieder nach Schlesien zurückzuziehen, wohin er ihnen nachfolgte, Glogau und eine Schanze bei Steinau einnahm. Der schwedische Oberst Duval hatte es endlich dahin gebracht, daß der Churfürst von Brandenburg, dem überdies jetzt Gefahr drohete, einen Theil seiner Truppen mit den schwedischen sich vereinigen ließ. Am 4. August traf er mit Arnheim in Glogau zusammen; das vereinigte Heer war jetzt über 16,000 Mann stark, und würde glänzende Erfolge erfochten haben, wenn die Eifersucht zwischen den beiden Heerführern, und namentlich Arnheim's zweideutiges Betragen ein engeres Verhältniß und Zusammenwirken zugelassen hätte. Das kaiserliche Heer konnte sich nicht länger halten, und floh nach manchen Verlusten nach Breslau, und von da, von Duval verfolgt, nach Oppeln und Kosel, wodurch der größere Theil Schlesiens in die Gewalt der Schweden und ihrer Verbündeten kam.

Wallenstein schickte bei solchen Nachrichten den Feldmarschall Heinrich Holk mit 6000 Mann nebst Geschütz nach Sachsen, um die Abrufung Arnheim's zu veranlassen. Holk hatte den Befehl erhalten, die größte Strenge gegen das unglückliche Sachsen zu brauchen; ein Befehl, der den unmenschlichen Holk zum blutdürstigen Tiger machte. Grimmiger als sonst je haußten die entmenschten Raubschaaren in dem armen Voigtlande und Erzgebirge, über welches sie sich ergoffen. Mord, Raub, Plünderung, Brand sind noch die glimpflichsten der Verbrechen, welche hier verübt wurden; die übrigen Schandthaten, welche namentlich an dem schwächeren Geschlechte begangen wurden, sind faſt nicht durch Worte zu bezeichnen. Was Wunder, wenn die Sachſen einige Monate ſpäter Guſtav Adolph, als er kam, um Wallenſtein aus Sachſen zu treiben, auf den Knieen wie einen Gott verehrten! Holk rückte mit ſeinem Heerhaufen bis nach Freiberg vor; Einzelne ſtreiften ſogar vor den Mauern von Dresden, was den Churfürſt bewog, Arnheim aus Schleſien herbeizurufen.

Inzwiſchen hatte ſich Orenſtierna's Heer in Franken immer mehr vergrößert. Herzog Wilhelm von Weimar vereinigte ſich bei Kitzingen mit ihm, und führte außer ſeiner Heeresabtheilung noch einige Regimenter Sachſen herbei. Noch fehlte Herzog Bernhard von Weimar. Dieſer eben ſo glückliche, als ſiegreiche Held war, wie oben (S. 326.) erwähnt, von Guſtav in Memmingen zurückgelaſſen worden. Der Aufruhr der Bauern, von dem wir ſchon berichtet, war von Neuem ausgebrochen. Bis Mitte Juli war es dem Herzog gelungen, allen Widerſtand zu brechen, die früheren Eroberungen zu ſichern und durch neue zu vergrößern. Nachdem er Schongau eingenommen hatte, drang er nun gegen die Alpen vor, fiel in Tyrol ein und eroberte mehrere Schanzen. Schon dachte der Erzherzog Leopold in Insbruck an die Flucht, als der Befehl Guſtav's den ſiegreichen Bernhard nach Nürnberg rief, und ihn zum ſofortigen Rückmarſch nöthigte. Am 9. Auguſt vereinigte er ſich mit dem Kanzler, welcher nun dem König ein Heer von faſt 40,000 Mann zuführte, und ſich am 14. mit demſelben vereinigte. Guſtav hatte nun eine

22

Macht von 60,000 Mann, und war Wallenstein über=
legen. „Innerhalb wenig Tagen" — rief er freudig
aus — „soll Arm und Bein guten Kaufs sein, Gott
wird mir beistehen."

Gustav Adolph's Abzug von Nürnberg.

Wallenstein hatte nicht gewagt, aus seinem Lager
herauszugehen, und die ihm Verderben drohende Verbindung zu hindern. Wohl aber vermuthete er, daß
der König ihn nun angreifen würde, ließ die Schanzen
vergrößern und noch mehr befestigen, und rief den
General Jakob Fugger mit 6000 Mann aus Baiern
zu sich. — Am 21. August rückte der König mit
seinem ganzen Heere aus dem Lager, und stellte es in
Schlachtordnung auf, in der Absicht, Wallenstein eben=
falls aus seinen Verschanzungen zu locken. Dieser
ließ sich jedoch dazu nicht bewegen. Am folgenden
Tage errichtete Gustav mehrere Batterien, und das
feindliche Lager wurde den ganzen Tag mit der größten Heftigkeit beschossen, doch ohne großen Nachtheil
dadurch zu erleiden, weil die Entfernung zu groß
war. Durch falsche Nachrichten über den Abzug des
Friedländers getäuscht, faßte Gustav den Entschluß,
das feindliche Lager zu stürmen, obschon seine Kriegsobersten das Unternehmen mißbilligten, weil kaum
eine Wahrscheinlichkeit des Gelingens vorhanden sei.
Am 24. August führte der König seine Heeresabthei=
lungen bei Fürth über den Fluß; 60 Stück Geschütz

begleiteten ihn. „Die alte Feste," eine Schloßruine
auf einem steilen Berge, war der Mittelpunkt des
feindlichen Lagers, und auf sie mußte der Angriff erfolgen. Durch Verhaue und Geschütze war sie so gesichert, daß eine Erstürmung gänzlich unmöglich schien.
Nur 500 Mann konnten in dem engen Raume anrücken. Umsonst waren alle Anstrengungen des Königs;
ein Regiment nach dem andern bis zum letzten rückte
an, und alle mußten mit großem Verlust wieder
zurück. Wallenstein vertheidigte sich nur mit seinem
Geschütz. Am Abend deckten 2000 Todte den Kampfplatz. Viele der vornehmsten Heerführer waren von
beiden Seiten verwundet; dem Herzog von Friedland
und Bernhard von Weimar wurden die Pferde unter dem Leibe erschossen; dem König nahm eine Kugel
ein Stück seiner Stiefelsohle weg. Wallenstein gestand
dem Kaiser, daß er in seinem Leben kein ernstlicheres
Treffen gesehen habe.

Der König nahm nun eine feste Stellung bei
Fürth ein, wo er noch 14 Tage verweilte. Immer
größer wurde der Mangel in beiden Lagern, welche
eine so ungeheure Menge Menschen und Thiere um-
schloßen. Doch wollte keiner der beiden Feldherrn zuerst weichen, weil dies einer Besiegung gleich gewesen
wäre. In Nürnberg starben täglich Hunderte vor
Hunger; verderbliche Seuchen waren in Folge der
schlechten Nahrungsmittel und des Zusammenlebens so
vieler Tausende ausgebrochen. Unter solchen Verhältnissen wollte der König die Stadt nicht länger leiden
laßen, und beschloß abzuziehen. General Kniphausen

22*

und der Kanzler Orenstierna blieben mit 6000 Mann zu ihrem Schuße zurück.

Am 8. September, 76 Tage nach der Beziehung des Lagers, zog der König in voller Schlachtordnung unter klingendem Spiel an Wallenstein's Lager ruhig vorüber, nach Neustadt an der Aisch zu. Jedenfalls vermuthete der König, Wallenstein würde nach seinem Abzuge Nürnberg stürmen wollen; deßwegen ließ er die starke Besatzung in der Stadt, und alle Schanzen und Befestigungswerke unversehrt stehen. Hätte Wallenstein die Stadt angegriffen, so würde der König sofort umgekehrt und ihn überfallen haben. Der kluge Friedländer mochte aber dieses ahnen; und wagte mit seinen durch Hunger und Krankheit geschwächten Truppen keinen Angriff, sondern verließ am 13. September sein Lager, welches er anzünden ließ. Eben so gingen auf seinen Befehl alle Dörfer in der Nähe in Flammen auf. Unter Flammen, Rauch und Verwüstung ging er auf Forchheim los. Die Nürnberger machten im kaiserlichen Lager noch ansehnliche Beute an Kriegsgeräthe, welches aus Mangel an Pferden hatte zurückbleiben müssen.

Mangel und Seuchen hatten beide Heere, namentlich aber das kaiserliche, eben so geschwächt, als eine offene Feldschlacht. Das kaiserliche Heer war bis auf 25,000 Mann geschmolzen. Und dieses Opfer war ohne allen Vortheil von Seiten Wallenstein's gebracht worden. Unumstößlich war sein Entschluß, den König durch andere Mittel, als eine entscheidende Schlacht zu besiegen. Weder des Churfürsten von Baiern Einreden, noch das Murren seiner Soldaten konnten ihn auf andere Gedanken bringen. Er fürchtete das Schicksal Tilly's und Gustav's Kriegskunst. Ließ er sich mit dem König in eine Schlacht ein, so stand Alles auf dem Spiele: sein Ruhm, seine Ehre, Ferdinand's Kaiserreich und die Verwirklichung seiner eigenen Pläne.

Fünfter Abschnitt.

Von Gustav Adolph's Aufbruch aus dem Lager zu Nürnberg bis zur Schlacht bei Lützen.

Gustav Adolph's neuer Zug nach Baiern.

Nach Wallenstein's Abzuge kehrte der König noch einmal mit geringer Begleitung nach Nürnberg zurück, um das feindliche Lager zu besichtigen; er wollte finden, daß die kaiserliche Armee nicht so stark gewesen sei, als man geglaubt habe. — Am 21. September theilte er nun sein Heer; Herzog Bernhard von Weimar sollte mit 8000 Mann zur Bewachung Frankens und Sachsens sich bereit halten; zugleich galt es auch, die Verbindung Pappenheim's, der aus den Niederlanden heranzog, mit Wallenstein zu verhindern. — Mit dem Hauptheere brach der König selbst wieder nach der Donau auf, um seine früher dort gemachten Eroberungen zu sichern. Zugleich durfte er aber auch erwarten, daß der Feind, namentlich Marimilian's von Baiern wegen, ihm nachfolgen werde. Dann war sein Plan erreicht; Sachsen befreit, und der Sitz des Krieges in die kaiserlichen Erblande verlegt. Doch Wallenstein's Entschluß, nichts gegen den König zu unternehmen, bis Sachsen von ihm losgerissen wäre, war zu eisern und allerdings mit

großer Umsicht auf längere Zeit berechnet, als daß er
davon abgegangen wäre. — Die Verhältnisse für
Gustav Adolph in Süddeutschland konnten nicht günstiger sein. Horn stand siegreich im Elsaß, Arnheim
und Düvall hatten, wie erzählt, Schlesien erobert,
Baiern war fast ganz in Gustav's Gewalt. —

Dieses war die Lage der Dinge, als Gustav
wieder nach Baiern aufbrach. Zuerst nahm er die
Stadt Rain, welche der Kommandant unverantwort-
licher Weise übergeben hatte, wieder ein, und war nun
im Begriff Ingolstadt zu belagern. Die durch die
Pest geschwächte Besatzung konnte sich nicht halten;
von hier aus wollte er in dem Lande ob der Ems
eindringen, dessen Bewohner ihn schon wegen Religions-
druckes um Hülfe gebeten hatten. Dieses würde Wallenstein von Sachsen ab, und nach Süddeutschland
gezogen haben. Schon war er in Neuburg beschäftigt, Vorräthe und Belagerungsgeschütz einschiffen
zu lassen, als der Churfürst von Sachsen ihn von dem
Einbruch Wallenstein's in seine Staaten benachrichtigte
und dringendst um die schleunigste Hülfe bat. Gustav's
Entschluß war sofort gefaßt: „Ehe ich Sachsen
lasse, lasse ich mein Leben" rief er aus, und
traf sogleich Anstalten zum Aufbruch nach dem hart-
bedrängten Sachsenlande. Dem Pfalzgrafen Christian von Birkenfeld übertrug er es, mit seiner Heeresabtheilung, welche noch durch neugeworbene Schwei-
zer verstärkt wurde, für die Vertheidigung Baierns zu
sorgen. Seine Gemahlin, welche ihm auf diesem Zuge
gefolgt war, ließ er mit der Infanterie nach Franken

und Thüringen aufbrechen; er selbst setzte sich am 8. Oktober mit der Kavallerie nach Nürnberg in Bewegung.

Einbruch Wallenstein's und seiner Feldherren in Sachsen.

Das vereinte kaiserliche Heer hatte unter den fürchterlichsten Verwüstungen nach dem Abzuge aus dem Lager bei Nürnberg die Oberpfalz durchzogen. Von hier ging der Zug nach Bamberg, welches genommen wurde, eben so Beireuth, welches die schrecklichste Plünderung erleiden mußte. Nicht so glückte der Angriff auf Kulmbach, welches, durch seine Lage begünstigt, glücklichen Widerstand leistete. Herzog Bernhard von Weimar war dem Feinde gefolgt; als er bemerkte, daß dieser nach Coburg ziehen wollte, sandte er sogleich den Obersten Taupadel mit 500 Mann ab, um das Schloß zu besetzen. Am 28. September fiel zwar die Stadt in Feindes Hand, aber das Schloß hielt sich, und Taupadel schlug alle Stürme ab. Wallenstein wüthete, und ließ am 3. Oktober Bresche schießen, doch abermals vergebens; 500 Kaiserliche büßten den Sturm mit ihrem Leben. Unterdessen war Herzog Bernhard nach Schweinfurt und von da nach Hildburghausen gezogen, und hatte durch diese glückliche Bewegung Wallenstein den Weg nach Thüringen verlegt.

Der Churfürst von Baiern trennte sich in Coburg von Wallenstein, und zog mit seinem sehr ge-

schwächten Heere am 5. Oktober ab, um seine Erblande gegen Gustav zu schützen. Sein Zug ging nach
Regensburg. General Aldringer begleitete ihn
mit geringer kaiserlicher Mannschaft. Wallenstein sah
durch Herzog Bernhard's Bewegungen seinen Plan
über den Thüringer Wald zu ziehen, vereitelt, was
ihn in die größte Wuth versetzte, die das arme Sachsen bald fühlen sollte. In Thüringen wollte er sich
mit Pappenheim vereinigen, Erfurt wieder erobern,
und somit dem Könige den Weg zur Hülfe versperren.
Das Land des Herzogs von Weimar wäre dann
seine Beute geworden, Sachsen bot die willkommenen
Winterquartiere dar, und im Frühlinge würde es Wallenstein leicht geworden sein, sich der Elbe und dann
wieder der norddeutschen Länder und seines verlorenen
Herzogthums Meklenburg zu bemächtigen. Noch in
diesem Jahre eine Schlacht zu liefern, lag durchaus
nicht in seinem Plane, und höchst unwillkommen und
unerwartet war ihm die Nachricht von Gustav's Ankunft. Er brach nun von Coburg auf, um auf anderem Wege in Sachsen einzufallen. Brennende Städte
und Dörfer bezeichneten seinen Raubzug. Das Voigt-
land wurde das erste Opfer von Wallenstein's Wuth
„Den Krieg — sagt ein Zeitgenosse — schienen hier
nicht Feinde, sondern Furien zu führen." Am 9. Oktober eroberte Wallenstein Plauen; Alles ging in
Flammen auf. Von hier aus ging er nach Altenburg, wo er sich mit den Raubschaaren des Holk
und Gallas vereinigte. Am 22. Oktober ergab sich
Leipzig; die Plünderung mußte es mit 50,000 Rthl.

abkaufen. Nun richtete er seinen Zug nach Torgau, wo der Churfürst mit 8000 Mann stand; schon war er in Eilenburg, als die Nachricht von Gustav's Ankunft eintraf. Dieses nöthigte Wallenstein zurückzukehren, und sich mit Pappenheim zu vereinigen. Wiederholte Befehle waren schon an Pappenheim ergangen, zu Wallenstein zu stoßen und ihm all' sein Volk zuzuführen. Pappenheim hatte längere Zeit mit Ruhm selbstständig in Niedersachsen den Krieg geführt, und spürte keine große Lust, sich unter Wallenstein's Befehl zu stellen. Er suchte sich von dem Kaiser die Erlaubniß zu verschaffen, länger noch auf eigne Hand in Niedersachsen zu kämpfen. Doch, der Kaiser mußte das Gesuch abschlagen, und so brach denn Pappenheim auf, und traf Ende Oktober bei Merseburg mit Wallenstein zusammen.

So mußte denn nun Sachsen unter der ganzen Last der kaiserlichen Heere seufzen. Boten über Boten sandte Churfürst Johann Georg an den König, an Herzog Bernhard und an Arnheim, der noch in Schlesien stand, zur Hülfe herbei zu eilen. Herzog Bernhard wollte sich durch Kampfeslust hinreißen lassen, über den Thüringer Wald zu ziehen und sich auf Pappenheim zu werfen; schon war er bis Königshofen vorgerückt, als ihn ein strenger Befehl des Königs ankündigte, zu bleiben, und nichts zu unternehmen. Dieser Befehl des Königs gab zu einer Mißstimmung zwischen dem König und dem Herzog Anlaß, da dieser in dem erhaltenen Befehl Mißtrauen erblickte. Herzog Bernhard schrieb an seinen Bruder Wil-

helm: „Es hat fast das Ansehen, als ob sich etwa
eine Eifersucht ereignen, und der König die Verrichtung dieses Werkes mir nicht anvertrauen oder mich
nicht fähig genug halten wollte." Der Herzog Bernhard wollte, seine Kräfte überschätzend, allein die Ehre
der Rettung Sachsens haben, fühlte sich daher
durch jenen Befehl gekränkt, und legte bei dem Zusammentreffen mit dem König auch sein Mißvergnügen
an den Tag, welches er erst auf dem Schlachtfelde bei
Lützen, bei der blutigen Leiche des von ihm hochgeehr-
ten und geliebten Königs, vergaß. Gustav Adolph's
Ansicht war, wie gewöhnlich, die ganz richtige gewesen.
Der Herzog wäre mit seiner geringen Macht ganz
nutzlos aufgerieben worden, da ja kaum das ganze
schwedische Heer bei Lützen dem Feinde das Gleichge-
wicht halten konnte. Bernhard zog am 21. Oktober nach Arnstadt, und von da nach Erfurt, wo er
den König erwarten wollte.

Gustav Adolph's Aufbruch nach Sachsen.

Das Heer des Königs rückte unaufhaltsam in
größter Eile Franken und Thüringen zu. Gustav selbst
war an der Spitze von nur 500 Reitern am 12. Oktober in Nürnberg angekommen. Nachdem er die Umgegend von einigen feindlichen Haufen gesäubert hatte,
verließ er am 17. die Stadt, welche mit Treue und
Liebe an ihm hing. Am 23. Oktober schon trafen die
verschiedenen Abtheilungen des Heeres bei Arnstadt

zufammen; die Eile, in welcher fie gezogen kamen,
war unerhört, „es fchien, als ob die Schweden geflo=
gen wären." In Arnftadt vereinigte fich der König
mit Herzog Bernhard. Das Heer, welches faft
Tag und Nacht feit feinem Aufbruch vom Lech gezo=
gen war, beburfte der Ruhe, die ihm der König hier
und bei Erfurt gewährte. Drenftierna, welcher
den König begleitet hatte, verließ ihn in Arnftadt.
Er follte ihn nicht wieder fehen. Der Kanzler ging
nach Frankfurt, um dort die angeknüpften Verhand=
lungen wegen einer engeren Verbindung der vier ober=
beutfchen Kreife, — des fchwäbifchen, fränkifchen, ober=
und niederrheinifchen — zu- beendigen. *) Am 29.
Oktober kam der König in Erfurt an. Auf einer
Ebene mufterte er fein ganzes Heer. Es beftand aus noch
nicht 20,000 Mann; 12,000 Fußvolk und 6,500 Reiter,
aber es waren die älteften und verfuchteften Krieger.
Mehrere Regimenter waren fo fchwach, daß fie zu=
fammengezogen werden mußten. Der König befuchte
zuerft den Statthalter Herzog Wilhelm von Weimar,
den er krank antraf. Auf dem Marktplatze eilte ihm
die Königin entgegen. In ihrer und des Herzogs
Ernft von Sachfen-Weimar Gefellfchaft genoß er in
Eile ein Abendeffen, und befchäftigte fich die ganze
Nacht damit, die eingegangenen Briefe zu lefen, Be=
fehle auszufertigen und Eilboten abzufenden. Früh am
Morgen nahm er Abfchied von feiner Gemahlin; unter

---

*) Bekanntlich wurde aus diefer Verbindung nach Guftav's
Tode der Heilbronner Verein.

trüben Ahnungen „segnete er sie" und ermahnte die Bürger von Erfurt zur Treue gegen dieselbe, wenn ihm selbst etwas Menschliches begegnen sollte. Hierauf setzte er sich zu Pferde und folgte seinem Heere, das schon unter Herzog Bernhard vorausgezogen war, nach Naumburg nach, welches er am 1. November erreichte. Schon am 29. Oktober war Oberst Brandenstein mit einigen hundert Dragonern und Musketiren an den Thoren der Stadt angekommen, hatte im Namen des Königs Einlaß verlangt, und, als solcher nicht sogleich erfolgte, weil eine geringe kaiserliche Besatzung in der Stadt lag, das Thor mit Gewalt öffnen lassen. Die Kaiserlichen wurden gefangen genommen.

Gustav Adolph in Naumburg.

Beispiellos war der Jubel, als der König seinen Einzug in Naumburg hielt; unerwartet, wie vom Himmel gesandt, war der Erretter gekommen; jetzt schwanden alle bangen Besorgnisse vor den Grausamkeiten der blutdürstigen Feinde; Leben, Hab' und Gut, Weib und Kind waren nun gesichert. Das Volk stürzte auf die Kniee vor dem König, streckte bittend ihm die Hände entgegen, küßte den Saum seines Gewandes und brach in laute Segnungen über den Erretter aus. Der König mißbilligte dieses Betragen, und zu seinem Hofprediger Fabricius gewandt, sprach er: „Unsre Sachen stehen auf einem guten Fuß, allein ich fürchte, daß mich Gott wegen der Thorheit des Volkes strafen werde. Hat es nicht das Ansehen, daß diese Leute mich zu ihrem Abgott machen? Wie leicht könnte es Gott sie sowohl, als mich selbst empfinden lassen, daß ich nichts als ein schwacher und sterblicher Mensch bin. Großer Gott, du bist mein Zeuge, wie sehr mir alles dieses mißfällt. Ich überlasse mich deiner Vorsehung. Ich hoffe, du werdest es nimmer zugeben, daß das angefangene gute Werk der Befreiung deiner wahren Knechte unvollendet bliebe."

Donnerstags, am 1. November 1632, war Gustav Adolph in Naumburg angekommen, wo er bis zum folgenden Montag, den 5., verweilte. Er ließ sofort vor der Stadt ein Lager schlagen und befestigen. Am Tage verweilte der König daselbst, um die Verschanzungen zu leiten und kehrte Abends in die Stadt zurück. Doch nöthigte ihn die heftige Kälte bald, auch sein Fußvolk in die Stadt zu nehmen. Sonntags kam ein Brief des kaiserlichen Generals Grafen Colloredo an den Obersten seines Regimentes in Querfurt durch einen sächsischen Bauer in Gustav's Hände. Colloredo zeigte dem Obersten Wallenstein's Marsch nach Lützen und Pappenheim's nach Halle an. Wallenstein war durch Gustav's Ankunft in Erfurt nicht wenig überrascht worden. Er beschloß sogleich, Naumburg zu besetzen, kam aber auch hier zu spät, denn schon war der König in Besitz dieser wichtigen Saalstadt. Nachdem Wallenstein von Gustav's Verschanzung bei Naumburg gehört hatte, bezog er ebenfalls

ein befeſtigtes Lager bei Weißenfels. Hier berief
er einen Kriegsrath zuſammen und verlangte das Gutachten ſeiner Generale, ob man eine Schlacht liefern
ſolle, oder nicht. Die Generale waren dagegen; ſie
erwähnten, daß der König ein feſtes Lager bezogen
und jedenfalls die Abſicht habe, den Winter über darinnen zu bleiben, und keineswegs die Kaiſerlichen anzugreifen gedenke. Pappenheim verlangte dringend
mit ſeiner Heeresabtheilung entlaſſen zu werden, um
dem vom Feinde hart bedrängten Köln zu Hülfe zu
kommen. Wallenſtein billigte ſcheinbar die ausgeſpro-
chenen Anſichten, gab Pappenheim 2 Regimenter Kroaten, 6 Regimenter Fußvolk und das nöthige Geſchütz,
um damit nach dem Rhein aufzubrechen; doch ſollte
er auf dem Wege dahin in Halle die Moritzburg
nehmen, welche in den Händen der Schweden war.
Wallenſtein wollte ſeine Armee in paſſende Abtheilungen zerlegen, und dieſe Winterquartiere längſt der Saale
nach Leipzig, und weiter bis nach Dresden zu, beziehen
laſſen. Hätte der König einen dieſer Orte angegriffen, ſo konnte er ſich ſo lange halten, bis die übrigen
Heeresabtheilungen ſich vereinigt hatten. Wallenſtein
ſelbſt wollte ſein Hauptquartier nach Lützen verlegen.
Es iſt nicht wahrſcheinlich, daß Wallenſtein dieſen Plan
ernſtlich gefaßt haben ſollte, was auch ein ſpaniſcher
Offizier aus ſeinem Heere beſtätigte. Seine eigentliche
Abſicht war, nach Merſeburg zu gehen, um Pappenheim nahe zu ſein; die Oberſten Contreras und
Suys wollte er mit dem übrigen Theil der Armee
nach Altenburg nnd Zwickau ſenden. Gallas hatte

Befehl, von Böhmen aus herbeizukommen. Nun glaubte
er, der König würde diese entstandene Oeffnung benutzen,
um nach Dresden vorzudringen, und sich mit dem
Churfürst von Sachsen zu vereinigen. Wäre der König nun vorgedrungen, so würde ihn Wallenstein von
allen Seiten angefallen haben. Schon brach er von Weißenfels auf und zog nach Lützen. Doch Gustav's
scharfer Blick hatte die ihm gelegte Falle bald bemerkt,
und er beschloß, den Feind selbst in diese gehen zu
lassen. Allerdings war es seine Absicht nicht, sich mit
dem ihm fast um die Hälfte überlegenen Feind in
einen Kampf einzulassen, bevor er sich mit der Armee
des Churfürsten von Sachsen und dem Herzog
Georg von Lüneburg vereinigt hatte, welcher mit
einer Armee in Niedersachsen stand. Schon mehrere
Wochen vorher hatte Gustav Herzog Georg den Befehl zugeschickt, Alles aufzubieten, um zu ihm stoßen
zu können. Obgleich Georg Gustav Adolph versichert
hatte, „daß er begierig sei, sein Blut für den König
und das gemeine Wesen zu verspritzen, daß er keine
größere Ehre in der Welt begehre, als solches bei Gelegenheit an den Tag zu legen und durch die That
zu beweisen," so ging er doch seinen eigenen Weg.
Er hatte geheime Unterhandlungen mit dem Churfürsten von Sachsen angeknüpft, mit welchen er sich
bei Torgau vereinigte. Dieser Churfürst hatte angefangen, eine höchst zweideutige Rolle zu spielen. Als
Holk in Sachsen einfiel, forderte er sogleich Arnheim
auf, aus Schlesien zu gehen und Sachsen zu schützen.
Allein dieser, unter Wallenstein's Einfluß stehend, er-

schien jetzt eben so wenig, als auf eine wiederholte Aufforderung. Erst als der Churfürst an alle Obersten
den Befehl schickte, sofort nach Sachsen zu eilen, nö-
thigenfalls auch ohne Arnheim, zog er mit einigen
Tausenden nach Dresden, wo er am 28. Oktober eintraf. Am folgenden Tage war er in Torgau; hier be-
sichtigte er Herzog Georg's Kriegsvolk worauf er
wieder nach Schlesien zurückkehrte. Dieses Benehmen läßt keine andere Erklärung zu, als daß Arnheim auf Befehl des Churfürsten so handelte. Dieser
eben so schwache, als von seinem Stolze verblendete
Fürst hatte längst schon mit Neid die Fortschritte
Gustav's betrachtet. Nur Furcht hielt ihn ab, sich
dem Kaiser in die Arme zu werfen. Als nun Wallenstein mit Uebermacht in Sachsen erschien, rief er
zwar, rath- und hülflos wie er war, den König zur
Hülfe herbei; zugleich aber dachte sich der Feig- und
Engherzige den vielleicht herbeigewünschten Fall einer
Besiegung des Königs. Um dann an dem kaiserlichen
Tyrannen noch den alten Freund zu finden, beschloß er,
Gustav die blutige Arbeit in der Schlacht allein zu
überlassen, und an dem, der für ihn zur Errettung
herbeieilte, seinetwegen alle Vortheile seiner Siege am
Rhein und Lech unbenutzt ließ, zum Verräther zu
werden.

Noch am 4. November schrieb Gustav an den
Churfürsten nach Torgau, er möchte sogleich nach
Eilenburg marschieren, und theilte ihm mit, daß er selbst
nach Pegau gehen wolle, und setzte Grimma als
den Ort der Zusammenkunft fest. Doch weder Chur-

23

fürst Johann Georg, noch Herzog Georg gingen aus
Torgau, und überließen es dem König allein, die
Schlacht bei Lützen zu schlagen. Es giebt nicht Worte
genug, dieses schmachvolle Betragen zu schildern, wenn
man bedenkt, daß der große König in dieser Schlacht
sein Leben verlor, welches er bei der Schwäche seiner
Armee wagen, und jeder Kugel preisgeben mußte,
wenn er siegen wollte. In der Nacht vor der blutigen Schlacht, als Gustav Adolph schon beschlossen
hatte, sie allein zu kämpfen, beklagte er sich bitter über
Herzog Georg und Andere, und sagte zu seinen
Vertrauten: „Er wünsche nichts Anderes, als
daß ihn Gott von hinnen nehmen möchte,
dieweil er einen Krieg mit seinen Freunden,
ihrer Untreue wegen voraussehe; ein solcher
Kampf würde ihn um so mehr drücken, da
die Welt die wahre Ursache desselben nicht
errathen werde." So erzählte der ehrwürdige
Reichskanzler Oxenstierna im Reichsrath zu Stockholm noch im Jahre 1644.

Gustav Adolph's Aufbruch von Naumburg.

Fahren wir nun in der Darstellung der Begebenheiten weiter fort.

Montags, am 5. November, brach der König
Gustav Adolph mit seinem Heere früh um 4 Uhr
von Naumburg auf, um sich nach Pegau zu wenden,
und der Vereinigung mit dem Churfürsten von Sachsen entgegen zu gehen. Kaum hatte das Heer einige

Stunden zurückgelegt, als der König die sichere Nachricht von Pappenheim's Abzuge nach Halle erhielt, wobei ihm versichert wurde, daß Wallenstein's Schaaren zerstreut in den Dörfern bei Lützen lägen, nichts weniger als auf einen Angriff vorbereitet. „Nun glaube ich wahrlich, daß Gott die Feinde in meine Hände gegeben," rief Gustav bei dieser Nachricht aus. Nichts galt nunmehr der Rath der übrigen Feldherrn, welche die Vereinigung mit den Sachsen wünschten; Gustav beschloß Wallenstein sofort anzugreifen. Die Armee zog nun nach Weißenfels, welches der König besetzen ließ. Die Kaiserlichen waren bereits abgezogen. Graf Colloredo hatte die Besatzung abgeführt und zugleich, als er den König heranziehen sah, Wallenstein von dessen Ankunft benachrichtiget. Dieser sandte auf der Stelle Eilboten an Pappenheim, dem er schrieb: „Der Herr lasse Alles stehen und liegen, und eile herzu mit allem Volk und Stücken, daß er morgen früh sich bei uns befindet."*) Colloredo wurde bei seinem Abzuge von Weißenfels schon von den Schweden verfolgt, welche ihm eine rothe Fahne abnahmen; auf der einen Seite prangte der römische Adler, auf der andern die Fortuna in goldenem Felde. Gustav nahm mit Vergnügen die günstige Vorbedeutung auf. Wallenstein hatte auf die Nachricht von

---

*) Pappenheim steckte den Brief in der Eile, mit welcher er aufbrach, zu sich, und trug ihn während der Schlacht unter seinem Koller. Von Pappenheims Blut getränkt wird er noch im Archiv zu Wien aufbewahret.

23*

Weißenfels und Lützen durchschneidet ein kleiner Bach
die Landstraße; die Kroaten Isolani's, welche den
Uebergang erschweren wollten, wurden zurückgeschlagen.
Die Nacht war schon eingebrochen, als der König in
die Nähe von Lützen anlangte, ein Angriff an demselben Tage noch war dadurch unmöglich. Gustav
brachte die Nacht mit General Kniphausen und
Herzog Bernhard in seinem Wagen zu; die Armee,
welche zum Theil schon in Schlachtordnung stand,
blieb ebenfalls im Freien.

Die Schlacht bei Lützen.

Der 6. November 1632, es war ein Dienstag,
war angebrochen. Dichter Nebel lagerte auf der weiten Ebene, welche bald Zeuge eines Kampfes sein
sollte, wie ihn die höchste Begeisterung, Verzweiflung,
Rache und Erbitterung selten geführt haben. Von dem
Nebel begünstigt hatte Gustav Adolph am frühen
Morgen sein Heer in voller Schlachtordnung aufgestellt. Im Allgemeinen verfolgte er dabei dieselben
Grundsätze, wie bei Breitenfeld. Das Heer war in
zwei Treffen gestellt. Die Mitte nahmen 8 Brigaden Fußvolk ein, bestehend aus alten schwedischen Regimentern nebst der Garde; vier standen im ersten und
die andern im zweiten Treffen. Das erste Treffen führte
Graf Nils Brahe an, das zweite Kniphausen. Hinter der Infanterie standen noch zwei Regimenter als
Reserve, eins zu Fuß, geführt von dem Schotten Hen-

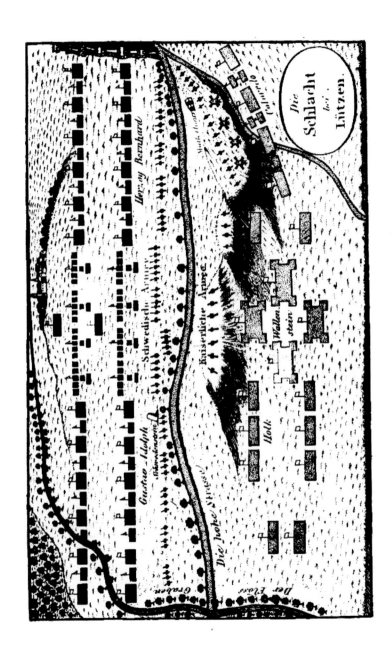

355

berfon, und ein Reiterregiment unter dem Obersten
Oehm aus der Pfalz. Auf dem rechten Flügel standen 6 Reiterregimenter: Finnen, Westgothen, Söber-
mannländer, Uppländer, Ostgothen und Smålånder.
Das zweite Treffen bildete deutsche Reiterei. Auf
diesem rechten Flügel befand sich der König selbst,
Den linken Flügel befehligte Herzog Bernhard
von Weimar; er bestand ebenfalls aus 12 Reiterregi-
mentern, welche in zwei Linien vertheilt waren. Vor
jeder Brigade im ersten Treffen standen 5 große Kanonen; die 40 übrigen leichteren waren den Musketiren beigegeben worden, welche auf beiden Flügeln
zwischen der Kavallerie standen. Der rechte Flügel
wurde durch den obengenannten Flößgraben durch-
schnitten. — Die gesammte Macht Gustav's betrug
kaum 20,000 Mann.

In solcher Stellung standen die Schweden dem
Feinde gegenüber; der dichte Nebel ließ kaum den
nächsten Gegenstand erkennen, und machte jeden Angriff unmöglich. Nach alter frommer Weise verrichtete
das Heer seine Morgenandacht, wobei Luthers Lied:
„Eine feste Burg ist unser Gott ꝛc." gesungen
wurde. Hierauf stimmte der König das Lied an,
dessen Verfasser er selbst sein soll:

> Verzage nicht, du Häuflein klein,
> Obschon die Feinde Willens sein,
> Dich gänzlich zu zerstören
> Und suchen deinen Untergang,
> Davor dir wird recht angst und bang.
> Es wird nicht lange währen.

Tröste dich nur, daß deine Sach'
Ist Gottes, dem befiehl die Rach',
Und laß es ihn nur walten.
Er wird durch einen Gideon,
Den er wohl weiß, dir helfen schon,
Dich und sein Wort erhalten.

So wahr Gott Gott ist, und sein Wort,
Muß Teufel, Welt und Höllenpfort,
Und was ihm thut anhangen,
Endlich werden zu Hohn und Spott.
Gott ist mit uns, und wir mit Gott,
Den Sieg wollen wir erlangen.

Seit jener schweren Verwundung bei Dirschau*)
fiel es dem König schwer, einen Harnisch zu tragen.
Als man daher nach Verrichtung des Morgengebetes
dem König einen Harnisch brachte, wieß er ihn zurück
mit den Worten: „Gott ist mein Harnisch," und
bestieg, ohne etwas genossen zu haben, sein Roß, in
ein Kollerwamms und einen Tuchrock gekleidet. Man
will an diesem Morgen nicht die gewöhnliche vertrau-
ensvolle Heiterkeit, wie gewöhnlich, an Gustav bemerkt haben. Trübe Ahnungen und banges Vorgefühl scheinen ihn ergriffen zu haben. — Nachdem der
König zu Pferde gestiegen war, durchritt er die Reihen
seiner Streiter und hielt an die verschiedenen Abtheilungen Anreden. Zu seinen Schweden und Finnen
sprach er: „Lieben Freunde und Landsleute! Heute ist
der Tag gekommen, an welchem ihr zeigen könnt, was
ihr in so manchem harten Kampf, in so vielen bluti-

---

*) Vergl. S. 8.

gen Schlachten gelernt habt. Dort steht der Feind, den wir so lange gesucht haben, nicht auf steilen und unersteiglichen Felsen, oder hinter starken Verschanzungen, sondern auf offener Ebene. Wie dieser Feind bisher das offene Feld gescheut, wisset ihr, und daß er es jetzt zur Feldschlacht kommen läßt, geschieht nicht freiwillig, noch aus Hoffnung des Sieges, sondern weil er nicht länger eueren Waffen entweichen kann. Darum machet euch fertig, haltet euch wohl, wie es tapferen Soldaten ansteht, stehet fest zu einander und fechtet ritterlich für eueren Gott, für euer Vaterland und für euern König. Ich will dann euch Alle belohnen, daß ihr Ursache haben möget, mir zu danken; allein wenn ihr nicht kämpfet, so schwöre ich euch, daß eure Gebeine nicht wieder nach Schweden kommen werden. Doch ich zweifle nicht an eurer Tapferkeit, und daß ihr einen ehrenvollen Tod mit mir einer schimpflichen Flucht vorziehet."

Hierauf wandte sich der König an die deutschen Krieger, mit den Worten: „Euch, meine redlichen Brüder und Kameraden, bitte und ermahne ich bei eurem christlichen Gewissen und eurer eigenen Ehre, thut jetzt eure Schuldigkeit, wie ihr selbe oft mit mir früher gethan, und insbesondere vor einem Jahre, nicht weit von dieser Stelle. Da schluget ihr den greisen Tilly, berühmt durch so viele Siege, und sein Heer, und ich hoffe, daß dieser Feind nicht besseren Kaufs entrinnen soll. Geht muthig zu! Ihr werdet nicht nur unter mir, sondern mit mir und neben mir fechten. Ich selbst will euch vorangehen und hier Blut und Leben

wagen. Folgt ihr mir, so vertraue ich zu Gott, daß
ich einen Sieg gewinne, der euch und euren Nachkommen zu Gute kommen wird. Wenn nicht, so ist es
gethan um eure Religion, eure Freiheit, eure zeitliche
und ewige Wohlfarth." — Mit Waffengeklirr und freu-
digem Zuruf erwiederten die Streiter des Königs
Worte. — Wallenstein sprach an diesem Tage nicht zu
seinen Schaaren. Seine Losung war die gewöhnliche:
„Jesus Maria."

Erst gegen 11 Uhr brachen die Sonnenstrahlen
durch den Nebel. Jetzt hielt den König nichts mehr;
er ließ durch das am linken Flügel aufgepflanzte Geschütz die Schlacht eröffnen, ritt noch einmal die Fronte
hinab, rief den Seinen zu, die Augen gen Himmel
gewendet: „Nun wollen wir in Gottes Namen dran!
Jesu, Jesu, Jesu, laß' uns heute zur Ehre deines heiligen Namens streiten," schwang das Schwert über
dem Haupte und kommandirte: Vorwärts! — Die
Stadt Lützen war bereits von den Kaiserlichen angezündet worden, um eine Umgehung ihres rechten Flügels zu verhindern. Das Gefolge des Königs bestand
im Anfange der Schlacht aus dem Herzog Franz
Albert von Sachsen-Lauenburg, dem Hofmarschall
Kreilsheim, dem Kammerherrn Truchseß, dem
Pagen August Leubelfing, mehreren Adjutanten
und zwei Leibknechten. — Die Kanonade begann, zu
größerem Verderben für die Kaiserlichen, als für die
Schweden, welche grade auf die Batterie losgingen,
um sie zu nehmen. Schon näherten sich die Schweden
der Landstraße, wo sie die, in den Gräben der Straße

und hinter Wällen aufgestellten feindlichen Musketiere
mit einem fürchterlichen Feuer empfingen, welches noch
durch die Batterie verstärkt ward. Selbst die versuch-
testen Fußregimenter Gustav's waren einen Augenblick bestürzt, so daß dieser vom Pferde sprang, und
unter Vorwürfen sich schon selbst an die Spitze stellen
wollte, wovon ihn noch die Bitten der Soldaten ab-
hielten, welche unaufhaltsam vordrangen. Gustav bestieg sein Roß wieder und setzte sich an die Spitze des
rechten Flügels, welcher nun zu gleicher Zeit auch angriff. Ein fürchterliches Feuer empfing die Schweden,
mehrere Kugeln fielen dicht vor dem König nieder,
welcher ein anderes Pferd besteigen mußte. Die drei
schwedischen Infanterie-Brigaden unter Anführung des
Grafen Nils Brahe drangen über die Landstraße,
nahmen die jenseits derselben aufgestellte feindliche Batterie, warfen zwei von den riesenhaften Infanterievier-
ecken zurück, und brachen in dieselben ein. Schon
waren sie im Begriff, das dritte zu überwältigen, als
die feindliche Reserve und Kavallerie mit Uebermacht
herbeieilte und die Schweden angriff. Diese mußten
weichen, die Batterie ging verloren und sie wurden
über die Landstraße zurückgetrieben.

Als des Königs Reiter bei dem Straßengraben
angekommen waren, schienen dieselben von den sich ihnen
entgegenstellenden Schwierigkeiten zwar im ersten Augenblick überrascht, folgten aber sogleich dem König, der
an der Spitze des Stenbockschen Regimentes zuerst
über die Gräben setzte. Sofort begann der Kampf
mit den Kuirassiren und den Kroaten Piccolomini's.

Der König wandte sich an den Oberst Stålhandske mit den Worten: „Greif sie an, die schwarzen Bursche, sie werden uns übel bekommen!" In diesem Augenblicke kam die Nachricht, daß die Infanterie weiche und über die Gräben zurückgetrieben sei. Sofort stellte sich der König an die Spitze der smaländischen Reiterei, deren Oberst Stenbock wenige Augenblicke zuvor am Fuß verwundet worden war, und setzte im Fluge über die Gräben zurück, um seiner Infanterie zu Hülfe zu eilen. Das Regiment konnte ihm nicht mit gleicher Hast und Schnelle nachkommen; nur von Wenigen begleitet geräth Gustav Adolph, da der Nebel zu gleicher Zeit sich wieder über die Schaaren geleget hatte, unter einen Haufen feindlicher Kuirassire. Sein Pferd erhielt einen Pistolenschuß durch den Hals; ein zweiter Schuß zerschmettert des Königs linken Arm. Jetzt ersucht er den Herzog von Lauenburg, ihn aus dem Gefecht zu geleiten, erhält aber zu gleicher Zeit einen Schuß in den Rücken*) und stürzt vom Pferde, das ihn eine Strecke in den Steigbügeln fortschleppt. Der

---

*) In dem Berichte, welcher dem Kaiser von der Schlacht überschickt wurde, heißt es: „Ein kaiserlicher Korporal habe einen Musketier bei der Hand genommen, weil er gesehen, daß jedermann vor dem König weiche und ihm Platz mache, und ihm gesagt: „Auf diesen schieße, denn dieser ist was Vornehmes." Darauf sei dem König der Arm durchschossen worden. Hierauf habe ein Offizier in blanker Rüstung, welches der Obrist-Lieutenant vom florentinischen Regimente von Falkenberg gewesen sein soll, den König durch den Kopf geschossen."

Kammerherr Truchseß sah einen kaiserlichen Offizier diesen Schuß auf den König richten; Luchau, der Stallmeister des Herzogs von Lauenburg, tödtete sogleich jenen Offizier. Der Herzog von Lauenburg floh, der eine von den Reitknechten des Königs war todt, der andere verwundet; von der ganzen Begleitung des Königs war nur einer bei ihm, der Edelknabe Leubelfing. Als der König gefallen war, stieg Leubelfing sogleich von seinem Pferde und bot es dem König an, welcher beide Hände nach ihm ausstreckte. Allein Leubelfing war nicht im Stande, ihn allein vom Boden aufzuheben. In diesem Augenblicke kamen feindliche Kürassire herbei, welche fragten, wer der Verwundete wäre. Der Edelknabe wollte es nicht sagen, der König aber gab sich zu erkennen, worauf ihn einer der Reiter durch den Kopf schoß. Der König wurde bis auf's Hemd ausgeplündert und blieb neben dem schwer verwundeten Edelknaben liegen.*) Das Getümmel der Schlacht ging nun über den Leichnam des Königs hinweg. —

Was Alles noch über Gustav Adolph's Tod zu sagen ist, werden wir am Schluß dieses Abschnittes mittheilen, und fahren jetzt in dem Berichte über den weiteren Gang des Kampfes fort.

---

*) Der Edelknabe Leubelfing wurde noch lebend gefunden, und nach Naumburg gebracht, wo er fünf Tage nach der Schlacht starb. Hier erzählte er des Königs Tod auf die angegebene Weise; die Erzählung wurde sofort aufgeschrieben und aufbewahrt. Wir werden später noch einmal darauf zurückkommen.

Wenden wir uns zunächst zu dem linken Flügel des schwedischen Heeres, welchen Herzog Bernhard befehligte. Schon hatte dieser die feindlichen Musketire aus den Gärten bei Lützen vertrieben, das stark befestigte Müllerhaus erobert, und ließ auf die Batterien bei den Windmühlen Sturm laufen, als er im Rücken von Isolani angegriffen wurde. Dieser war mit seinen Kroaten hinter Lützen weggeritten, und über den Troß der schwedischen Armee hergefallen. Hier entstand große Verwirrung, bis Schaaren aus dem zweiten Treffen herbeeilten und die Kroaten vertrieben. In diesem Augenblicke fiel der König. Der Kammerherr Truchseß theilte die Nachricht sofort dem Herzog Bernhard mit, welche durch das umherirrende mit Blut bedeckte Roß des Königs bestätigt wurde. Herzog Bernhard, dem Gustav Adolph für den Fall, daß ihm etwas Menschliches begegnen sollte, den Oberbefehl im Voraus übertragen hatte, übergab sogleich den linken Flügel dem Grafen Nils Brahe und eilte zu dem Generalmajor Kniphausen, welcher das zweite Treffen befehligte. Dieser, ein Offizier von großem Verdienst, klug, tapfer und zuverlässig, aber oft unglücklich und daher gegen das Glück mißtrauisch, antwortete auf die Nachricht von des Königs Tode, daß seine Truppen in guter Ordnung wären, und man einen schönen Rückzug machen könne. Der Herzog Bernhard entgegnete aber mit Feuer, daß hier von keinem Rückzug die Rede sei, sondern von Rache, Sieg oder Tod. Sofort eilte er auf den rechten Flügel, übernahm den Oberbefehl und stellte sich an die Spitze des smaländischen Regimentes, welches dem König hatte folgen sollen. Der Oberst-Lieutenant desselben wurde von ihm, sei es, daß er seinen Befehlen nicht schnell genug nachkam, oder zur Strafe dafür, daß er dem König nicht mit Eifer gefolgt war, auf der Stelle durchstochen.

Schon hatte sich die Unglückskunde von des Königs Tode auf dem rechten Flügel wie im Centrum verbreitet, als man sein blutendes Roß, des königlichen Herren ledig, an der Fronte umherlaufen sah. „Der König ist verwundet, ist gefangen, ist todt," — hörte man in den Reihen der Krieger ausrufen. Mit einer Wuth, der nichts gleich kam, stürzte Fußvolk und Reiterei, noch von der Hoffnung beseelt, der König sei nur verwundet und gefangen, gegen die Landstraße, um ihn den Händen der Feinde zu entreißen. Alles, was sich entgegenstellte, wurde geworfen; die Verderben bringende Batterie von 7 Kanonen wurde zum zweitenmale genommen, und gegen den Feind gerichtet; die großen Vierecke Wallenstein's wurden gesprengt, die ganze Reiterei seines linken Flügels geworfen. Mehrere Pulverwagen wären angezündet worden und sprangen in die Luft; die Verwirrung unter dem feindlichen Troß war fürchterlich. Ganze Reiterhaufen flohen und sprengten nach Leipzig zu; eine Menge Weiber folgten ihnen. „Wir kennen den König," riefen die von dem furchtbaren Angriff bestürzten Kaiserlichen, den Gustav's Tod noch unbekannt war, „am Ende des Tages ist er am schlimmsten." Auch der linke Flügel der schwedischen Armee focht gleich siegreich; nach langem blutti-

gen Kampfe hatte er die Windmühlen und die feindlichen Batterien daselbst erobert; die Kanonen wurden
auf die fliehenden Kaiserlichen gerichtet.

Schon war der vollständigste Sieg erfochten, Wallenstein gänzlich geschlagen, da — erschien gegen 2
Uhr Pappenheim mit seinen Reiterschaaren, 8 Regimentern auf der bluttriefenden Wahlstatt.*) Wuth-
entbrannt suchte sein kampflustiges Auge den eben so
gehaßten als gefürchteten Feind seines Glaubens. „Wo
ist der König?" waren seine ersten Worte. Sofort
stürzt er sich mit seinen Kuirassiren auf den rechten
Flügel der Schweden, den Gegner zu suchen, der nicht
mehr unter den Lebenden war. Bald trafen ihn zwei
Kugeln vom Oberst Stålhandske, der eben des Königs
Leichnam den Feinden entrissen hatte. Verwundet
wurde Pappenheim aus der Schlacht getragen.**)
Seine Ankunft hatte den Kampf erneuert; Wallensteins
Reiterei und Fußvolk sammelte sich wieder. Ein neuer
Angriff, alle früheren an Wuth übertreffend, erfolgte
von den Kaiserlichen; noch einmal nahmen sie die
Batterie, noch einmal mußten die Schweden über die
Landstraße zurück, wo sie mit beispielloser Tapferkeit
Stand hielten. Fürchterlich war aber auch der Ver-
lust den die schwedischen Infanterie-Brigaden, nament-

---

*) Als er Wallenstein's Befehl erhielt, brach er in größ-
ter Eile von Halle mit seiner Reiterei auf; das Fußvolk,
im Plündern begriffen, folgte nach.

**) Er wurde nach Leipzig gebracht, wo er vierzehn Stun-
den nach Gustav Adolph starb.

fich die mittleren, unter dem Grafen Brahe und Oberst Winkel erlitten. Beide wurden, gefährlich verwundet. Mehrere Fahnen, selbst die königliche, gingen verloren. In Maffen von 2—3000 Mann stürzten die Kaiserlichen auf die Schweden. Gemordet konnten diese wohl werden, aber nicht zum Weichen gebracht. Das ganze gelbe Regiment lag todt in demselben Stellung auf dem Boden, wie es lebend, gestanden hatte. Von je sechs Mann waren fünf todt oder verwundet. Die dritte schwedische Brigade unter dem Oberst Hand hatte zwar weniger zu leiden, doch blieben von ihr auch nur 500 Mann übrig. Während dieser Vorgänge hielt der General Kniphausen seine Brigaden im zweiten Treffen und seine Reserve außer dem Gefecht, was eine nicht geringe Ursache des später erkämpften Sieges war, da die Kämpfer in dem ersten Treffen hier in einer großen und ungebrochenen Maffe einen Stützpunkt fanden. Herzog Bernhard war nicht wenig froh, als er bei Lichtung des Nebels Kniphausen, den er nach seiner eigenen Aussage in Stücken gehauen wähnte, nun in so guter Ordnung sah.

Schon neigte sich der Tag zu Ende, als der Nebel, obgleich nur auf eine halbe Stunde, schwand. In dieser kurzen Frist log die Entscheidung. Im matten Glanze der scheidenden Sonne, welche vor dem blutigen Schauspiel sich so lange verborgen hatte, ließ Herzog Bernhard das zweite Treffen vorrücken; was vom ersten noch übrig war, schloß sich ihm an. „Kamerad, müssen wir noch einmal dran?" riefen die todesmüden Kämpfer aus, fielen sich in die Arme,

24

und fort ging's zu Sieg oder Tod. — Mit einer
Anstrengung, wie sie nur der Schmerz über den Verlust des geliebten Königs und die Sehnsucht nach
Rache verleihen konnte, stürzten die schwedischen Schaaren zum drittenmale über die Landstraße; zum
drittenmale wurde die feindliche Batterie erobert
und auf die Kaiserlichen gerichtet. — Der Sieg
war erfochten! Wallenstein ließ, denn schon brach
die Nacht ein, zum Rückzug blasen; die Kaiserlichen
flohen nach Leipzig, Pappenheim's Fußvolk, das jetzt
ankam, mit sich fortreißend. Neun Stunden hatte
ununterbrochen der Kampf gedauert. Zehntausend
Todte waren mit Gustav Adolph gefallen, dessen
Schaaren die Nacht auf der Wahlstatt zubrachten.

Am andern Morgen schickte Wallenstein was
er noch an Reiterei besaß auf das Schlachtfeld zurück,
um das Geschütz noch zu retten. Als aber die Kaiserlichen die schwedische Armee auf dem blutigen Gefilde
in voller Schlachtordnung fanden, kehrten sie wieder
zurück. So endigte nach neun Stunden ein Kampf,
welcher durch den unerhörten Widerstand, den ein Theil
dem andern leistete, durch die ausgezeichnetsten Thaten
der Tapferkeit und des Muthes zu den blutigsten gehört, von denen die Geschichte zu berichten hat. Groß
war der Verlust auf beiden Seiten, namentlich an
Offizieren. Hatten die Schweden den Tod ihres königlichen Führers zu beklagen, so war für die Kaiserlichen der Fall Pappenheim's von nicht minderem
Gewicht. Von gleicher Wichtigkeit war die Entscheidung des Kampfes für die Kaiserlichen, wie für die

Schweden; es war ein Kampf auf Leben und Tod.
Dieser Gedanke beseelte aber nicht allein die Heerführer
sondern auch den Kämpfer in Reihe und Glied. Jetzt,
mußte es sich entscheiden, ob Gustav Adolph unüberwindlich sei, oder nicht; jetzt mußte es sich entscheiden, ob der längst erkämpfte Lorbeer Wallenstein's
Schläfe noch länger schmücken solle, oder nicht. Leider
wurden die Erfolge, welche der Sieg für die Protestanten haben mußte, durch den Fall des Königs ver-
kümmert und beeinträchtigt; eben so, wie er die Kaiserlichen für die Niederlage vollkommen entschädigte.
Wallenstein war zwar über den Verlust der Schlacht
im Innersten erbittert, und verfuhr mit der größten
Strenge und Grausamkeit gegen Alle, von denen er
meinte, daß sie ihre Schuldigkeit in der Schlacht nicht
gethan hätten, zumal gegen die Kavallerie-Offiziers,
denen er den unglücklichen Ausgang der Schlacht zu
schrieb. Sobald er in Prag angekommen war, ließ
er alle in Arrest nehmen, welche sich „ehrvergessen in
der Schlacht gehalten," und hielt blutige Abrechnung
mit ihnen. Eilf Offiziere wurden hingerichtet; sieben
wurden die Degen vom Scharfrichter unter dem Galgen
zerbrochen, und die Namen von 40, die sich nicht gestellt hatten, an den Galgen geschlagen. Er gestattete
Keinem, die kaiserliche Begnadigung in Anspruch zu
nehmen, und rechtfertigte vollkommen den Namen
„Tyrann," welchen man ihm beilegte. Wallenstein
wurde durch dieses Blutgericht allgemein verhaßt. Eben
so ausschweifend wie seine Strenge, waren die Belohnungen, welche er ertheilte. Er vertheilte an die

24*

Weißenfels ward der Leichnam nach Wittenberg gebracht, wo er eine Nacht in der Schloßkirche stand. Die Bedeckung bestand aus dem Rest der smaländischen Reiter, an deren Spitze der König gefallen war. Es waren noch 400 Mann übrig. Man fand das Angesicht Gustav's zum Erstaunen ähnlich. Der Trauerzug ging von Wittenberg nach Wolgast. Im Sommer des folgenden Jahres führte der Reichsadmiral Gyllenhjlm die Leiche nach Nyköping, wo sie bis zum feierlichen Begräbniß in Stockholm blieb. Am 21. Juni 1634 wurde sie daselbst in der Ritterholms-Kirche beigesetzt, welche Ruhestätte sich Gustav Adolph selbst nach ausersehen hatte.

Erst nach einem Monat gelangte die Trauerkunde von dem Tode des Königs zu seinem Volke über das Meer. Graf Brahe berichtet: „Anfänglich kam Zeitung, daß die Schlacht glücklich abgelaufen sei. Des andern Tags darauf, am 8. December 1632, Morgens halb 10 Uhr wurde nach mir geschickt, als ich im Hofgerichte saß, daß ich in die kleine Rechnungskammer hinabkommen solle. Da ich hinabkam, sah ich Alle vom Rathe mächtig betrübt. Einige wischten sich die Augen, Andere rangen die Hände. Der Pfalzgraf kam mir an der Thür entgegen und wehklagte. Mir ward übel zu Muthe, und wußte nicht, was vorgegangen, bis ich zu großer Trauer vernahm, was geschehen. Fremde und Einheimische waren in großer Betrübniß und Bestürzung, verzweifelten an der Wohlfahrt, und hielten dafür, daß Alles drunter und drüber gehen würde. Wir vom Rathe, so viele zugegen wa-

ten, faßten einen vollkommen bedachten Rathschluß,
bevor wir uns trennten, „mit einander zu Schutz und
Trutz und zum Wohl des Vaterlandes zu leben und
zu sterben, und nicht allein hier daheim im Lande
mit aller Macht und Einigkeit die Sachen aufrecht zu
erhalten, sondern auch den Krieg gegen den Kaiser
und all' seinen Anhang nach Absicht des höchstseligen
Königs und zu sicherem Frieden zu führen."

Am Tage nach des Königs Tod, den 7. November, erließ die schwedische Regierung den gewöhn-
lichen Kriegsbericht, welcher bis zu des Königs Aufbruch aus dem Lager zu Nürnberg ging, und mit den
Worten schließt: „Wohin Se. Majestät weiter gegangen, deß haben wir keine gewisse Kunde." — An
diesem Tage allerdings war der große König schon
dorthin heimgegangen, von wannen keine Kunde
kommt.

Gustav Adolph's Tod.

Um die Darstellung der Ereignisse in der blutigen Schlacht bei Lützen nicht zu unterbrechen, haben
wir oben nur kurz von dem Tode Gustav Adolph's
berichtet, ohne der einzelnen Vorfälle dabei zu erwähnen, und des Gerüchts zu gedenken, welches sich bald
nach der Schlacht verbreitete, daß der König nämlich
durch die Hand eines Meuchelmörders gefallen sei. —
Es ist jetzt unsere Pflicht, am Schluß dieses Abschnittes
das Weitere darüber zu besprechen.

Bald nach der Schlacht bei Lützen verbreitete sich
das Gerücht, Gustav Adolph sei nicht durch die
Hand der Feinde, sondern vom Herzog Franz Albert von Sachsen-Lauenburg meuchlings getödtet
worden.

Vernehmen wir erst die Klage, welche die
Geschichte gegen den Herzog erhoben hat. Obschon
es allbekannt war, daß der König im Kampfe, ohne
die geringste Rücksicht auf sich zu nehmen, sich jeder
Gefahr oft zu sehr aussetzte, und somit sein Tod durch
Feindes Hand sehr erklärlich scheinen konnte, so war
es doch die ungetheilte Ansicht der schwedischen Armee,
daß ein Meuchelmord verübt worden sei. Kurz nach
der Schlacht bei Lützen erschien — wahrscheinlich in
Leipzig, — eine Beschreibung der Schlacht,*) in welcher, merkwürdig genug, jenes Gerücht als Grund benutzt wird, den Tod des Königs zu bezweifeln. Es
heißt in diesem Berichte: „Man hat sich den ganzen
Tag und bis gegen 9 Uhr in die Nacht hinein geschlagen. Wallenstein soll nur durch sein flinkes tür-
kisches Roß gerettet worden und um Mitternacht zu

---

*) Gustavus Victor Augustissimus, das ist: Eilfertiger
und doch wahrhafter Bericht was maßen der unüberwindlichste
Großmächtigste König und Herr, Herr Gustavus Adolphus,
König der Schweden, Gothen, ꝛc., durch göttliche Hülfe, Beistand und Gnade die Wallensteinische und Pappenheimsche Armeen bei Lützen, 2 Meilen von Leipzig, abermahlig den 6.
(16.) November Anno 1632 gänzlich aufs Haupt geschlagen ꝛc.

Leipzig angekommen sein. *) Einige sagen, daß Seine
königliche Majestät anfangs im linken Arm etwas be-
schädigt worden sei, und weil der Feind in Leipzig
sogar ihn für todt ausgerufen, so meint man, daß die
Jesuiten einen Erzbuben und Mörder in seiner eigenen Armee gekauft, ihn heimlich und gleich im Be-
ginn der Schlacht zu erschießen. „(Merkwürdig, daß
das Letztere geschehen und Gustav Adolph im Anfange
der Schlacht gefallen war)." Allein es ist genug bekannt, wie die Päpstler vergangenes Jahr, nach der
Schlacht bei Leipzig, den König für erschossen ausge-
geben, welches eben so erdichtet war. Denn Seine
königliche Majestät hat nicht nur ganz gewiß nach der
herrlichen Victorie jetzt die Nacht auf dem Wahlplatz
zugebracht, sondern auch den folgenden Morgen Gene-
ralmusterung in Lützen gehalten."

Allerdings war der Tod Gustav Adolph's
früher in Weißenfels als in Leipzig bekannt. Dorthin hatte die Nachricht der Herzog Franz Albert von
Lauenburg selbst gebracht. Als er die Nachricht
von dem Siege hörte, kehrte er zwar gleich wieder
um. Ein Zeitgenosse sagt darüber: „Das machte, daß
er in der ganzen Armee in übles Gericht kam und

---

*) In dem Rapport an den Kaiser heißt es: „Seine
Durchlaucht wurde von einer Musketenkugel in die linke Hüfte
getroffen, blieb aber durch Gottes Hülfe für Seinen und des
Kaisers Dienst, sowohl vor diesem Schuße, der in die Haut
nicht eindrang, als vor tausend andern Kanonen- und Mus-
ketenkugeln verwahrt." Wallenstein galt im Heere für „ge-
froren" oder „kugelfest."

für schlechteres als Feigheit angeklagt wurde; denn die
Soldaten sparten nicht, ihn der Berrätherei zu zeihen.
Einige wollen seine Flucht entschuldigen, und sagen,
weil er erst so kurze Zeit im Heere gewesen sei, und
gefürchtet habe, daß Alles verloren wäre, sei er geflohen,
um sagen zu können, er sei gar nicht in der Schlacht
gewesen. Gewiß ist, daß er es war, der zuerst den
Tod des Königs berichtete, und durch ihn war es
früher in Weißenfels als in des Königs eigenem Heere
bekannt."

Wir fahren in der Beschreibung der einzelnen
Vorfälle bei dem Tode des Königs weiter fort.

Mit wenig Begleitung, unter welcher der Herzog
von Lauenburg sich befand, hatte der König sich,
wie wir oben erzählten, von seinem siegreichen rechten
Flügel, an der Spitze der smaländischen Reiter des
Stenbockschen Regimentes) wegbegeben, um der wei-
chenden Infanterie in seinem Centrum zu Hülfe zu
eilen. Er mußte über die Straße hinüber; die Reiterei konnte dem Eilenden nicht schnell genug folgen.
Kaum jenseits der Straße angelangt, kommt er mit
seiner Begleitung den Feinden zu nahe, und wird von
kaiserlichen Kuirassiren umzingelt. Nachdem der König
bereits in den Arm geschossen worden war, und den
Herzog bat, ihn aus dem Treffen zu geleiten, soll ihn
die Kugel des Verräthers in den Rücken getroffen haben. Gewiß ist, daß der Herzog nach der Verwundung des Königs sich eiligst zur Flucht wandte, und
nach Weißenfels eilte, während die Uebrigen, welche
bei dem König waren, entweder todt auf dem Platze

blieben, oder schwer verwundet wurden, wie der erwähnte Edelknabe und Reitknecht. Aus dem G e w ü h l e der Schlacht allerdings trat kein Ankläger des Herzogs hervor,[*]) sondern erst später erhob der Verdacht seine Stimme. Herzog Franz Albert von Lauenburg war in früheren Jahren an dem Hofe von Stockholm gewesen, und hatte von Gustav in dem Zimmer der Königin Mutter wegen einer Ungebührniß eine körperliche Zurechtweisung erhalten. Möglich, daß, ungeachtet der Aussöhnung mit dem König, heimlicher Groll in dem Herzen des Herzogs zurückblieb, welcher, wenn auch nicht Ursache zu der Frevelthat wurde, so doch die Geneigtheit vermittelte, in die Pläne der Feinde Gustav Adolph's, des Kaisers und namentlich Wallensteins, einzugehen. Denn, wenn von irgend Jemand der Mörder des Königs gedungen wurde, so war es von dem „Friedländer," der unauslöschlichen Haß gegen denselben, als den Zerstörer seiner stolzen und hochverrätherischen Plane in dem Herzen trug, und im redlichen offenen Kampfe den ihm an Kriegskunst überlegenen Helden nicht zu überwinden hoffte.

Herzog Franz Albert war später in kaiserliche Dienste getreten, lebte in Wien und kam wenige Wochen vor der Schlacht bei Lützen im Lager zu Nürnberg zu Gustav Adolph, um ihm seine Dienste und seinen Arm

---

[*]) Man müßte denn die zum Theil in Versen verfaßte Erzählung eines königlichen Leibgardisten Hastendorff, welche keinen Glauben verdient, dafür annehmen wollen. Dieser sagt allerdings, er habe den König in der Schlacht von einem großen Herrn ermorden sehen.

anzubieten. Durch seinen angeblichen Eifer für die
Sache der Protestanten und sein einnehmendes Betra-
gen gewann er des Königs Gunst, so sehr auch der
Kanzler Oxenstierna warnte. Nach der Schlacht von
Lützen ging er in den Dienst des Churfürsten von
Sachsen, wurde bei der Ermordung Wallenstein's der
Theilnahme an der Verschwörung gegen den Kaiser
verdächtig, und entging dem Tode nur dadurch, daß
er zum Katholicismus übertrat. Als Befehlshaber
einer kaiserlichen Armee starb er vor Schweidnitz im
Jahre 1642. In der Schlacht bei Lützen wich er nicht
von des Königs Seite, so daß sogar dessen anderweite
Umgebung sich darüber wunderte. Er war der einzige,
welcher in der Nähe des Königs, wie schon erwähnt,
ohne Wunde davon kam, und doch müssen in dem
Augenblick, wo der König fiel, die Kugeln in Unzahl
geflogen gekommen sein, da der König und seine vier
andern Begleiter ihre Opfer wurden. Den Herzog
von Lauenburg soll eine Feldbinde, an welcher er sich
den Kaiserlichen zu erkennen gab, gerettet haben. So
viel steht fest, daß Franz Albert den König schimpf=
lich in der größten Gefahr verließ. Zwar kehrte er
am folgenden Tage, den 7. November, früh um 4
Uhr zu dem Heere zurück, nachdem er die Kunde von
dem erfochtenen Siege vernommen hatte, zog es aber,
bei dem kalten Empfang, der ihm von allen Seiten
wurde, vor, sich zu dem Churfürst von Sachsen zu be=
geben. Die Nachricht von dem Tode des Königs war
weit früher in Wallenstein's Heere bekannt, als in

dem schwedischen; Wallenstein soll die erste Kunde davon erhalten haben.

Dieses sind die geschichtlichen Vorlagen, aus welchen der Verdacht geflossen ist, daß Gustav Adolph durch des Lauenburgers Hand gefallen sei. Die Gustav der Zeit nach am nächsten stehenden Geschichtschreiber sprechen sich für die That aus. Der königliche Gesandte Adler Salvius schreibt im December 1632: „Man erzählt, daß ein gewisser Prinz, nicht nur mit des Churfürsten von Sachsen, sondern auch des Kaisers und anderer großer Herren Mitwissen, Seine Majestät den König gemordet habe, und man hört nun auch hier in Hamburg öffentlich, daß derselbe Anschlag auch gegen unsern unvergleichlichen, heldenmüthigen Reichskanzler im Gange sei.*)" Der uns schon bekannte Chemnitz fügt seiner Erzählung von dem Fall des Königs die Worte bei: „Dieses ist das allgemeine Gerede von des Königs Tod; was aber sonst noch heimlich gemunkelt wird, daß er nicht vom Feinde, sondern von einer andern hohen Person gefallen sei — überlassen wir, als uns nicht hinlänglich bekannt, dem Richter und Rächer geheimer Verbrechen und dessen Richterspruch." — Der schwedische Geschichtschreiber Pufendorf erklärt den Lauenburger des Königsmordes schuldig, und fügt noch bei, daß derselbe später die blutigen Kleider des Königs gezeigt

---

*) Sehr wahrscheinlich; denn man hatte sich darin geirrt, daß die Sache der Schweden nach des Königs Tode verloren sein würde.

habe. Allerdings sind es auch nur Gründe der höchsten Wahrscheinlichkeit, aus welchen er den Schluß zieht, aber sie gewinnen durch die Zeit, in welcher Pufendorf schrieb, und durch seine Stellung am schwedischen Hofe an Bedeutung. Besonderes Gewicht legt er darauf, daß der arme Lauenburger, durch kaiserliche Wohlthaten aufgefüttert, ohne allen passenden Grund zu den Schweden übergegangen sei, welche er nach des Königs Tode sofort wieder verließ. Der engen Verbindung des Herzogs von Lauenburg mit Wallenstein ist schon Erwähnung gethan worden. — Herzog Franz Albert von Lauenburg erwähnt den Vorfall in seinem Tagebuche mit den Worten: „Den 6. November schlugen wir uns bei Lützen mit dem Feinde, gewannen die Schlacht und behaupteten das Feld. Seine Majestät der König von Schweden ward damals in meinen Armen geschossen. Nachts nach Weißenfels zwei Meilen."

Gegen diese Anklage des Königsmordes, welche die Geschichte erhoben hat, hat man allerdings mit Recht eingewendet, daß sie nicht durch Beweise unterstützt wird. In neuerer Zeit erst ist eine Urkunde*) des Vaters jenes Edelknaben Leubelfing bekannt geworden, durch welche des Lauenburgers Unschuld scheinbar an den Tag kommt. Wir theilen diesen Brief des Nürnberger Stadtobersten, Baron von Leubelfing, im Wesentlichen mit:

*) Zuerst wurde sie gedruckt in Murr's Journal, Nürnberg, 1776, IV. 65.

„Aus unterschiedlichen Schreiben, als aus Naum=
burg von dem 11. und 28. Rovember 1632, Erfurt
vom 17. und 18. desselben Monats, wie auch aus
meines lieben Sohnes August von Leubelfing Be=
richt und Aussag vor seinem seeligen Hintritt haben
wir vernommen, daß weiland Ihro königliche Majestät
Herr Gustavus Adolphus, König von Schweden, den
5. November mit ihrer Armee von Naumburg aufge=
brochen, Weißenfels eingenommen und dem Feind nach=
gefolgt, welchen sie zwar spät und in äußerster Un=
ordnung angetroffen, weilen aber die Nacht schon da
war, konnte nichts ausgerichtet werden, und retirirte
sich der Feind hinter das Städtlein Lützen, da sie dann
nicht allein den Landgraben zum Vortheil vor sich
hatten, sondern auch eine Schanze und doppelte Grä=
ben und bei den Windmühlen die Stücke aufpflanzten.
Darauf gingen nun Ihro königliche Majestät den 6.
als an einem Dienstage Morgens frühe, grad zu mit
Ihrer Armee, obwohl der Herzog von Friedland, als
Generalissimus, nachdem er sich mit des Generals
Pappenheim Armee vereinigt, mehr als noch einmal
so stark als der König gewest.*) Und obwohlen Herzog
Bernhard den rechten Flügel, General=Major Knip=
hausen den linken und der König das Mittel ge=
führt, so seie doch Ihro Majestät vor der Reiterei,

*) Bis hierher die Erzählung in der Darstellung der Rei=
henfolge der Begebenheiten nicht genau und treu; wie man
denn annehmen könnte, daß Pappenheim schon vor der Schlacht
sich mit Wallenstein vereinigte, was offenbar falsch ware.

als des Obristen Stenbock's Regiment, so deroselben folgen sollen, nur mit acht Personen vorangeritten, die sie ihnen selbst auserwählt hatten, darunter denn Herzog Franz Albrecht von Sachsen, und Rolck, Ihro Majestät Leibknecht, und mein Sohn Augustus gewest. Weilen aber besagte Stenbacksche Reiter etwas gestutzt und nicht gefolgt,*) ist dieser christliche König und Held von dem Feinde umringt worden, und als Ihro Majestät etliche Schuß und Stich bekommen, und zuvor sechs Mann erwürgt hatte, sind sie endlich von dem Pferde gefallen, daroselben denn mein Sohn zugerennet, von seinem Pferde abgestiegen, solches dem König präsentirt, mit Vermelden, ob Ihro Majestät auf seinem Klepper sitzen wollten, es sei besser, er sterbe, als Ihro Majestät. Da haben sie ihm beede Hände dargeboten, meinem Sohne ist aber unmöglich gewest; Ihro Majestät allein zu erheben, gestalt denn dieselbe Ihnen selbst nicht mehr helfen können. Unterdessen sind nun des Feindes Kuirassire, solches sehend, darauf zugeritten und haben wissen wollen, wer dieser sei, aber weder der König noch mein Sohn wollten es sagen, darauf hat Ihrer Majestät einer das Pistol angesetzt und dieselbe durch den Kopf geschossen, worüber der König gesagt haben soll:**) „Ich bin der

*) Das wäre bei dem S. 363 erwähnten Uebergang des Königs über die Landstraße gewesen, als er der Infanterie zu Hülfe eilen wollte.

**) Soll? Wenn es Bericht des Augenzeugen, des jungen Leubelfing ist, dürfte von einem „soll“ nicht die Rede sein.

König in Schweden geweß," und ist also eingeschlafen, indem Ihro Majestät empfangen gehabt vier Schuß und zwei Stich.*) Meinem Sohne haben sie gegeben zwei Schuß und drei Stich; auch haben sie ihn auf der Wahlstatt bis auf's Hemd ausgezogen und für todt liegen lassen, er ist also bei einer guten Stunde auf der Wahlstatt gelegen, bis endlich haben Ihrer Majestät Hof-Junker ihn auf ein Pferd gesetzt und endlich auf Ihrer Majestät Herrn Hofmarschalls Gutschen gebracht, auf welcher er zu Naumburg in der Frauen Koch's sel. Wittib Behausung angekommen. Hat also dieser junge Kavalier, der sein ganzes Alter auf noch nicht 19 Jahre gebracht, welland ihrer königlichen Majestät in Schweden, obwohl er in Deroselben Diensten nicht geweß, in dieser blutigen Schlacht ganz treulich aufgewartet, Deroselben auch bis an ihr seliges Ende beigewohnet, daß er auch der Letzte unter allen sich bei Ihro Majestät befunden. Ob nun wohl an fleißiger Wartung seiner Wirthin und nothdürftiger Unterhaltung nichts ermangelt, so sind doch seine Wunden vom Herrn Doktor Romanus alsbald für tödtlich erachtet worden, daran er am 15. desselben Monats Christ- und seligen Todes verblichen ist, wie aus seiner gedruckten Leichenpredigt mit mehreren zu vernehmen ist. In seiner Schwachheit hat er nie über Schmerzen geklagt, ist gar geduldig geweß und hat öfters gesagt, wegen seines Königs habe er solche Wunden em-

---

*) Bei der Einbalsamirung des Königs fanden sich neun Wunden.

pfangen, und wegen ihrer Majestät wolle er auch Alles gern leiden, und wenn er schon wüßte, noch hundert Jahre zu leben, wollte er doch das Leben nicht mehr wünschen. Mein selig verstorbener Sohn hat vor seinem Ende den Senior der Dom-Kirchen, den 2c. von Khär ersucht, mir als seinem herzvielgeliebten Herrn Vater und den Seinigen seinen seligen Hintritt zu schreiben und mich zu bitten, daß wir uns wegen dessen nicht betrüben sollten, denn er habe in seinem Berufe, in einer christlichen und ehrlichen Gelegenheit sein Leben aufgegeben und neben Ihrer königlichen Majestät von Schweden für Gottes Wort und Ehre ritterlich gestritten. Also hat wohlgedachter Herr Khär solchen seinen letzten Willen redlich vollzogen und mich von meines seligen Sohnes Hintritt schriftlich berichtet, und denselben am 23. November christlich und adelich beisetzen und begraben*) lassen."

Dieser Brief, an dessen Aechtheit allerdings nicht wohl gezweifelt werden kann, läßt noch bedeutende Zweifel über die Art, wie der König den Tod fand, zurück. Den Lauenburger scheint der Edelknabe während des Gefechtes ganz aus den Augen verloren zu haben, denn er berichtet nichts von dessen Flucht, eben so wenig auch von der Ausplünderung des Königs, wovon er Zeuge sein mußte, da er ja die Wunden gezählt zu haben scheint. Man müßte denn annehmen, daß die Erzählung Leubelfing's durch anderweite Zu-

---

*) Der Grabstein befindet sich noch in der Kirche zu St. Wenzelaus zu Naumburg.

säße vervollständigt worden wäre. Kurz, auch dieses
Document vermag nicht das Dunkel zu entfernen, in
welches des großen Königs Fall gehüllt ist.

Abler Salvius weicht wiederum von der Leu-
belfingschen Darstellung ab. Er beruft sich in seinem
Berichte auf Grubbe, dem Secretair des Königs, und
schreibt aus Hamburg den 25. November 1632: „Der
König wurde, indem er sich an die Spiße des Regimentes Stenbock stellte, das während des dicken Nebels mit dem Feinde zusammenkam, zuerst in den Arm
geschoßen, so daß die Armröhre durch die Kleider her-
vorstach. Hierauf schoß ihn einer mit der Pistole durch
die Achseln. Der König wollte sich noch retten, konnte
aber nicht aushalten, sondern fiel vom Pferde, welches
ihn mit sich mitten unter die Feinde schleppte. Hier
näherte sich ihm einer derselben und fragte ihm, wer
er sei. Darauf antwortete er: „Ich bin der König.‟
Dieser wollte den König hierauf mit sich führen, allein
da unsere Reiter, in demselben Augenblick das Pferd
des Königs ledig und blutig laufend sehend, einen
verzweifelten Angriff thaten, schoß ein feindlicher Reiter den König durch den Kopf und rettete sich durch
die Flucht.‟ In gleichem Sinne berichtete auch Herzog Bernhard von Weimar an Richelieu.

Das ist es, was von des Königs Tode aus jenen
Zeiten auf uns gekommen ist. So dicht wie der Nebel in dem Augenblicke, als Gustav Adolph sein Leben
aushauchte, über dem Schlachtfelde lag, eben so in
Dunkel gehüllt ist des Königs Tod, und es muß Je-

25*

dem überlassen bleiben, aus der geschichtlichen Vor-
lage darüber sich sein Urtheil zu bilden.

Schlußbetrachtung über Gustav Adolph, sein Wirken und seine Absichten.

Verlassen wir die todte Hülle, und wenden wir uns
der Betrachtung des königlichen Geistes zu, der sie beseelte und belebte. Auch schon die äußere Erscheinung
Gustav's verkündigte den König und Helden. Seine
Gestalt ragte eines Hauptes Länge über alles Volk
empor; im schönsten Ebenmaaße standen alle Glieder
seines wohlgebauten Körpers. Sein funkelndes Auge
war der treue Spiegel seiner edlen, großen Seele; aus
seinem ernsten Angesichte sprach herzgewinnend die Milde
und Güte, die er nie verläugnete. Die stark gebogene
Nase verkündete die Kraft seines Heldensinns, und das
hochblonde Haar seine Abkunft. Die Weltgeschichte
hat nur wenig Männer aufzuweisen, welche Gustav
Adolph an Größe der Thaten, an Reinheit der Absichten, an Reichthum der Tugenden, an die Seite gestellt werden könnten. Dieses erkannte seine Mitwelt
richtiger, als später die Nachwelt hin und wieder erkannt zu haben scheint. Nicht mit Unrecht sagt einer
seiner Geschichtschreiber der neuesten Zeit: „Nie hat
ein Todesfall in einem ganzen Welttheile tiefern Eindruck gemacht. So weit sein Name gekommen,
war er ein Strahl der Hoffnung für die Un-

terbrückten. Sogar der Grieche*) träumte dabei
von Freiheit, und am heiligen Grabe stiegen Ge=
bete für Gustav Adolph's Waffen empor. Was mußte
er da nicht für seine Glaubensgenossen sein? -Man
kann sich das vorstellen, oder besser, man kann es nicht
mehr. Die Gefühle, mit welchen das Volk in Augsburg unter Strömen von Thränen zu dem von Gu=
stav Adolph wiederhergestellten evangelischen Gottesdienst
sich drängte; die Gefühle, mit welchen die Bewohner
Sachsens auf ihren Knieen ihre dankenden Hände
gegen den Helden, zum zweitenmale ihren Retter, aus=
streckten, sind unsrer Welt fremd geworden. Da kannte
und fühlte man die Gefahr und wußte den
Befreier zu würdigen. Was Gustav Adolph in
Deutschland wollte, den Zweck seines Herbeikommens,
hat er wiederholt selbst ausgesprochen. Er hat es aus=
gesprochen, nicht heimlich, sondern vor ganz Deutsch=
land, daheim vor dem Reichsrath und seinen Stän=
den, in Deutschlands Gauen selbst vor allem Volk,
„daß er sein armes Land und Leute und alles,
was ihm lieb sei, verlassen habe, dem allge=
meinen evangelischen Wesen und der deut=
schen Freiheit zum Besten."**) In diesem Sinne
hat er sich stets ausgesprochen, und angedeutet, daß
der Zweck seines Erscheinens auf Deutschlands Boden
kein anderer sei, als die Gewissens= und Glaubensfrei=

---

*) Erst nach des Königs Tode, am 12. December 1632,
gelangte ein Plan zur Befreiung Griechenlands an den Reichsrath.
**) Vergl. S. 307.

heit feiner Glaubensgenoffen wieder herzuſtellen, und
der unerhörten Tyrannei des Kaiſers Grenzen zu ſetzen.
Die Zeitgenoſſen Guſtav Adolph's glaubten dieſen
Ausſprüchen auch, daher der Jubel und die Freude,
als er kam und ſiegte; daher der endloſe Schmerz als
er fiel. Wenn ſich Stimmen gegen ihn erhoben, ſo
iſt wohl zu beachten, woher ſie kamen. Die hohe
deutſche Ariſtokratie, welche er im Lager zu Nürnberg ſo derb abfertigte,*) war es zunächſt, welche ſich
gegen ihn auflehnen wollte, weil er ihre eigennützigen,
habgierigen Wünſche nicht befriedigen wollte und konnte.
Wenn in ſpäterer Zeit, und namentlich in unſerer, man
hier und da verſucht hat, die Abſichten Guſtav Adolph's
zu verdächtigen, ſo hat man dabei ein großes Unrecht
begangen. Allerdings ſteht der Grundſatz feſt, daß
Niemand in ſeiner eigenen Sache Zeuge ſein kann,
und inſofern könnte man die eben erwähnten Worte
Guſtav Adolph's, welche den Zweck ſeines Erſcheinens
in Deutſchland enthalten, nicht als vollgültiges Zeugniß gelten laſſen. Allein, haben denn die Thaten
des großen Königs etwa dieſen Worten widerſprochen?
Nicht im Geringſten! Nur die Pläne Guſtav's, von
welchen manche neuere Geſchichtſchreiber geträumt
haben, würden, wenn ſie zur Ausführung gekommen
wären, jenen Worten widerſprochen haben. Von dem,
was Guſtav Adolph thun konnte, hat man einen
ſehr falſchen Schluß auf das gemacht, was er thun
wollte. Ja, man iſt ſogar ſo weit gegangen, dem

---

*) Vergl. S. 332.

königlichen Helden Absichten unterzuschieben, die weit
über sein Grab hinausragen, deren Erreichung auch
in dem günstigsten Falle, wenn Gustav nicht fiel, vielleicht erst nach Jahren möglich gewesen wäre. Aus
welchen trüben, unlauteren Quellen solche Verdächtigungen zum Theil geflossen sind, wollen wir hier unberührt lassen, und nur auf die Ungerechtigkeit hinweisen, Jemanden über das in Anklagestand zu versetzen,
was er gethan haben könnte, wenn ihn der Tod nicht
von dem irdischen Wirkungskreise abgerufen hätte.

Daß Gustav Adolph später andere Mittel zur
Erreichung seiner Absichten, die Religionsfreiheit der
Deutschen zu sichern und die fanatische Tyrannei des
Kaisers zu brechen, gewählt zu haben scheint, kann bei
den beispiellos glücklichen Erfolgen, welche er erkämpfte,
nicht befremden. Daß er gar große Pläne in seiner
Brust trug — wer möchte es bezweifeln? Aber eben
so wenig darf es bezweifelt werden, ob nicht diese
Pläne auf das Heil der Menschheit im Allgemeinen,
und auf das Heil Deutschlands besonders berechnet
waren. Denn, war irgend etwas, so war Selbstsucht
dem Könige fremd. Man hat es ihm zum Vorwurf
zu machen gesucht, daß er den Plan gehabt habe,
Kaiser des protestantischen Deutschlands zu werden,
wie seine Huldigung zu Augsburg*) bezeuge, oder,
daß er mindestens ein protestantisches Kaiserthum dem
katholischen Oesterreich gegenüber habe gründen wollen.
Nun, was wäre denn dieß für ein Unglück gewesen,

---

*) Vergl. S. 315.

wenn er die herrlichen, aber durch die kleinlichsten Leidenschaften der Fürsten zersplitterten Kräfte des armen,
seit länger als einem Jahrtausend zertretenen Deutschlands geeinigt hätte? Was wäre es für ein Unglück
gewesen, wenn die evangelische Kirche sich eines Schutzes
und weltlichen Oberhauptes zu erfreuen gehabt und
endlich einmal aufgehört hätte, dienende Magd zu sein?
Es ist nicht leicht zu begreifen, wie es in unsern
Zeiten, nach den Erfahrungen der letzten Jahrzehnte,
noch Leute geben kann, welche sogar die Todten noch
aufrütteln wollen, weil sie der großen deutschen Freiheit
und Selbstständigkeit zu nahe getreten zu sein scheinen.
Man möchte fast glauben, als ob es mit beiden zu irgend
einer Zeit in Deutschland einmal weit her gewesen sei,
wenn nicht jeder Augenblick den betrübendsten Gegen-
beweis brächte.

Geben wir auch zu, daß es in Gustav Adolph's
Sinne lag, der katholischen Macht gegenüber eine gleich
starke protestantische herzustellen, und der evangelischen
Kirche eben die weltliche Kraft und Geltung zu verschaffen, welche die römische besaß, so ist damit doch
noch nicht ausgesprochen, daß er sich an die Spitze
dieses protestantischen Kaiserreichs stellen wollte. Der
Brandenburgische Prinz Friedrich Wilhelm (später
der große Churfürst) und Herzog Bernhard von Weimar waren als die ersten Stützen des neuen Reichs
von Gustav auserwählt*) worauf auch seine Absicht
hindeutet, seine Tochter mit dem Brandenburger Hause

---

*) Vergl. S. 300.

zu vermählen. Gustav selbst, ohne männliche Leibes-
erben, und ohne Hoffnung, solche zu erhalten, würde
in Deutschland einen Thron nicht bestiegen haben.
„Beschlossen war übrigens — wie der schon erwähnte
neuere Geschichtsschreiber des Königs sagt — bei ihm
noch nichts, womit alle Urkunden übereinstimmen. Seine
Blicke späheten weit umher. Seine Lust war es, den
Faden mancher Möglichkeit in seiner Hand zu halten.'
Scheinen doch selbst die protestantischen Stände und
Fürsten Deutschlands die dringende Nothwendigkeit, sich
unter einem Haupte zu einigen, gefühlt zu haben. Der
Churfürst von Sachsen selbst war es, der bei seiner
Zusammenkunft mit Gustav Adolph zu Halle in der
ersten Freude über den Breitenfelder Sieg freiwillig
erklärte, „daß er treulich rathen und helfen wolle, daß
Gustav Adolph zum römischen König erwählt
würde.*)"

Halten wir uns an das, was Gustav Adolph
that und ausführte; Deutschland hat Grund genug,
ihm zu danken, und die Menschheit, ihn unter ihre
edelsten und größten Helden zu zählen. In Gustav's
Brust lebte der feste Glaube an die Wahrheit der
evangelischen Lehre; er hatte erkannt, daß die Menschheit ihr Ziel nur dann erreichen werde, wenn ihr diese
Sonne verbliebe; er hatte erkannt, daß auch die bürgerliche und gemeine Freiheit nur so lange
gesichert sei, als man die Geistes-, die Gewissensfreiheit unangetastet ließe.

----

*) Vergl. S. 250.

Aus dieser Erkenntniß entsprang seine hohe Liebe zu dem evangelischen Glauben; sein tiefer Haß gegen die Versuche des Kaisers und der römischen Kirche, der Menschheit ihre heiligsten und edelsten Güter wieder zu rauben; sein hohes Vertrauen, daß der, welcher im Evangelium Freiheit und Licht gab, ihn unterstützen werde; sein Heldenmuth, mit dem er, umgeben von einer kleinen Schaar, aus dem dürftigen Schweden herüberkam, um die Riesenmacht des stolzen Kaisers zu vernichten. Gustav Adolph trug die feste Ueberzeugung in sich, daß er im Dienste einer großen und heiligen Sache stehe; er fühlte seinen Beruf, da zu helfen, wo Hülfe fast unmöglich schien. Dieser Glaube gab ihm Kraft, und den hohen Muth, mit welchem er sich jeder Gefahr aussetzte und dem Tode auf dem Schlachtfelde unverwandt in's Auge blickte. Gustav wußte auch, er sprach es aus,[*] daß die Sache, für welche er kämpfte mit seiner Person nicht untergehen werde; daher schonte er sich auch nicht, ungeachtet aller Bitten seiner Freunde.

Und so ist es auch gekommen. Gustav Adolph fiel bei Lützen, und aus seinem Tode kam zunächst der Sieg. Die Religions= und Gewissensfreiheit Deutschland's war gerettet; die Versuche, die Menschheit neuer Knechtschaft entgegen zu führen, waren gescheitert. Zwar kostete es noch harten Kampf und blutigen Streit, bis des Feindes Macht gebrochen war, und der Friede endlich nach fast dreißigjährigem Kampfe

---

[*] Vergl. S. 307, 127.

wieber in Deutschland einkehrte; aber bie Grundbe-
bingungen, unter welchen allein bie evangelische Kirche
in Deutschland fortbestehen konnte, waren gegeben und
gesichert worden. Und, hätten nicht menschliche Lei-
benschaften und Schwächen allzusehr in dem großen
Kampfe sich offenbaret, als später die Alles leitende
Hand Gustav Adolph's fehlte, so würden noch größere
Erfolge erkämpft worden sein. Deutschlands Pflicht
aber ist es, bie heiligen Güter, welche der unvergeß-
liche König erkämpfte und mit seinem Leben erkaufte,
heilig zu wahren und zu sichern; Deutschlands Pflicht
ist es, dieses heilige mit dem Blute unserer Vorältern
erkaufte Erbe festzuhalten, nicht hinzugeben um schnö-
des Pfaffengold und Pfaffenwort; Deutschlands Pflicht
ist es, in dem immer noch fortbestehenden Kampfe für
Glaubens- und Gewissensfreiheit Gustav Adolph,
den großen, frommen, heldenmüthigen Kämpfer für
diese Güter, sich zum Vorbild zu nehmen und nach
ihm aufzuschauen, um an seiner Kraft, an seinem Muth
zu erstarken und von ihm siegen zu lernen, wenn es
gilt, von Neuem gegen den Feind evangelischer Freiheit zu streiten.

Viertes Buch.

Ausgang und Folgen des Kampfes für Deutschlands Religionsfreiheit.

Erster Abschnitt.

Innere Verhältnisse Schwedens. — Christina.

Mitten auf seiner Siegesbahn hatte der Uner-
forschliche Gustav Adolph das: „Bis hierher und
nicht weiter," dem sich jeder Sterbliche beugen muß,
zugerufen. Begonnen, glücklich begonnen war der
Kampf für Deutschlands Religionsfreiheit, als der
große König bei Lützen sank. Unvollendet war das
Werk, das er unternommen hatte, und Andern zur
Vollendung als Erbe hinterließ. Wer aber sollte es
ausführen? Wie ist es ausgeführt worden? Nicht
mit Unrecht dürfte man eine Beantwortung dieser
Fragen von unserm Buche verlangen, da die Ergebnisse
dessen, was Gustav Adolph that und ausführte,
erst im Westphälischen Frieden sich klar herausstellten.
Sechzehn Jahre lang sollte Deutschland noch die blutige

Geiſſel des Krieges fühlen, ehe der Kaiſer ſich zu dem
längſt herbeigeſehnten Frieden entſchloß, und Deutſchland jene im Friedensſchluſſe verbriefte Religions= und
Gewiſſensfreiheit geſtattete. Es iſt daher die Aufgabe dieſes vierten Buches, in kurzen Umriſſen das
noch darzuſtellen, was in dieſem ſechszehnjährigen
Kampfe von den Nachfolgern Guſtav Adolph's geſchehen
iſt. Bevor wir aber zur Schilderung der Kriegsereig-
niſſe übergehen, iſt es nöthig, einen Blick auf das
ſeines Königs beraubte Schweden zu werfen, deſſen
Regierung auf die noch nicht ſiebenjährige Tochter
Guſtav's, Chriſtina, überging. Eben ſo groß wie
der Schmerz über den Tod des Königs, war auch die
Beſtürzung, welche derſelbe verbreitete. Der Reichskanzler Drenſtierna namentlich war es, der in dieſen Zeiten der größten Verwirrung, und ſpäter bis
zum Schluß des Krieges unerſchütterlich wie der Fels
im Meere daſtand, und durch ſeine Weisheit, ſeine
Umſicht ebenſo, wie durch ſeinen Muth die Sache der
Proteſtanten ſchützte, und vor dem Verfall bewahrte.
Am 14. November 1632 meldete er dem Reichsrath
den Tod des Königs. „Ich beklage" — ſchreibt er —
„mein Vaterland, meine Königin, das gefährdete allgemeine Weſen hier, und meine Lebensfriſt, die mich
dieſen Tag erleben ließ. Einen ſolchen König hat die
Welt jetzt nicht, und ſeines gleichen hat ſie in manch
Hundert Jahren nicht gehabt, weiß auch nicht, ob ſo-
bald einer kommen werde. Mein Herzeleid und Sehn-
ſucht nach dem Verſtorbenen befangen mich ſo, daß
ich kaum weiß, was ich ſchreibe. Doch iſt hiermit

wenig ausgerichtet. Unglück ist zu beklagen, aber nicht zu ändern. Es ziemt uns, was Gott uns auferlegt, mit Geduld zu tragen, und seine Gnade dazu um Beistand anzurufen, auf daß reiflicher Rath, fester Muth und mannhafter Entschluß jedes weitere Unglück verhüten und abwenden möge."

Gustav Adolph hatte wiederholt mit dem Kanzler über die Zukunft Schwedens, wenn er früher sterben sollte, verhandelt, und denselben auch beauftragt, eine „Regierungsform" zu entwerfen. Dieses war auch geschehen; doch hatte der Drang der Ereignisse die Vollziehung dieser Regierungsform von Seiten des Königs verhindert. Bis zur Zusammenkunft der Stände, die auf den 6. Februar 1633 einberufen wurden, führte der Reichsrath die Regierung. Im Reichstagsbeschluß sagten die Stände: „daß sie, da es Gott gefallen, ihr Haupt, den König und Vater des Vaterlandes, ihnen zu nehmen, ohne männliche Erben, so wollten sie, laut des Beschlusses von 1627, einstimmig die großmächtigste, hochgeborne Fürstin und Fräulein, Fräulein Christina, des seligen Königs Gustav des Zweiten und Großen Tochter, für die erkorene Königin und Erbfürstin Schwedens erklären." Während der Unmündigkeit wurden, nach Gustav's Andeutungen in jener Regierungsform, die fünf hohen Collegien — der Drost (Hofgericht), der Marschall (Kriegsrath), der Admiral, der Kanzler und der Schatzmeister — als Verweser des Reichs und als Vormünder eingesetzt.

Am 13. Januar 1633 warb der Reichskanzler Oren=
stierna vom Reichsrath zum bevollmächtigten Le-
gaten der Krone Schweden beim römischen Reiche
und bei allen Armeen mit vollster Gewalt ver-
ordnet.

Wenden wir nur noch auf einen Augenblick der
berühmten Tochter Gustav Adolph's unsere Aufmerksamkeit zu. Ueber die abweichende Erziehung, welche
ihr der König geben ließ, haben wir bereits früher
(vergl. S. 78.) berichtet.

Vom Monat Mai des Jahres 1642 fing sie an,
den Sitzungen des Reichsrathes beizuwohnen. An
ihrem achtzehnten Geburtstage, den 8. December 1644
übernahm sie die Regierung, welche sie am 6. Juni
1654 niederlegte, um ihr abenteuerliches Leben unge-
störter zu führen. Sie starb in Rom am 19. April 1689

Zweiter Abschnitt.

Fortsetzung der Kriegsbegebenheiten bis zu dem Prager Frieden, am 20. Mai 1635.

Ein glücklicher Ausgang des Kampfes war jetzt nach des Königs Tode nur noch dann zu hoffen, wenn die Verbindung der Schweden mit den deutschen protestantischen Fürsten, namentlich aber mit Sachsen und Brandenburg in Bestand verbliebe. Hierauf richtete Orenstierna auch sogleich sein Augenmerk. Eine Trennung hätte nothwendig den Untergang Aller herbeiführen müssen.

Am 15. December kam der Kanzler in Dresden an, um mit dem Churfürst von Sachsen zu unterhandeln; er wurde hier „wie ein Legat der Krone Schweden behandelt, nicht anders, als lebte der König noch." Dreierlei Vorschläge machte der Kanzler; der erste war: die evangelischen Stände sollten sich mit der Krone Schweden zur Ausführung des Krieges verbinden, und dieser die Leitung desselben überlassen, wie sie früher der König geführt, der diese Verbindung mit seinem Blute besiegelt habe. Der zweite Vorschlag war: es sollten zwei Hauptverbindungen verbleiben: Schweden und seine Alliirten, und der Churfürst von Sachsen; doch dürfe keiner ohne des andern Wissen Frieden schließen. Der dritte endlich: man müsse die Krone Schweden entschädigen, wenn man

ihre Hülfe nicht mehr zu brauchen meine. Der Churfürst wollte sich, ohne zuvor mit Brandenburg verhandelt zu haben, zu nichts entschließen. Der Kanzler
schreibt: „An dem Hofe zu Dresden ist keine Resolution, auch nicht irgend ein Fleiß; fürchte auch, daß
es deren Einige gebe, die ihr Aug' auf den Kaiser
haben. Sie wissen sich nicht in so gefährliche Zeit zu
schicken, sind guter Tage gewöhnt, und schleppen, bald
gesagt, so Hände als Füße, und machen sich eitle Hoffnung, im Wahne, so dem Unglück entgehen zu
können."

Orenstierna wandte sich nun an die süddeutschen Fürsten und Stände, welche auch zu Heilbronn am 9. April 1633 jenen Verein abschlossen,
zu dem schon Gustav den Grund gelegt hatte. Auch
mit Frankreich wurde der Vertrag erneuert. Die oberste
Leitung des Krieges wurde dem Kanzler übertragen,
doch setzte man ihm noch einige Räthe zur Seite. —
Die ihm übertragene Gewalt benutzte der Kanzler
zuerst dazu, den Erben des verstorbenen Friedrich
die Pfalz einzuräumen. Gesuche über Gesuche kamen an den Kanzler; Jeder wollte etwas haben:
Herzog Bernhard von Weimar machte Ansprüche
auf das Herzogthum Franken; Orenstierna mußte sie
gewähren, schreibt aber: „Mag es zu ewigem Ge-
dächtniß in unserm Archiv verbleiben, daß ein deutscher
Fürst so etwas von einem schwedischen Edelmann begehrt, und daß ein schwedischer Edelmann in Deutschland solches einem deutschen Fürsten bewilligt; was ich

26

eben so ungereimt für den Einen zu begehren, als für den Andern zu geben halte." ·

Bei der Kriegsführung verfolgte der Kanzler ganz die Absichten Gustav Adolph's, so weit sie ihm bekannt waren. Den größern Theil des Heeres schickte er unter Herzog Georg von Lüneburg und dem zum Feldmarschall erhobenen Kniphausen an die Weser und nach Westphalen; mit dem andern Theile ging Herzog Bernhard an den Main, um sich mit der Armee an der Donau in Verbindung zu setzen, welche Horn befehligte.

Herzog Bernhard eroberte zunächst Bamberg wieder, und zog dann der Donau zu; bei Donauwörth vereinigte er sich mit Horn. Die bedeutende Macht sollte sich nun auf Baiern stürzen, als eine Empörung ausbrach, welche die Fortschritte hemmte. Die Obersten der Armee verlangten Entschädigungen, die Gemeinen den rückständigen Sold. Die Ersten erhielten Belehnungsbriefe auf Güter und Herrschaften in Deutschland.

Herzog Georg und Kniphausen trieben unterdessen die Feinde aus Westphalen. Am 28. Juni 1633 schlugen sie die Hauptmacht des Feindes bei Hessisch-Oldendorf. Alle Soldaten und Offiziere trugen Gustav's Bildniß in der Schlacht an der Brust. An Kniphausen's Seite focht Gustav Adolph's natürlicher Sohn, Gustav Gustavsson. Leider störten die eigennützigen Absichten Herzog Georg's die Erfolge dieses Sieges. — Am Rhein fochten die

Schweden ebenfalls siegreich. Am 24. Mai fiel Hei-
belberg, und die Niederpfalz war nun vollständig
erobert.

Herzog Bernhard und Feldmarschall Horn,
längst schon unter sich uneinig, trennten sich wieder.
Bernhard ging nach der Donau; am 15. November
1633 eroberte er Regensburg. Im Anfange des folgenden Jahres wollte er in die kaiserlichen Erbländer
einfallen, und verlangte Horn's Beistand. Dieser
weigerte sich dessen, und Bernhard zog sich nach Schwaben zurück. Schon zogen von allen Seiten feindliche
Schaaren heran, und droheten die vereinzelten Heerhaufen der Schweden zu vernichten, als endlich die
Vereinigung Herzog Bernhard's mit Horn am
27. Juli 1634 zu Stande kam. Die Feinde standen
vor Nördlingen, welches sie belagerten. Die Belagerten sandten Boten über Boten mit der Bitte um
Hülfe und Entsatz, denn die Noth war groß in der
Stadt. Das schwedische Heer war dem Feinde durchaus an Stärke nicht gewachsen; Horn rieth, Verstärkung abzuwarten, welche der Rheingraf Otto
Ludwig herbeiführte. Diese Ansicht ging zum Verdruß
Bernhard's im Kriegsrathe durch. Das Heer sollte
sich nun Nördlingen nähern, und auf einer Anhöhe
ben Rheingrafen erwarten, als die Kampfeslust Bernhard's am 26. August 1634 ein Gefecht herbeiführte,
welches zum Theil während der Nacht fortgeführt
wurde, und am 27. sich zur völligen Schlacht gestal-
tete, die mit der vollständigen Niederlage der Schweben endigte. Horn wurde gefangen; Herzog Bern-

26*

harb floh. Ihm übertrug der Heilbronner Bund nun
den Oberbefehl mit der Aeußerung: daß, „der den
Karren umgeworfen, ihm auch aufhelfen müffe."

Nächft dem Tode Guftav Adolph's war der Ver=
luft der Schlacht bei Nördlingen das größte Unglück,
was Schweden traf. Es war die Frucht von den Um=
trieben der deutschen Fürften, der Selbftsucht und des
Mißtrauens, welche nach Guftav's Tode eben so sich
zeigten, als früher. Graf Peter Brahe ward dem
Kanzler zur Unterftützung nach Deutschland geschickt.
Aus Frankfurt berichtete er unter Andern heim:
„Die Stände bekümmern sich wenig um das allge=
meine Befte, sind neidisch auf Schwedens Glück und
mißgönnen ihm das Directorium. Der Churfürft von
Sachsen schürt und wirft um, was Andere auf=
bauen; Herzog Bernhard will allein schalten und
von Niemand abhängen. Jeder sucht seinen Vortheil,
und will für sich leben und handeln. Da ward ge=
zaubert und disputirt und umsonft die Zeit abgenutzt,
bis die unglückliche Schlacht bei Nördlingen geschla=
gen war."

Die nächfte, für Schweden ebenfalls unheilvolle
Folge war, daß Sachsen für sich zu Prag (den 20.
Mai 1635) mit dem Kaiser Frieden schloß. Das
war der Dank, womit der Churfürft von Sachsen
es Schweden lohnte, daß Guftav Adolph für ihn
sein Leben eingesetzt und hingegeben hatte! In den
Friedensunterhandlungen werden die Siege Guftav's
im Jahre 1630 und 1631 „die im Reiche entftandenen
Unruhen" genannt! Faft alle proteftantischen Stände

traten, mit Ausnahme von Heſſen, aus Furcht und
Verzagtheit dem Frieden bei, und entſagten dem Bunde
mit den Schweden, welche ſich mit einem freien Abzuge begnügen ſollten. Das Schimpfliche dieſes Abfalls machte auf die Regierung und den Kanzler einen
ſolchen Eindruck, daß ſie ernſtlich einen ehrenvollen
Frieden abzuſchließen ſuchten. Der Preis für den Verrath, welchen der Churfürſt von Sachſen an den Proteſtanten beging, war zunächſt das Erzſtift Magdeburg
für den Prinz Auguſt von Sachſen. In beſonderen
Verhandlungen erhielt er noch die Lauſitz als böhmi-
ſches Lehen. Allen evangeliſchen Sänden, welche dem
Prager Frieden beitreten wollten, wozu man ſie einge-
laden hatte, verſprach man Amneſtie, mit Ausnahme
von Würtemberg, Baden und einigen kleineren Ständen. Der Hauptgrund des Krieges, das Reſtitu-
tionsedict, wurde weder gänzlich aufgehoben, noch
ſollte es in ſeiner vollen Kraft bleiben. Man ſuchte
es durch Vergleiche mit den einzelnen Ständen einſtweilen zu umgehen, um bei gelegener Zeit darüber zu
verhandeln. Dieſe Ungleichheit, mit welcher die Stände
behandelt wurden, ſchuf dem Kaiſer neue Feinde, und
ſicherte den Schweden doch einige Verbündete. Die
unſichern Grundlagen dieſes Friedens machten denſelben
bei beiden Theilen verhaßt. Die evangeliſchen Stände
klagten, daß ihnen zu wenig gegeben worden ſei; die
Katholiken fanden die Zugeſtändniſſe für die verhaßten
Feinde viel zu groß. Haß und Tadel, faſt von beiden
Seiten gleich ſtark, ergoß ſich über den Urheber des
Friedens, über den Churfürſt von Sachſen, den man

selbst in öffentlichen Schriften seinen Verrath an der Religion und Reichsfreiheit vorwarf, und eines geheimen Einverständnisses mit dem Kaiser beschuldigte.

Ungünstiger, als jetzt, war die Lage Schwedens nie gewesen. Groß war des Reiches Noth, und größer drohete sie noch zu werden, wenn Polen nach Ablauf des im Jahre 1629*) abgeschlossenen Waffenstillstandes den Krieg erneuerte, was sehr zu besorgen stand. Unter diesen Verhältnissen zog man es vor, mit Polen den Waffenstillstand auf 26 Jahre zu erneuern, allerdings mit Verlust der Eroberungen Gustav Adolph's in Preußen. Der Vertrag wurde zu Stumsdorf am 2. September 1635 abgeschlossen.

Der erneuerte Waffenstillstand mit Polen war zunächst ein Werk Frankreichs, durch dessen Vermittelung er abgeschlossen wurde. Die Verbindung Frankreichs mit Schweden war seit Gustav Adolph's Tode wieder etwas enger geworden, da Frankreich von den Besorgnissen befreit war, welche die Fortschritte und Eroberungen Gustav's in ihm erweckt hatten. Die Unterstützungen, welche es Schweden darreichte, waren bisher gering gewesen, denn noch hatte es dafür nicht das erlangen können, was das Ziel der Verbindung war — oberste Leitung des Krieges, und somit die erste Unterlage zu Eroberungen. Dieses zu erlangen, schien durch das Unglück der Schweden bei Nördlingen und durch den Prager Frieden möglich. Während Frankreich vorher nur sein Gold zur Unterstützung ge-

---

*) Vergl. S. 88.

boten hatte, sendet es nun seine Heere aus, um gegen
den Kaiser zu fechten. Der Kanzler Orenstierna unter-
handelte persönlich mit Richelieu schon im Frühjahre
1633 zu Compiegne, wo die Unterlagen der neuen
Verbindung besprochen wurden, welche beide Theile
bald darauf eingingen.

Von Neuem brach der Kampf nun wieder los,
und wurde mit größrer Härte und Schonungslosigkeit
geführt, als bisher. Der Kaiser war durch den Prager
Frieden wieder zum Kaiser geworden, und ganz
Deutschland folgte, mit Ausnahme weniger Stände,
wieder seinen Winken. Als Feinde standen ihm Schweden und Frankreich allein gegenüber, welche alle Kräfte
aufboten, um den Sieg an sich zu ziehen. Von jetzt
an beginnen die schrecklichen Grausamkeiten, welche die
Geschichte den Schweden vorzuwerfen hat. Es waren
aber nicht mehr die menschlichen, gottesfürchtigen Sieger Gustav Adolph's, welche zur Befreiung ihrer deutschen Glaubensbrüder ausgezogen waren; es waren
die von ihren eigenen Verbündeten, für deren Sicherheit sie Gut und Blut hingegeben hatten, verrathenen,
gemißhandelten Schweden, die nur noch für ihr Leben
auf deutschem Boden zu fechten hatten, auf welchem
das Blut ihres Königs geflossen war.

Vergebens schlugen Millionen Herzen dem Himmel
entgegen, und fleheten um Frieden, denn kaum war
das Elend noch zu ertragen. Fast ganz Deutschland
war zur Wüste geworden; seine üppigen Fluren waren
zertreten, seine Felder brachten keine goldene Aernte,
unbebaut und öde lagen sie da; seine Schlösser und

Dörfer waren verwüstet und lagen eingeäschert in traurigen Ruinen da; seine Städte, durch Plünderung verarmt, wurden die Beute räuberischer Besaßungen. Pestartige Seuchen durchflogen Deutschlands Gaue, und traurig schleppten die unheimlichen Pestwagen mehr Opfer dem überfüllten Friedhofe zu, als der Krieg selbst gefordert hatte. Und was war bis jetzt gewonnen? Nichts! Der Schimmer der Freiheit, welcher an Deutschlands Himmel emporleuchtete, so lange Gustav Adolph kämpfte, ging unter mit der Abendsonne, welche das Lützener Schlachtfeld beleuchtete. Protestantische Fürsten und Stände selbst fielen zuerst ab, und wurden zu Verräthern an der guten Sache, bereit, sich wieder den Bedrückungen des kaiserlichen Tyrannen, und ihre Völker dem Gewissenszwange preiszugeben. Daher konnte kein Friede geschlossen werden, wenn man nicht alle diese Opfer umsonst gebracht haben wollte.

Dritter Abschnitt.

Die Kriegsbegebenheiten bis zu Banner's Tode, am
10. Mai 1641.

Herzog Bernhard von Weimar, welcher noch
den Oberbefehl über das Bundesheer führte, hatte
nach dem Nördlinger Unglück sich Frankreich ganz in
die Arme geworfen, um durch dessen Gold sein Heer
erhalten zu können. Am 17. Oktober 1635 wurde
der Vertrag abgeschlossen, von dem wir sogleich mehr
berichten werden. So stand nun Schweden mit Frankreich ganz allein dem Kaiser gegenüber. Die Regierung gab daher dem Kanzler den Auftrag, den Frieden mit dem Kaiser einzuleiten und nur auf Bezahlung
der Armee und Einräumung einer Seestadt als Pfand
zu bestehen. Alle Vorschläge blieben aber unbeantwor-
tet, weil Sachsen sich in den Weg stellte und verlangte, daß Schweden sich dem Prager Frieden anschließen sollte. Der Churfürst ging so weit, daß er
seine Truppen in die schwedischen Quartiere rücken
ließ und die Offiziere im schwedischen Heere zum Aufruhr zu bewegen suchte. „Da schien es denn ehrlicher
und leiblicher, sich mit Gewalt aus Deutschland hin-
auszuschlagen, als sich so abweisen zu lassen, nieder-
zufallen vor dem Feind und um Frieden zu betteln."
Von Neuem brach nun der Krieg wieder aus
und wurde mit einer Erbitterung geführt, die zu den

unerhörteſten Grauſamkeiten veranlaßte. Johann
Banner, der größte Feldherr in Guſtav's Heer, ſah
ſich nach der Nördlinger Schlacht genöthigt aus Böhmen zu gehen, wo er ſiegreich focht, und ſich bis an
die Saale zurückzuziehen. Der Churfürſt von Sachſen hatte offene Feindſeligkeiten gegen die Schweden
angefangen, um ſeiner im Prager Frieden übernom-
menen Verbindlichkeit — die Schweden aus Deutſchland zu vertreiben — nachzukommen. Noch einmal
wurde das unglückliche Sachſen, welches in lichten
Flammen ſtand, der Schauplatz des Krieges. Die Einwohner mußten die Rache der Schweden, ſo wie der
proteſtantiſchen Deutſchen fühlen, dafür, daß ihr Churfürſt zum Verräther geworden war. Das Land war
ſo ausgeſogen, daß Banner keinen Unterhalt fand und
ſich nach Werben zurückzog. Am 24. September 1636
erfocht er über das vereinigte ſächſiſche und kaiſerliche
Heer einen vollſtändigen Sieg bei Wittſtock. Mit
fürchterlicher Erbitterung kämpfte man von beiden Seiten; ſchon war Banner genöthigt, der Uebermacht zu
weichen, doch ſetzte ſein linker Flügel das Treffen
bis zur Nacht fort; das zweite Treffen war bereit,
am nächſten Morgen den Kampf zu erneuern. Doch
dieſes wollte der Churfürſt nicht wagen; ſein Heer
war gänzlich erſchöpft, die Artillerie ohne Beſpannung.
Er floh in der Nacht und überließ den Schweden das
Schlachtfeld, die Artillerie, ſeine ganze Bagage, ſogar
ſein eigenes Silbergeſchirr. Bald war Banner wieder
in Sachſen; Erfurt und Torgau wurden genommen;
in letzterer Feſtung hielt er ſich vom Februar bis Juli

1637 gegen den überlegenen Feind. Herzog Bernhard von Weimar hatte sich — wie bereits angedeutet — nach der Nördlinger Niederlage enger an
Frankreich angeschlossen. Ohne Mittel, den Krieg fortzuführen und seine verlorenen Eroberungen wieder zu
erkämpfen, des Zwanges, den ihm Orenstierna aufer-
legte, müde, schloß er zu St. Germain en Laye im
Oktober 1635 in seinem eigenen Namen ein Bündniß
mit Frankreich, welches ihm die nöthigen Summen
zusicherte, um die Armee zu unterhalten, welche unter
königlichen Befehlen mit ihm in den Kampf ziehen
sollte. Bernhard eröffnet den Feldzug am Rhein,
wo schon eine zweite französische Armee stand, welche
aber von den Kaiserlichen unter Gallas zurückgedrängt worden war. Von beiden Seiten wurde in
den Jahren 1636 und 1637 ohne besonderen Erfolg
und Entscheidung gekämpft. Als aber im Jahre 1638
Bernhard sich von der Abhängigkeit, in welche ihn
der französische Befehlshaber Kardinal la Valette setzte,
befreit hatte, führte er seine Schaaren von Sieg zu
Sieg. Im Winter eröffnete er den Feldzug am Rhein,
erobert mehrere Plätze, belagert Rheinfelden, muß sich
zurückziehen, erscheint ganz unvermuthet am 21. Februar 1638 wieder und zertrümmert das kaiserliche
Heer gänzlich. Die eroberten Fahnen wurden nach Paris
geschickt. Rheinfelden, Röteln und Freiburg fielen nun
in Bernhard's Hände. Die Festung Breisach am
Oberrhein, der Schlüssel zur Elsaß, war für den Kaiser von größter Wichtigkeit. Sie zu behaupten, wurde
kein Opfer gescheut; auch galt sie durch ihre Lage

und die Festigkeit ihrer Werke fast für uneinnehmbar. Herzog Bernhard belagerte im Vertrauen auf sein Glück Breisach, hoffend, sie durch Hunger in seine Gewalt zu bekommen. Der kaiserliche General Götz eilte mit Proviantwagen und 12,000 Mann zum Entsatz herbei. Bernhard griff ihn bei Wittenweyer an und schlug ihn gänzlich. Eben so wenig gelangen andere Versuche des Entsatzes und Breisach, von der schrecklichsten Hungersnoth gedrückt, ergab sich am 7. December 1638. In seinem eigenen Namen ließ Bernhard von Weimar sich von den Ueberwundenen huldigen; die kühnsten Hoffnungen schwellten seine Brust. Richelieu hörte dieses mit großem Mißvergnügen. Alles wurde gethan, um den deutschen Herzog für Frankreich zu gewinnen. Er sollte nach Paris kommen, um den Triumph über seine Siege zu verherrlichen; eine Nichte Richelieu's wurde ihm als Gemahlin angetragen. Doch — Bernhard floh die Schlingen, die man ihm legte. Jetzt entzog man ihm die Hülfsgelder und behandelte ihn als Feind. Dieses nöthigte den Herzog, seine Kräfte zu theilen, und seinen Plan, sich mit den Schweden an der Donau zu vereinigen, um gegen den Kaiser zu ziehen, aufzugeben. Zu Neuburg am Rhein starb er im Juli 1639 an einer pestartigen Seuche; doch blieb der Verdacht nicht aus, daß es französisches Gift gewesen sei, welches ihm auf seiner Siegesbahn den frühen Tod brachte. Eine große Stütze der evangelischen Sache fiel mit Herzog Bernhard, dem größten Feldherrn seiner Zeit, nächst Gustav Adolph. Die Armee Bernhard's, sein werthvollster Nachlaß, fiel durch Gold und Verrätherei in Frankreichs Hände.

Kehren wir zu Feldmarschall Banner zurück. Das Heranziehen der ganzen feindlichen Macht nöthigte ihn, nachdem ein Versuch, Leipzig zu nehmen, mißlungen war, über die Elbe zu gehen. Er that dieses am 19. Juni 1637; drei Tage darauf ging er an einer seichten Stelle über die Oder, umringt von feindlichen Schaaren. Bei Landsberg, wo er den General Wrangel zu treffen hoffte, wollte er über die Warthe gehen; allein statt Wrangel fand er die ganze feindliche Armee unter Gallas. Schon schien der von allen Seiten umzingelte Banner verloren; doch ein eben so kühner als gefährlicher Streich rettete ihn. Er wußte die Feinde durch falsche Bewegungen zu täuschen, geht mit Geschütz und Bagage wieder durch die Oder zurück und vereinigt sich bei Schwedt mit Wrangel. Dieser Rückzug wurde mit so viel Umsicht, Muth und Ausdauer vollzogen, daß er den ruhmreichsten Kriegsbegebenheiten an die Seite gestellt zu werden verdient.

Banner zog sich vor der überlegenen Macht nach Hinterpommern zurück, während ganz Vorder-Pommern in die Hände der Feinde fiel. Das folgende Jahr 1638 sollte die Verluste reichlich ersetzen. Der kaiserliche Heerführer Gallas zog mit den Trümmern seiner durch Ausschweifungen und Hunger sehr herabgekommenen Schaaren wieder aus dem veröderten Lande. Banner, durch 14000 Mann frische Truppen verstärkt, folgte ihm auf dem Fuße nach. Schrecklich waren die

Gegenden ausgesogen, durch welche der Zug ging, so daß sich Banner genöthigt sah, durch Niedersachsen und Halberstadt zu gehen, um in Sachsen einzubrechen. Zwischen Elbe und Oder war nur Verwüstung und Oede zu finden.

Im Frühjahr 1639 brach Banner in Sachsen ein, vernichtete bei Chemnitz am 4. April das vereinigte kaiserliche und sächsische Heer, und wandte sich nun nach Böhmen. Am 19. Mai nahm er bei Brandeis die kaiserlichen Heerführer Hofkirchen und Montecuculi gefangen und stand am folgenden Tage vor den Thoren von Prag. Schreckliche Verwüstungen bezeichneten Banners Zug; Beute ward alles, was sich fortbringen ließ. Schlösser, Dörfer und Städte gingen zu Hunderten in Flammen auf. Schon rüsteten sich die Kaiserlichen zum ernsten Widerstand, von mehreren Seiten zogen Heere gegen die Schweden heran. Doch würde dieses zu keiner Entscheidung geführt haben, wenn Herzog Bernhard seinen Entschluß ausgeführt und in dieser Zeit zu Banner gestoßen wäre. Doch Bernhard ward eben jetzt, wie bereits erzählt, eine Beute des Todes. Banner mußte sich, nicht ohne Verlust, nach Sachsen und von da nach Thüringen zurückziehen.

Im folgenden Jahre, 1640, wurde Banners sehr geschwächte Armee durch unerwartete Verstärkung für den Feind wieder ein Gegenstand des Schreckens. Im Mai 1640 vereinigten sich die französischen Heerführer Longueville und Guebriant, welche die hinterlassene Armee des Herzogs Bernhard führten, bei Erfurt

mit Banner; auch die Herzöge von Lüneburg schickten
Truppen herbei, denen bald Verstärkung aus Hessen
nachfolgte. Banner zog nun gegen den kaiserlichen
Feldherrn Piccolomini und bot ihm bei Saalfeld eine
Schlacht an; doch dieser ging nicht aus seinem be-
festigten Lager. Nur die Nothwendigkeit, Winterquartiere zu haben, nöthigte ihn später zu einem Abzuge;
er wandte sich nach den Ufern der Weser, wurde aber
von da durch Banner nach Franken getrieben.

Zu dieser Zeit war es, wo der neue Kaiser Ferdinand III.*) zu Regensburg einen Reichstag hielt, um
mit den versammelten Ständen über Krieg und Frieden
zu berathen. Man vermuthete nicht mit Unrecht, daß
es auf die völlige Vernichtung der Protestanten abgesehen sei. — Mitten im Winter bei der strengsten
Kälte verließ Banner sein Quartier im Lüneburgschen
und ging im Verein mit Guebriant durch Thüringen,
Franken, die Oberpfalz der Donau zu und stand im
Januar 1641 vor Regensburg zum großen Schrecken
des Reichstags. Schon waren die Reiter Banner's
über die Donau gesetzt und die Beschießung der Stadt
hatte begonnen, als plötzlich Thauwetter einfiel und
das Eis brach. Banner wollte tiefer nach Baiern
einbrechen, doch der französische Feldherr war nicht dahin zu bringen, ihm zu folgen. Guebriant trennte
sich von Banner und zog an den Main. Dieser sah
sich nun der ganzen feindlichen Macht bloßgestellt. Nur
mit Mühe entkam er an die böhmische Grenze, und war

---

*) Ferdinand II. war am 15. Februar 1637 gestorben.

mehrmals in Gefahr, gefangen genommen zu werden. Bei Preßnitz, in dem böhmischen Grenzpaß, rettete ihn nur der Vorsprung von einer halben Stunde vom Untergange, denn schon war ihm Picolomini auf den Fersen, der ihn eilf Tage lang, ohne absatteln zu lassen, verfolgt hatte. In Zwickau vereinigte sich Banner wieder mit Guebriant; beide zogen von da, unter unaufhörlichem Kampfe nach Merseburg, Halle und Halberstadt, nachdem sie vergebens bemüht gewesen waren die Saale zu vertheidigen. In Halberstadt starb Banner am 10. Mai 1641, an den Folgen vom Verdruß über getäuschte Hoffnungen und seiner übermäßigen Genüße in Wein und Liebe, denn der Held zählte erst fünf und vierzig Jahr. Sechshundert feindliche Standarten und Fahnen, die er nach Stockholm schickte, bekundeten seinen Feldherrnruhm. Groß war der Verlust, welchen Schweden durch Banner's Tod erlitt; in seiner Hand hatte die ganze Leitung des Krieges geruht, nachdem der Kanzler Orenstierna bereits im Sommer 1636 nach Schweden zurückgekehrt war.

Vierter Abschnitt.

Fortsetzung des Krieges unter Bernhard Torstenson
und Gustav Wrangel.

Feldmarschall Bernhard Torstenson.

Die nächste Folge von Banner's Tode war
Meuterei, welche im schwedischen Heere ausbrach. Seit
Gustav Adolph hatte Niemand solche Gewalt über die
Armee gehabt, als Banner. Die Offiziere forderten
nun mit großem Ungestüm ihren rückständigen Sold,
und verweigerten so lange allen Gehorsam, bis sie
denselben erhalten hätten. Feldmarschall Torstenson
war abwesend; die Unterfeldherrn erlangten keinen
Gehorsam. Endlich sandten die Obristen eine Depu=
tation nach Stockholm, welche der Regierung ihre For=
derungen mittheilen sollte. Sie hatten sich gegensei=
tig versprochen, nicht eher einen neuen Feldherrn an=
zuerkennen, bis ihr Verlangen erfüllt sei. Reiter und
Soldaten verkauften Pferde und Montirungen, um
Proviant erhalten zu können. Mehrere der deutschen
Verbündeten ließen ihre Truppen abziehen; Braun=
schweig-Lüneburg hatte sich mit dem Kaiser verglichen,
und die Hessen suchten in Westphalen bessere Winter=
quartiere.

Endlich im Herbst erschien der neue Feldherr,
Bernhard Torstenson, dessen Ankunft durch Krankheit
verzögert worden war. Seit dem polnischen Kriege

27

hatte dieser an des großen Königs Seite gekämpft, und sich zu einem der tüchtigsten Feldherrn herangebildet. Während ihn das schmerzhafteste Gichtleiden zwang, sich meist in der Sänfte tragen zu lassen, war es doch die Schnelligkeit, durch welche er den Feind besiegte. Torstenson brachte neue Truppen mit und so viel Geld, daß er wenigstens für den ersten Bedarf der Armee sorgen konnte. Unter den Generalen herrschte Mißvergnügen; Guebriant ging mit seinem Heere an dem Rhein, und schon hatten Einzelne Unterhandlungen mit dem Feinde angeknüpft. In Salzwedel ließ Torstenson den Oberst Seckendorf, welcher der Gemeinschaft mit dem Feinde überwiesen war, zum Tode verurtheilen; war aber so klug, keine weiteren Untersuchungen anzustellen, sondern ließ das an Seckendorf gegebene Beispiel wirken. Wenden wir uns nun zu den Kriegsereignissen des folgenden Jahres.

In Schlesien stand eine schwedische Heeresabtheilung unter Stålhandske, welche von den Kaiserlichen, unter dem zum Feldmarschall erhobenen Herzog Franz Albert von Lauenburg, sehr gedrückt wurde. Am 26. März 1642 ging Torstenson bei Werben über die Elbe, durchzog die Lausitz, vereinigte sich bei Sorau mit Stålhandske und nimmt nun mit seinem bis auf 20,000 Mann angewachsenen Heere Groß-Glogau mit Sturm ein. Mehrere feste Plätze fallen in Torstenson's Hände; schon steht er vor Schweidnitz, als der Herzog von Lauenburg zur Vertheidigung dieser Festung herbeieilt. Torstenson schlägt ihn, und Schweidnitz ergiebt sich am 24. Mai. Der „Lauenburger"

fiel schwer verwundet in die Hände der Schweden und
starb kurz darauf. Ohne Rast eilt Torstenson auf
seiner Siegesbahn weiter, bringt, den geschlagenen
Kaiserlichen nach, in Mähren ein, treibt die in Olmütz versammelten Landstände in die Flucht und bemächtigt sich dieser Stadt selbst am 5. Juli. Oberst
Wrangel streifte bis auf wenige Meilen vor Wien.
Weiter durfte Torstenson sich nicht wagen; in Olmütz
läßt er starke Besatzung und geht nach Schlesien zurück,
und erobert Kosel und Oppeln durch Sturm. Hierauf
zog er vor die Festung Brieg, und belagerte sie mit
solchem Nachdruck, daß an einem günstigen Erfolge
nicht zu zweifeln war. Jetzt aber eilte Piccolomini
mit überlegener Macht zum Entsatz herbei. Torstenson
zog sich über die Oder nach Glogau zurück, bezog am
Zusammenflusse der Neisse und Oder ein festes Lager
und erwartete die Verstärkungen, welche Carl Gustav
Wrangel aus Schweden herbeiführte. Nachdem die
ersten 4000 Mann angelangt waren, trieb Torstenson
die Kaiserlichen von Glogau fort, und zog sich nach
der Lausitz. Im Angesichte des feindlichen Heeres
nahm er Zittau ein, am 29. September, zieht nach
kurzem Aufenthalte durch Meissen, geht bei Torgau über die Elbe und belagert Leipzig, um die nach-
eilenden Kaiserlichen zur Schlacht zu zwingen. Sobald Torstenson erfahren hatte, daß der Feind zum
Entsatze, so wie zur Schlacht entschlossen sei, hob er
sogleich die Belagerung von Leipzig auf, und zog sich
nach Breitenfeld zurück, dieselbe Stelle zum Kampfe
sich ausersehend, auf welcher Gustav Adolph seinen denk-

27*

würbigen Sieg erfochten hatte. Vernehmen wir über
die Schlacht selbst den Bericht eines Augenzeugen, des
Obersten Gustav Wrangel. Dieser schrieb von Leipzig
aus am 23. October 1642 an seinen Vater: „Der
Feind folgte uns, und kam Abends mit seiner ganzen
Armee an. Da nun zwischen uns und ihm ein Paß
war, und ein tiefer Wassergraben*), so sind wir weiter zurückgewichen, um ihm Platz zu machen, und zu
sehen, was er vornehmen wolle. Heute bei der Mor-
gendämmerung fanden wir, daß er des Nachts über-
gesetzt, und daß wir einander im Dunkel näher gekommen waren, als wir vermutheten. Und als er sich
nicht von der Stelle rührte, sind wir in Gottes Namen in voller Schlachtordnung avancirt, obgleich wir
durch Schrot und Kartätschen des Feindes großen
Schaden litten. So begann die Schlacht, und dauerte
ungefähr vier Stunden. Unser rechter Flügel warf
den kaiserlichen linken ohne großen Widerstand. Darauf kam unser linker Flügel und das Centrum auch
in's Handgemenge, und beiderseits wurde tapfer gefochten. Und obschon der rechte Flügel des Feindes so
vorgedrungen war, daß einige unsrer Brigaden, und
besonders unser linker Flügel in Verwirrung gerathen,
und die Constabler theils den Stücken entliefen, so haben wir jedoch umgewandt, emsig unsern rechten Flügel angeführt, und den linken secundirt, so daß wir
mit Gottes Hülfe den Feind aus dem Felde geschlagen,

---

*) Es ist dieses derselbe Loberbach, dessen wir schon frü-
her bei der Breitenfelder Schlacht (S. 240.) Erwähnung gethan haben.

völlig seine Infanterie gesprengt, die eilf Brigaden, und weit stärker, als unsere war. Wir haben die ganze feindliche Artillerie erobert, 50 Munitions- und über 100 Bagagewagen, viele Fahnen ꝛc. Der Feind hat den Erzherzog und Piccolomini im Stich gelassen, die mit Noth entkamen. Des Erzherzogs Bagage und Silber ist unfre Beute. Ich habe seine Kalesche und sein Goldservice bekommen. Der Feldmarschall (Torstenson) kann von großem Glücke sagen, denn ein Theil seines Pelzes ward ihm durch eine Stückkugel vom Leibe gerissen, das Pferd wurde erschossen, und neben ihm riß die Kugel dem Pferde des Pfalzgrafen Karl Gustav den Kopf weg."

Leipzig fiel nun nach diesem am 23. October 1642 erkämpften Siege in die Hände der Schweden, mußte das schwedische Heer neu bekleiden, und sich mit drei Tonnen Goldes von der Plünderung loskaufen.

Das folgende Jahr 1643 ist minder reich an einflußreichen Begebenheiten. Torstenson zog im Winter von Leipzig aus nach Freiberg, konnte aber diese Stadt, ungeachtet der größten Anstrengungen, nicht erobern. Nach einer kurzen Bewegung an die Oder ging er wieder nach Böhmen, durchzog es in größter Eile, und trieb die Kaiserlichen von Olmütz in Mähren weg, welches sie hart belagerten. Seine Schaaren streiften fast bis an die Thore von Wien. Guebriant war mit dem hessischen und weimarischen Heere nach der Schlacht bei Leipzig an den Rhein

gezogen, und nahm seine Winterquartiere im Erzstift
Köln. Im Januar 1643 versuchte es der kaiserliche
General von Hatzfeld, die Eindringlinge zu vertreiben,
wurde aber von Guebriant bei Kempten vollständig
geschlagen.

Den Siegeslauf Torstenson's unterbrach ein un-
erwartetes, und für Schweden höchst ungünstiges Ereigniß. Am 25. September 1643 erhielt er den Befehl, nach Holstein zu ziehen, weil der Krieg mit Dänemark nicht mehr zu vermeiden sei. Torstenson zog
sich sofort nach Schlesten zurück, ging der Elbe zu,
und kam in Holstein an, ehe man an den Ausbruch
der Feindseligkeiten dachte. Bald waren die festen
Plätze Holsteins in seinen Händen. Eben so unglücklich war für Dänemark der Seekrieg; bei Femern ging
fast die ganze Flotte verloren. Der kaiserliche Feldmarschall Gallas eilte zur Hülfe herbei, und war kaum
in Holstein angekommen, als er von Torstenson nach
Bernburg zurückgedrängt wurde. Der Hunger zerstörte
das kaiserliche Heer in den verödeten Gegenden mehr,
als der Feinde Schwert. Nur mit wenigen Tausenden
kehrte Gallas wieder heim. Dänemark, von dem Kaiser verlassen, mußte um Frieden bitten, welcher unter
harten Bedingungen gewährt, und zu Brömsebro
am 13. August 1645 abgeschlossen wurde.

Torstenson verfolgte seinen Sieg über Gallas.
Der Generalmajor Arel Lilje wurde als Gouverneur
von Leipzig beauftragt, mit dem Churfürsten von
Sachsen über einen Waffenstillstand zu unterhandeln,
der auch in demselben Jahre abgeschlossen wurde.

Torstenson hatte beschlossen, den Kaiser noch einmal im Herzen anzugreifen, und ihn zum Frieden zu zwingen. Zu diesem Zwecke brach er in Böhmen ein. Kaiser Ferdinand war selbst nach Prag geeilt, um seine Heere zu ermuthigen. Bei Jankon oder Jankowitz kam es am 24. Februar 1645 zur entscheidenden Schlacht. „Es begann ein hartes und blutiges Treffen," — berichtet Torstenson selbst, — „desgleichen man nicht sobald sehen wird; und ob zwar der Feind an Reiterei zwei- bis dreitausend Mann überlegen, und an Fußvolk gleich war, so haben ihn doch die Unsern sämmtlich so tapfer empfangen, daß, nach einem schweren Gefecht von 8 Uhr Morgens bis 4 Uhr Nachmittags, endlich der Allerhöchste gnädig den Sieg uns vergönnt hat." Das Heer des Kaisers war gänzlich vernichtet; sechs Generale, worunter Hatzfeld, wurden gefangen. Torstenson erkämpfte den Sieg namentlich durch seine Artillerie, welche er „nach altem schwedischen Brauch" spielen ließ. Zum drittenmale war Torstenson bis in das Innere Oesterreichs vorgedrungen, und Wien zitterte von Neuem. Torstenson's Vorposten standen schon an der Wiener Brücke über die Donau; am 30. März fiel die Schanze in seine Gewalt, welche sie decken sollte. Leider wurde der Sieger gehindert, seine Pläne weiter zu verfolgen. Der Siebenbürger Fürst Ragozi, von Torstenson zur Hülfe herbeigerufen, erschien zwar mit seinen wilden Schaaren, brachte aber nur Verwüstung in's Land, und kehrte, von dem Kaiser bald befriedigt, wieder heim. Auch hatte das französische Heer zu dieser Zeit eine bedeutende Niederlage in Baiern erlitten. Torstenson sah sich hierdurch, und weil ihm weit überlegene Heere von mehreren Seiten heranzogen, mit seinen durch die Pest geschwächten Schaaren genöthigt, von Brünn, welches er belagerte, abzuziehen, und sich wieder nach Böhmen zu wenden. Der siegreiche Feldherr selbst war so krank, daß er sich auf einer Bahre mußte tragen lassen. So ging der Zug durch Böhmen; nachdem er noch Leutmeritz eingenommen hatte, befiel ihn die Gicht auch in Kopf und Brust, so daß er sich genöthigt sah, den Oberbefehl niederzulegen, obgleich der längst erbetene Nachfolger Wrangel noch nicht angelangt war.

Torstenson's Siege waren besonders in einer Beziehung von großer Wichtigkeit. Schon hatten die Friedensunterhandlungen zu Osnabrück und Münster begonnen; aber kaum war man nach Jahren über die ersten Formalitäten hinweggekommen. Die Fortschritte, welche Torstenson machte, beschleunigten endlich den Gang der Unterhandlungen.

Feldmarschall Gustav Wrangel.

Drei Jahre noch sollte der fürchterliche Kampf in dem unglücklichen Deutschland wüthen. Von Stunde zu Stunde steigerte sich der Jammer und das Elend. Oede und zertreten war fast ganz Norddeutschland; auch den länger verschont gebliebenen südlichen Gegenden war gleiches Schicksal beschieden. Alles wurde ein Raub der Soldaten, ob Feind oder Freund, war ganz

gleich. Wehrlose Männer, Weiber und Kinder mußten
endlich den Armeen folgen, da sie hier noch die Möglichkeit fanden, etwas gegen den Hunger zu erhalten.

Gustav Wrangel übernahm im Herbst 1646
den Oberbefehl über die schwedische Armee, welche
außer den zahlreichen Garnisonen und dem Heerhaufen
unter Königsmark aus 22,000 Mann und 70 Kanonen bestand. Wrangel's erste Sorge war, die Armee
nach Sachsen in die Winterquartiere zu führen. Einer
Unternehmung gegen den Feind beschloß er, auf Torstenson's Rath, so lange auszuweichen, bis er sich mit
dem französischen Heere vereinigt hatte. Zu diesem
Zweck wandte er sich zunächst nach Thüringen, zog
von da nach der Weser, und beschloß, in Hessen die
Franzosen, welche unter dem berühmten Turenne
heranzogen, zu erwarten. Diese kamen aber so langsam herbei, daß die Vereinigung erst im August 1646
bei Gießen stattfand. Das Heer zog nun nach dem
Main, nahm Hanau und Aschaffenburg; und ging
dann in zwei Hauptabtheilungen der Donau zu, welche
sie bei Donauwörth und Lauingen überschritten. Auch
Wrangel hatte den Grundsatz, den Krieg in Feindes-
land zu tragen. Am Lech vereinigten sich Wrangel
und Turenne wieder, und belagerten Augsburg, aber
ohne Erfolg, worauf sie in Baiern einfielen, und das
Land mit ihren Schaaren überschwemmten. Jetzt be-
beschloß Maximilian von Baiern endlich, ernste
Schritte zum Frieden zu thun, und suchte bei Schweden um Neutralität nach. Theils war es die Noth,
welche ihn dazu zwang, theils auch der Verlauf der

Friedensunterhandlungen. Sobald Baiern sich neutral
erklärte, stand der Kaiser ganz allein da, von allen
seinen früheren Verbündeten verlassen, und mußte nachgeben. Frankreichs Einfluß auf diesen Entschluß Maximilian's, der fast dreißig Jahre unerschüttert geblieben
war, ist dabei nicht zu verkennen. Am 4. Mai 1647
wurde der Neutralitätsvertrag zu Ulm abgeschlossen.
Turenne ging über den Rhein zurück, und Wrangel
zog nach Franken.

Noch einmal sollte, wie schon so oft in diesem
Kriege, ein Glückswechsel eintreten, welchen man kaum
zu erwarten berechtigt war. Wrangel war nach Böhmen aufgebrochen, und belagerte Eger. Der Kaiser
zog mit seiner letzten Armee unter dem neuen Oberfeldherrn Melander heran. Eger war bereits von
den Schweden genommen, als Baiern — den Waffenstillstand kündigte, und seine Armee sich mit der
kaiserlichen vereinigen ließ. Nie waren die Schweden
in größerer Gefahr gewesen, als jetzt. Wrangel zog
sich nach Meißen, Thüringen und endlich nach Westphalen zurück.

Frankreich hatte auf die Nachricht von Maximilian's neuer Verbindung mit dem Kaiser sofort an
Turenne den Befehl ergehen lassen, Wrangel zu unterstützen. Im Anfange des April 1648 vereinigte
sich Turenne mit Wrangel in Franken. Die kaiserliche
und baiersche Armee war schon durch Mangel genöthigt
worden, über die Donau zurückzugehen. Unter den
schrecklichsten Verwüstungen, unter Raub, Mord und
Brand fiel die vereinigte schwedische und französische

Armee in Baiern ein, und das Land fühlte alle die
Greuel, welche Norddeutschland früher nur allein kennen gelernt hatte. Bei Susmarshausen, in der
Nähe von Augsburg, wurde die feindliche Armee geschlagen; Melander blieb in dem Treffen, und die
Sieger zogen bis an den Inn. Königsmark trennte
sich hier von Wrangel, zog mit seinem Streifheer
nach Böhmen, und bemächtigte sich der Kleinseite von
Prag, wo ihm unermeßliche Beute zufiel.

Noch einmal versuchte Wrangel in Oesterreich einzubrechen; allein der Inn war durch anhaltenden Re-
gen so angeschwollen, daß es unmöglich war, Schiffbrücken zu schlagen. Mangel nöthigte die Alliirten,
sich nach der Oberpfalz zurückzuziehen, wo sie die Nachricht von dem am 14/24. October 1648 abgeschlossenen
Frieden ereilte. Wrangel's drohende Stellung am Inn,
so wie Königsmark's Siege in Böhmen hatten denselben endlich herbeigeführt, da der Kaiser sich von zwei
Seiten des feindlichen Einbruches in seine Länder zu
gewärtigen hatte.

So endigte sich nach dreißig blutigen Jahren ein
Krieg, der in mehr als einer Beziehung in der Geschichte fast einzig dasteht. Eins der schönsten und
reichsten Länder Europas, Deutschland, wurde durch
diesen Kampf zum großen Theil zur Einöde gemacht,
und lange bluteten die tiefen Wunden, die er demselben schlug. Nicht nur die lange Dauer des Kriegs
ist es, was ihn vor allen andern denkwürdig macht,
sondern der Gegenstand des Kampfes und die Grausamkeit und Erbitterung, mit welcher er, besonders in

den letzten Zeiten, geführt wurde. Es war ein Kampf um das Heiligste im Menschenleben, um Freiheit des Glaubens und des Gewissens. Die Versuche Kaiser Ferdinand's, der Menschheit dieses unveräußerliche Gut zu nehmen, waren die Ursache des Kampfes. Und es wäre gelungen, das Werk der Finsterniß, wenn nicht aus hohem Norden der Erretter erschienen wäre. Wir haben drei Abschnitte in diesem ewig denkwürdigen Kriege hauptsächlich zu unterscheiden: Die Zeit vor Gustav Adolph's Ankunft in Deutschland, von 1618 bis 1630; die Zeit des Wirkens Gustav's, von 1630 bis 1632, und die Zeit nach Gustav's Tode bis zum Friedensschluß. Jeder dieser Abschnitte hat seinen eigenthümlichen Charakter. Wir haben uns dem Zwecke unserer Aufgabe gemäß zumeist mit der mittleren Periode des dreißigjährigen Religionskampfes beschäftigt, und die erste und letztere nur so weit berührt, als es der Zusammenhang des Ganges nöthig machte. Mit dem Tode Gustav Adolph's bei Lützen trat der eigentliche Zweck des Kampfes immer mehr und mehr in den Hintergrund. Die unglückselige Zerrissenheit Deutschlands, die Eifersucht und Habgier der meisten protestantischen Fürsten ließen das große Werk, Deutschland vollständige Religionsfreiheit zu erkämpfen, unvollendet. Bei einem innigen Zusammenhalten mußte durch die glänzenden Thaten der Tapferkeit, wodurch sich der spätere Krieg auszeichnet, der Friede weit früher errungen werden, und das Blut vieler Tausende wäre geschont worden, die unerhörtesten Grausamkeiten, ein ewiges Denkmal der Schande für

die, welche sie begingen, wären unterblieben. Und so
geschah es, daß der Kampf, welcher anfangs aus dem
edelsten Beweggrunde geführt wurde, nach und nach
zu einem Vernichtungskriege auf Leben und Tod aus-
artete, in welchem es weniger darauf abgesehen war,
sich durch neue Eroberungen zu bereichern, als das
früher Erworbene zu sichern und zu behalten. Wenn
auch von Seiten Schwedens der Krieg nicht mehr im
Interesse der Idee geführt wurde, für welche Gustav
Adolph herüber kam, so haben wir es doch fast nur
der beispiellosen Ausdauer desselben zu danken, daß
der Erfolg des Krieges für die Protestanten noch ein
so günstiger wurde, wie ihn der Friedensschluß fest-
stellte. Selten kommt in der Geschichte ein so eng be-
grenzter Zeitabschnitt vor, der so reich an den größten
Talenten gewesen ist, als die Zeit, in welcher Gustav
Adolph in Deutschland kämpfte. Im Felde glänzten
von beiden Seiten die berühmtesten Feldherren: Gustav
Adolph, Tilly, Wallenstein. Und, wie die Sonne
Leben in der Natur hervorruft, so scheint der große
König auf die Entwickelung der Talente in seiner
Nähe eingewirkt zu haben. Herzog Bernhard von
Weimar, Oxenstierna, Banner, Torstenson,
Wrangel, waren es nebst vielen Andern, welche an
dem Himmel des dreißigjährigen Krieges als leuchtende
Sterne immer glänzen werden.

Wenden wir uns nun im letzten Abschnitte zu
den Resultaten des Kampfes, wie sie sich im Westphälischen Frieden herausstellten.

Fünfter Abschnitt.

Die Friedensverhandlungen zu Osnabrück und Münster.

Mitten unter dem Geräusch der Waffen wurden die ersten Schritte zu Friedensverhandlungen gethan. Leider aber dauerte es volle fünf Jahre, ehe man zu einem Abschluß kam. Da durchkreuzten sich tausend Verhältnisse, welche berücksichtigt sein wollten; alle Leidenschaften kamen zum Vorschein, und spielten dabei ihre Rolle; Niemand wollte etwas zugestehen, Jeder aber etwas haben. Wenn die Nothwendigkeit mit eiserner Gewalt zu einem Opfer nöthigte, zögerte man doch es zu bringen, in der Hoffnung dem Kriegsglücke noch ein Lächeln abzwingen zu können.

Auf dem Reichstage zu Regensburg im Jahre 1640 bot man Alles auf, den Kaiser für die Friedensbedingungen Schwedens und Frankreichs geneigt zu machen, denn das waren zunächst die Hauptmächte, mit denen man zu unterhandeln hatte. Münster und Osnabrück wurden als die Städte auserwählt, in welchen die Unterhandlungen gepflogen werden sollten, und beide für neutral erklärt. Doch erst im Jahre 1643 erfolgte die Genehmigung der ersten Friedensbedingungen. Am 30. Julius 1643 erschien der erste kaiserliche Gesandte, Graf Ludwig von Nassau; ihm beigegeben war Doctor Isaak Volmar. Beide waren

früher dem proteſtantiſchen Bekenntniſſe zugethan geweſen, und ſpäter zur katholiſchen Kirche übergetreten;
daher auch ihre Lauheit in Vertretung des Intereſſes
derſelben. Später wurde Beiden noch der Reichshofrath Crane zugeſellt. Im September erſchien mit
großem Gepränge der Geſandte Dänemarks, um
vermittelnd zwiſchen dem Kaiſer und Schweden aufzutreten. Unter lächerlichen Ceremonien kamen auch
Spaniens Geſandte an, Graf Zappada und Don
Diego Saavedra. Ihnen folgte bald der berühmte
Friedensvermittler Benedigs, Aloys Contarini und
der zweite ſchwediſche Geſandte Salvius; der
erſte, Drenſtirna, des Kanzlers Sohn, war unter
dem Vorgeben von Krankheit, zu Minden geblieben.
Noch fehlte Frankreichs Abgeordneter. Schon drohete den Friedensverhandlungen der Untergang, als
Torſtenſon die Dänen in Holſtein beſiegte. Am 17.
Mai 1644 erſchien endlich der franzöſiſche Geſandte
Graf d'Avaur in Münſter, dem bald Graf Ser-
vien folgte.

Die Auswechslung der Vollmachten, das ängſt-
liche Beobachten leerer Formen nahmen ungemein viel
Zeit in Anſpruch, während das arme Deutſchland blutete. Erſt am 4. December 1644 war man damit zu
Stande, und die Kaiſerlichen, Spanier und Franzoſen
übergaben ihre erſten Vorſchläge. Die Vollmachten
mußten von Neuem geändert werden, welche Angelegenheit ſich erſt am 16. Februar 1645 erledigte. Zwiſchen den franzöſiſchen Geſandten herrſchte Neid und
Zwietracht; eben ſo zwiſchen den ſchwediſchen, indem

Orenftierna mehr im Sinne feines Vaters, des Kanzlers, und Salvius nach den Anfichten der Königin handelte. Natürlich mußten folche Verhältniffe hemmend
auf die Verhandlungen einwirken. Sämmtliche Abgeordnete fchienen auf ein entfcheidendes Kriegsereigniß
zu warten, welches den einen oder den andern Theil
zur Nachgiebigkeit bringen follte. Diefes Ereigniß führte
Torftenfon herbei, als er die Kaiferlichen vernichtete
und bis in die Nähe von Wien vordrang*). Der
Kaifer zeigte fich nun nachgiebiger. Endlich am 11.
Junius überreichte Frankreich zu Münfter, und Schweden zu Osnabrück Friedensvorfchläge. Beide Kronen
verlangten eine allgemeine Amneftie für Alles, was feit
1618 gefchehen war; Herftellung der alten Reichsver-
faffung und Genugthuung für ihre Aufopferungen.
Der Kaifer antwortete am 15. September auf die
meiften Punkte ablehnend; die Amneftie follte erft vom
Jahre 1630 an beginnen; von Entfchädigungen an
Schweden und Frankreich wollte er nichts wiffen.

Endlich erfchien Anfang Decembers ein neuer
Gefandter des Kaifers, Graf Maximilian von Trautmannsdorf, ein Mann, deffen Weisheit und Milde
zu den fchönften Hoffnungen berechtigte. Diefer begab
fich fogleich nach Osnabrück, um Orenftierna für fich
zu gewinnen, und denfelben von Frankreich abzuziehen,
indem er ihm zu verftehen gab, daß Kaifer und Reich
wohl Schweden eine Entfchädigung gewähren, aber
nie in die ausfchweifenden, eroberungsfüchtigen Pläne

---

*) Vergl. S. 423.

Frankreichs eingehen werde. Am 7. Januar 1648 machten die schwedischen Gesandten Trautmannsdorf ihr Begehren bekannt. Sie verlangten als Entschädigung Schlesien, Pommern, und die Stifte Bremen und Verden, nebst einer Entschädigung für die Miliz. An demselben Tage überreichten auch die französischen Gesandten noch einmal ihre Bedingungen. Die Landgräfin Amalia von Hessen wurde durch Schweden vertreten.

Allgemein war die Klage über die Forderungen der beiden Kronen Schweden und Frankreich; nur Trautmannsdorf stimmte nicht ein, da er vor der Hand kein Mittel sah, dem Jammer ein Ende zu machen. Die Reichsstände fingen nun an sich über die Erklärung Schwedens und Frankreichs zu berathen. Sehr getheilt waren die Stimmen schon wegen des Jahres, von welchem die Amnestie beginnen sollte; noch mehr aber über die Entschädigung, welche Schweden beanspruchte. „Die Schweden" — sagte man — „hätten den Krieg aus Deutschlands Mitteln und Gütern geführt und durch erpreßte Schätzungen, sowohl für die Krone selbst, als für Einzelne, sonderlich aber für die Miliz genugsame Entschädigung erhalten. Ueberdies sei der Krieg auf Rechnung der Schweden selbst zu setzen. Der Verlust ihres Königs sei zwar unersetzlich und wirklich könne keine Genugthuung dafür entschädigen: sie müßten sich begnügen, daß sie die Ehre gehabt, ihres Königs Tod so stattlich und tapfer, wiewohl mit Ruin des ganzen Reiches, zu rächen. Dergleichen heroischer Tod könnte mit nichts anderem, als mit der Glorie, nach dem Beispiel des

28

großen Alexander, dessen Thaten und Tugenden noch
immer in den Historien gedacht werde, irgend vergolten werden." Dagegen war einzuwenden, daß die
Schweden nach des Königs Tode allerdings den
Krieg zunächst auf Unkosten Deutschlands führten, weil
man ihnen das nicht zurückerstatten wollte, was sie
vor des Königs Tode zur Führung des Krieges aufgewendet hatten *).

Bezeichnend ist es, wie man in Schweden über die
Entschädigung dachte. Der Kanzler schreibt im Namen der Regierung an die schwedischen Gesandten in
Osnabrück am 10. November 1646: „Wir sehen, daß
der Kaiser alle jene Angelegenheiten, welche die Restitution der Stände betreffen, vom Friedenscongreß
zu den Reichs- und Collegialtagen zu ziehen
sucht. Daraus würde unwidersprechlich Druck
und Knechtschaft der Stände folgen, und lassen
wir uns unter solcher Bedingung zur Niederlegung
der Waffen überreden, so haben wir im selben Augenblick das Netz über dem Kopfe. Suchet, daß Frankreich
und die Stände sich in dieser Sache verstehen; erklärt,
daß, obgleich wir mit größtem Grunde unsere Satis-
faction vom Kaiser und den Ständen fordern, wir
doch die vorzüglichste in die wohl begrün-
dete Freiheit der Stände setzen **). Haltet

---

*) Man vergleiche was Gustav Adolph selbst darüber
sagt S. 332.

**) Der schwedische Kanzler mußte die deutschen
Stände erst darauf hinweisen, daß sie vor Allem nach ihrer
Selbstständigkeit zu trachten hätten.

euch zuvörderst an unser Recht, für das wir nach dem Prager Frieden gezwungen würden, den Krieg fortzusetzen; kommt es zu dem Ersatz, so lasset sie zuerst bieten. Wiederholen sie aber das Gewöhnliche von Erstattung der Kriegskosten in Geld, so sagt ihnen, daß eine solche unmöglich werde. Wir müssen eine reale Entschädigung haben, so groß, daß sie sich selbst genügt, und so gelegen, daß sie Schweden nützlich sein kann."

Der Kanzler wollte nur höchst ungern von irgend einem Theile Pommerns abstehen. Am 19. September 1646 hatte er schon den Gesandten geschrieben: „daß sie sich nach und nach in der Frage wegen Hinterpommern bewegen lassen sollten, doch zusehen möchten, daß Schweden die Gewalt über die Mündungen der Oder behielt." Am 19. December schreibt er wieder: „die letzte Resolution der Regierung sei, Vorderpommern, Rügen, Wollin, Stettin, Damm, Golnau, Tiefenau mit ihren Bezirken zu fordern", er fügt noch bei: „weiter gebt ihr kein Dorf noch einen Fuß breit zu."

Noch größere Schwierigkeiten fast boten die Forderungen Frankreichs, welches als Entschädigung die Bisthümer Metz, Toul und Verdun, Ober- und Unter-Elsaß, Breisach, den Breisgau und die vier Waldstädte eingeräumt wissen wollte. Man bot ihnen die erwähnten drei Bisthümer, doch einzig „zu Wiederbringung guter Freundschaft", denn Kaiser und Reich wären ihnen keine Entschädigung schuldig.

28*

Von einer Entschädigung der Miliz wollte man noch weniger wissen, indem diese gar nicht dem deutschen Reich, sondern ihrem Herrn gedient, und durch unsägliche Kontributionen Deutschland genug ausgesogen hätte, um ihren Lohn bereits dahin zu holen. — Noch sonderbarer erschien es dem Fürstenrath, daß die Landgräfin von Hessen-Kassel, die wider Kaiser] und Reich die Waffen führte, auf Entschädigung bringe. Man ließ sich sogar merken, was diese Fürstin zu erwarten hätte, wenn man sich nicht vor Schweden und Frankreich scheue.

Außer diesen Ansprüchen der kriegführenden Mächte kamen nun noch die gegenseitigen Beschwerden in Sachen der Religion und Gewissensfreiheit zur Sprache.

Die evangelischen Stände führten zunächst Beschwerde über den „geistlichen Vorbehalt" im Religionsfrieden vom Jahre 1555, durch welchen Prälaten und Capitulare ihre Länder und Freiheiten verlieren sollten, wenn sie zum protestantischen Bekenntniß überträten. Ferner klagten die Protestanten, daß die Katholiken nicht den Grundsatz gelten ließen: „Wem ein Land gehöre, dem gebühre, die Religion darin anzuordnen." Dieser Grundsatz müsse zur Geltung kommen. Auch müßten den Protestanten alle seit dem Jahre 1618 und zuvor abgenommenen Stifter, Klöster und Kirchen, Einkünfte ꝛc. zurückerstattet werden. Ferner wurde verlangt, daß den evangelischen Unterthanen katholischer Stände die öffentliche Religionsübung gestattet werde, daß also nicht, wie bisher geschehen, auf's schärfste ihnen verboten wurde, auch

nur insgeheim eine Predigt zu hören, evangelische Bücher zu lesen, und Gott mit Gesang zu loben; daß die Taufe, der Genuß
des Abendmahls an ihnen nicht wie ein
grobes Laster bestraft, und sie nicht in
allem bürgerlichen Geschäft, wie ehrlos,
zurückgestoßen werden dürften. — Zuletzt forderten die Protestanten eine durchgehende Gleichheit
vor dem Reichsjustizwesen, oder — vor dem Gesetz. —
Solche Güter waren es, welche die Protestanten erst
erlangen wollten, für welche gekämpft worden war.
Und, daß sie ihnen zu Theil wurden, hatten sie Niemandem anders zu verdanken, als Gustav Adolph,
welcher den Kampf für die Religions- und Gewissensfreiheit begonnen hatte. Obgleich in den letzten Jahren des Krieges die Schweden weniger für die Sache
selbst fochten, als für ihre in dem langen, blutigen
Kampfe wohl erworbenen Ansprüche auf Entschädigung,
so durften doch die evangelischen Stände nicht so weit
in ihrer Rücksichtslosigkeit gehen, als sie gehen wollten, und gegangen sein würden, wenn nicht der Sieg
die schwedischen Waffen immer und immer gekrönt
hätte. Es ist keinem Zweifel unterworfen, daß, wenn
Schweden für sich mit dem Kaiser unterhandelt und
Frieden geschlossen hätte, alle Erfolge des Kampfes
verloren gegangen, und die Fesseln von Neuem geschmiedet
worden sein würden.

. Die Katholiken säumten nicht, durch Eingaben ihr
Recht und ihre Ansprüche geltend zu machen; und in
der That, wenn man sie vom bloßen Standpunkte des

Rechtes betrachtet, so hatten gar manche Beschwerden einen gewissen Grund für sich. Es schien kaum einige Hoffnung übrig zu sein, die so weit auseinander liegenden Interessen beider Theile irgendwie zu vereinigen. Daher kam es auch, daß die protestantischen Stände sich immer mehr an Schweden anschlossen und dasselbe als den Schutzherrn ihrer Partei anzuerkennen nicht abgeneigt waren.

Am 2. April 1646 kam endlich eine Zusammenkunft der katholischen Stände mit den protestantischen zu Osnabrück zu Stande. Die Letztern gaben aus Liebe zum Frieden in mehreren Punkten nach, sahen aber kein günstiges Resultat für sich daraus hervorgehen; die Erbitterung beider Theile wurde nur noch stärker. Hierzu kam für die Protestanten die Besorgniß, der Kaiser möchte mit den Kronen Frieden schließen, und die Erledigung der Religionsangelegenheiten von den Beschlüssen des Reichstages abhängig machen. Sie fanden nur Trost bei der schwedischen Gesandschaft, welche erklärte, daß auch der Reichsstände Angelegenheiten in ein und dasselbe Friedensinstrument aufgenommen werden müßten; wollte der Kaiser dies nicht, so würde der Kampf fortgesetzt. Endlich am 12. Julius 1646 einigte man sich wenigstens über das Normaljahr, die Herausgabe der geistlichen Güter betreffend, und bestimmte dazu das Jahr 1624. Somit war doch ein Anhaltepunkt für weitere Unterhandlungen gewonnen.

Noch war kein entscheidender Schritt hinsichtlich der Entschädigung Frankreichs und Schwedens gethan, als Maximilian von Baiern als Vermittler auftrat. Er wollte um jeden Preis Frieden, um neues Verder-ben von seinem Lande abzuwehren. Maximilian wußte die geheimen Aufträge, welche Trautmannsdorf vom Kaiser erhalten hatte; er wußte, wie viel dieser ab-lassen und zugestehen sollte. Im schlimmsten Falle war Trautmannsdorf ermächtigt, die französischen Forderun-gen zuzugestehen. Dies theilte Maximilian im Ge-heimen dem französischen Hofe mit, und dessen Gesandte gaben nun keinen Finger breit nach. Als nun sogar der Churfürst von Baiern Trautmannsdorf vorwarf, daß er eingenmächtig zögere, das zuzugestehen, wozu ihn der Kaiser ermächtigt habe, mußte dieser nachge-ben, und am 26. Mai 1647 erhielt Frankreich das Ober- und Unter-Elsaß sammt dem Sundgau und die Festung Breisach auf ewige Zeiten zugesprochen.

Die französische Gesandtschaft eilte nun nach Osna-brück, um den Frieden zwischen dem Kaiser und Schwe-den zu vermitteln. Die schwedischen Gesandten hatten bereits an dem Hofe zu Paris Klage geführt, und die französische Gesandtschaft erhielt Befehl, die schwedischen Forderungen zu unterstützen. Beide Gesandtschaften, die schwedische und die französische, drangen nun in die kaiserliche, die obenerwähnten Forderungen zu bewilli-gen. Doch wollte man sich von kaiserlicher Seite durch-aus dazu nicht verstehen. Inzwischen war Wrangel wieder in Baiern eingefallen; Maximilian sah sein Land von Neuem der Verwüstung preisgegeben und schloß am 14. Mai 1647 mit Schweden und Frank-reich Waffenstillstand.

Jetzt stand Oesterreich ganz allein auf dem Kampfplatze; die katholischen Stände selbst drangen auf Frieden. Der Churfürst von Brandenburg allein wollte die Ansprüche auf Pommern nicht anerkennen, und die ihm angebotene Entschädigung nicht annehmen. Doch, auch er mußte nachgeben, und am 28. Januar 1647 war die schwedische Genugthuung beschlossen.

Die Genugthuung, welche Schweden an Ländern erhielt, machte namentlich wegen Pommern, eine Entschädigung des Churfürsten von Brandenburg nöthig, welche zu neuen Verhandlungen führte; da sich das Haus Braunschweig heftig den in Vorschlag gebrachten Entschädigungen widersetzte. Am 13. Mai 1647 erreichten endlich die über Brandenburgs Genugthuung gepflogenen Verhandlungen ihr Ende.

Noch größere Schwierigkeiten bot die Entschädigungsfrage der Landgräfin von Hessen-Kassel dar. Landgraf Wilhelm hatte zuerst den Bund mit Gustav Adolph geschlossen *) und wesentlich zu dessen siegreichen Erfolgen mit beigetragen. Die Landgräfin Amalie hatte nach ihres Gemahls Tode das Heer fortgehalten, welches die wesentlichsten Dienste that. Nachdem auch diese Angelegenheit Erledigung gefunden hatte, entspann sich neuer Streit über die Herstellung der Erben des unglücklichen Friedrich von der Pfalz. Die größte Schwierigkeit bestand darin, daß die Churwürde auf Maximilian von Baiern übergetragen worden war.

---

*) Vergl. S. 218.

Am 7. April 1647 erfolgte endlich ein Reichsgut=
achten, durch welches bestimmt wurde, daß Maximilian
von Baiern im Besitz der Churwürde und der obern
Pfalz verbleiben solle; zugleich wurde die Errichtung
einer neuen Churwürde beschlossen, welche die Nach=
kommen des Pfalzgrafen Friedrich mit der Unterpfalz
erhalten sollten, welches sie aber „als eine kaiserliche
Gnade anzusehen hätten, denn Friedrich habe durch
seine betrübten Handlungen den unsäglichen Krieg und
das grausame Vergießen des Christenbluts begonnen!"

Jetzt kam nun die Frage an die Reihe, in wie
weit den Forderungen Schwedens, für die so viele
Jahre erhaltene Armee=Entschädigung zu gewähren, nach=
zugeben sei. Der Kriegsrath Alexander Erskin war
aus Schweden angekommen und erklärte, „er sei nicht
nur von der Krone Schweden, sondern von allen Ge=
nerälen und hohen Offiziers bevollmächtigt, die Forde=
rung der Soldateska, deren billiges Verlangen nur
auf zwanzig Millionen Reichsthaler gehe, zu
unterstützen." Diesem Ansinnen fügte er die Drohung
bei, daß man am Ende Gewalt brauchen, und sich
selbst befriedigen werde, wenn die Katholischen ihre
Einwilligung nicht geben wollten.

Die reine Unmöglichkeit, aus dem erschöpften
Deutschland diese Summe zusammenzubringen er=
regte nicht nur den größten Unwillen bei den versam=
melten Ständen, sondern auch Besorgniß, weil sie die
Macht der schwedischen Waffen zu fürchten Ursache hat=
ten. Die Kriegsereignisse, welche in diese Zeit der Ver=
handlungen fallen, übten auf dieselben großen Einfluß

Es war dem Kaiser gelungen, ein neues Heer unter Melander, wie wir oben berichtet*), in das Feld zu führen, mit dem sich später Baiern vereinigte. Schon hoffte man auf Sieg, und schlug in dieser Hoffnung alle Forderungen der Schweden ab, als Wrangel das Heer bei Susmarshausen schlug, und in Baiern einbrach. Natürlich steigerten die Schweden auf dem Friedenscongreß ihre Forderungen bei solchen Erfolgen ihrer Waffen; mußten aber, als Wrangel im Winter sich zurückzog, wieder nachgeben, bis dessen glücklicher Einfall in Böhmen im Sommer 1648 ihre Ansprüche wieder zur Geltung erhob.

Die Hauptfrage in dieser Angelegenheit war: Wer soll zur Befriedigung der schwedischen Armee beisteuern? Jeder führte Gründe an, aus denen er davon freigesprochen zu sein glaubte, bis endlich das Urtheil Chur-Sachsens durchdrang, daß sie Alle, als Bürger Eines Bundes, beisteuern müßten, da sie Alle des Friedens, als eines gemeinschaftlichen Gutes, sich erfreuen wollten; einige Stände wären ohnehin so verderbt, daß schlechterdings die Unmöglichkeit eintrete, von ihnen den Beitrag zu erzwingen. Man kam nun darüber überein, daß nur der schwedischen Soldateska Entschädigung zu gewähren sei; denn auch andere Stände hatten Genugthuung für die gehaltenen Armeen beansprucht.

Hinsichtlich der Summe, welche man an Schweben zahlen sollte, begann nun ein kaufmännisches Treiben;

---

*) Vergl. S. 425.

es wurde geboten und wieder geboten, mit einem
Worte — gehandelt, bis endlich, als der hartbedrängte
Churfürst von Baiern, dessen Land wieder von den
Feinden überschwemmt war, um Gotteswillen bat, man
möchte Frieden schließen, am 31. Mai 1648 eine Ausgleichung von fünf Millionen Reichsthalern zu Stande
kam. Nun begannen die Unterhandlungen über die
Zahlungstermine, bis man sich endlich dahin einigte,
daß jene Summe in drei Terminen bezahlt werden
sollte: bei Schließung des Friedens 1,800,000 Reichsthaler baar, und 1,200,000 Reichsthaler in Anwei-
sungen; die beiden andern Termine sollten in den
nächstfolgenden zwei Jahren bezahlt werden, worüber
man Schuldverschreibungen gab.

Die Verhandlungen, welche mit Spanien, Holland
und den Niederlanden gepflogen wurden, können wir,
als unserem Zwecke zu fern liegend, übergehen, und
dem Ende zueilen. Am 5. Mai 1648 wurden die
Verhandlungen zwischen Spanien und den sieben vereinigten niederländischen Provinzen abgeschlossen, welche
dadurch als freie und selbstständige Republik anerkannt
wurden.

Obgleich Deutschland durch nicht leichte Opfer
den politischen Frieden von Frankreich und Schweden
nun erkauft hatte, so drohete doch immer und immer
wieder neuer Zwiespalt wegen der Religion auszubrechen. Wiewohl schon früher das Jahr 1624 als
Normaljahr zwischen den Protestanten und Katholiken
festgestellt worden war, so wollten doch diese mehrere
Bisthümer davon ausgenommen wissen, und gaben

zu den erbärmlichsten Streitigkeiten von Neuem Anlaß. Am meisten mußte Trautmansdorf darunter leiden, den Alle faft zugleich beftürmten, die Ausgleichung ganz verschiedenartiger Intereffen zu übernehmen. Wenn die Proteftanten die Vortheile erlangten, die fpäter im Friedensschluffe beftätigt wurden, fo hatten fie es nur der eisernen Ausdauer und dem unerschütterlichen Ent- schluffe der schwedischen Gesandten, und namentlich Drenftierna's zu danken, welcher von keinem Frieden etwas wiffen wollte, wenn nicht der Hauptzweck des Krieges, die Religionsfreiheit, durch den Friedens- schluß gesichert würde. Sogar die proteftantischen Un- terthanen des Kaisers in seinen Erblanden wollten fie darunter mit begriffen wiffen. Der günftige Erfolg ihrer Waffen unter Wrangel unterftützte ihre Forderung, und endlich wurde am 8. April 1648 der Artikel über die „Religionsfreiheit der Unterthanen" angenommen und unterschrieben. Den evangelischen Unterthanen katholischer, und den katholischen Unterthanen evange- lischer Reichsftände sollte die Religionsübung nebft allem damit zusammenhängenden Recht und Besitzthum bleiben, welche fie zu irgend einer Zeit des Jahres 1624, wenn auch nur hergebrachter Weise, hatten; und dieje- nigen, welche auf irgend eine Art daraus verdrängt waren, sollten vollkommen wieder hergeftellt werden. Alle Verträge, welche diesem Grundsatz entgegen wären, sollten ohne Geltung sein. Diejenigen Unterthanen von anderem Glauben, als ihre Obrigkeit, welche zu keiner Zeit des Normaljahres, auch nicht einmal Pri- vatgottesdienft übten, müßten in ihrer Hausandacht,

und in öffentlicher Religionsübung bei der Nachbarschaft nicht gestört, und in der bürgerlichen Gesellschaft
nicht ungleich gehalten, oder verunglimpft werden.
Die Auswanderung, indem sie ihre Güter veräußerten
oder beibehielten, sollte ihnen unbenommen sein.

Neuer Zwiespalt drohete noch durch die traurige
Trennung der Evangelischen in Lutheraner und Reformirte auszubrechen, wozu besonders der Churfürst von Sachsen Anlaß gab. Doch wurde nach
mehreren Verhandlungen auch dieser Gegenstand erörtert
und beseitigt.

Einer der letzten Punkte, welcher in den Verhandlungen noch zur Sprache kam, war die Amnestie,
welche den Verbannten und Flüchtigen aus den kaiserlichen Erblanden zu Theil werden sollte. Die meisten
der Verbannten fochten unter den schwedischen Fahnen;
wenn diese wieder in ihr Vaterland und in ihre Besitzungen zurückkehrten, so hatte der Kaiser von ihrem
Mißvergnügen, ihrer Rachsucht und Macht neue Unruhen zu befürchten. Viele von den eingezogenen Gütern waren verkauft worden, und die neuen Besitzer
würden Entschädigung vom Staate verlangt haben.
Die Hälfte von Böhmen und fast der dritte Theil von
Oesterreich hätte ihren Besitzern genommen, und den
aus der Verbannung Zurückgekehrten gegeben werden
müssen.

Die schwedischen Gesandten gaben endlich, die
großen Schwierigkeiten der Amnestie einsehend, in so
weit nach, daß ihre Religionsverwandten in Böhmen
und Oesterreich, deren Güter noch vor Gustav Adolph's

Ankunft eingezogen worden waren, von der Amnestie
ausgeschlossen bleiben sollten. Doch verlangten sie,
daß in die Friedensformel gesetzt werde: „daß die
schwedischen Bevollmächtigten nur wegen des standhaf-
ten Widerspruchs den Kaiserlichen nachgegeben hätten,
und weil den Reichsständen nicht gut geschienen, deshalb den Krieg fortzusetzen."

Endlich Ende Juli 1648 wurden in Orenstierna's Wohnung die Friedensartikel von dem kaiserlichen Gesandten Volmar in Gegenwart der reichs-
städtischen Gesandten vorgelesen, über welche Kaiser
und Reich mit der Krone Schweden sich geeinigt hatten.
Ungemein groß war die Freude und Rührung über
das dem Blutvergießen endlich Schranken setzende Ereigniß, obgleich im Herzen wohl heimlicher Groll wohnte,
so trat er doch in diesem Augenblicke zurück. Die Un-
terschrift verweigerten die Schweden aber noch, bevor
auch die Unterhandluugen mit Frankreich, ihrem Verbündeten, zum glücklichen Schlusse gekommen seien;
versprachen aber feierlichst, daß sie Alles treu und un-
verbrüchlich halten wollten, welche Erfolge auch die
Waffen noch herbeiführen möchten.

Am 6. September 1648, nachdem die Verhandlungen mit Frankreich ihrem Schlusse zueilten, wurden
die Urkunden des deutschen Friedens zwischen Salvius und dem Reichshofrath Crane ausgewechselt,
und bei dem Reichsdirectorium niedergelegt. Hierauf
wechselte man die Urkunden des deutschen Friedens mit
Frankreich aus, und legte sie ebenfalls nieder.

Noch fehlte die Genehmigung und die etwa nöthigen Anmerkungen des Kaisers. Endlich langte sie
am 22. September an, aber — in Ziffern geschrieben,
zu welchen Volmar vergebens den Schlüssel gesucht
zu haben vorgab. Neue Verzögerung, neuer Unmuth!
Die Gesandten erklärten offen, es wären in der kaiserlichen Erklärung nicht Ziffern dahinter, sondern spa-
nische Mucken. „Sie haben ja" — meinte einer —
„den päpstlichen Nuntius da, und der Papst ist im
Besitz des Schlüssels zu lösen und zu binden, wird
doch wohl auch den Schlüssel zu diesen Ziffern haben."
Endlich erklärte Volmar, daß er den Schlüssel gefunden, und mit Freude gesehen habe, daß der Kaiser
Alles gut heiße. Es fehle nun nichts mehr, als die
Unterzeichnung des Friedensschlusses, wozu auch Graf
Oxenstierna von Osnabrück nach Münster kommen
müsse. Hierin lag eine neue List, auch jetzt noch den
Abschluß zu verzögern. Man ging darauf nicht ein,
und beschloß, in Osnabrück die Unterzeichnung vorzunehmen.

Am 24. October 1648 schlug endlich die Stunde,
welche dem Verwüstungskampfe, der fast seines gleichen in der Geschichte nicht findet, ein Ende machte,
und den Protestanten die Grundlagen sicherte, auf
welchen sie Religionsfreiheit erlangten. Unter Beob-
achtung leerer Formeln und des strengsten Ceremoniels
kam die Unterzeichnung des Friedens zu Stande. Von
den Basteien der Stadt wurden die Stücke gelöst, und
lauter Kanonendonner verkündigte das weltgeschichtliche
Ereigniß.

Wir sind bisher in der Darstellung des Westphälischen Friedens mehr dem Faden der Geschichte gefolgt, als daß wir in die einzelnen Punkte, welche dem Friedensschluß zu Grunde gelegt wurden, tiefer eingegangen waren, was ohnehin nicht zweckgemäß gewesen sein würde. Wir geben nun nach Vollendung der Darstellung der Ereignisse während der Friedensunterhandlungen eine kurze Uebersicht der **Friedens-urkunde**, um die Einsicht in das, was den eigentlichen Kern des Friedens ausmachte, zu gewähren.

Der Friedensschluß zu Osnabrück zwischen der kaiserl. Majestät, dem deutschen Reiche und der königl. Majestät von Schweden.

Artikel 1.

Es sei ein christlicher, ewiger Friede, eine wahre, aufrichtige Freundschaft von Seiten der kaiserl. Majestät und des Hauses Oesterreich, wie auch aller dessen Verbündeten, mit der königl. Majestät von Schweden, deren Bundesgenossen und Anhängern. Und dieser Friede soll so aufrichtig und ernstlich gehalten werden, daß jeder Theil des andern Nutzen und Ehre zu befördern suche, und daß zwischen Beiden, dem gesammten römischen Reiche und der Krone Schweden treue Nachbarschaft und das sichere Bestreben nach Frieden und Freundschaft wieder hervorblühen könne.

Artikel 2.

Es sei von beiden Seiten eine ewige Vergessenheit und Amnestie Alles dessen, was vom Anfange dieser Unruhen an Feindseliges vorgegangen.

Artikel 3.

Kraft dieser allgemeinen und uneingeschränkten Amnestie sollen alle und jede Reichs-Churfürsten, Fürsten und Stände und deren Vasallen und Unterthanen, denen durch die böhmischen und deutschen Unruhen Schaden zugefügt worden ist, in eben den Zustand wieder eingesetzt werden, in welchem sie sich vor der Entsetzung befunden haben, oder mit Recht hätten befinden können.

Artikel 4.

Es soll daher die Churwürde, welche die Pfalz vorher gehabt hat, mit allen ihren Rechten und Aemtern, so wie die ganze Oberpfalz bei Maximilian, Pfalzgraf am Rhein ꝛc., dessen Kindern und überhaupt der ganzen Wilhelminischen Linie verbleiben.

Zur Entschädigung für das Haus Pfalz, so williget der Kaiser sammt dem Reich, um der öffentlichen Ruhe willen, darin ein, daß die achte Churwürde errichtet werde, welche Karl Ludwig, Pfalzgraf am Rhein, und dessen Erben von der Rudolphinischen Linie nun haben soll. Ferner soll die Unterpfalz mit allen Gütern, Rechten ꝛc. gänzlich wiedergegeben werden.

29

Den Augsburgischen Confessionsver=
wandten, die im Besitz der Kirchen gewesen sind,
soll der geistliche Zustand von 1624 gelassen werden,
und auch den Uebrigen, die es verlangen, soll die
Uebung der Augsburgischen Confession sowohl öffentlich
in den Kirchen, als auch in Privathäusern, und sowohl durch ihre, als auch durch benachbarte Diener
des göttlichen Wortes gestattet sein.

Artikel 5.

Da aber die Beschwerden, welche sich zwischen
den Churfürsten, Fürsten und Ständen des Reichs von
beiden Religionen entsponnen, zu dem gegenwärtigen
Kriege größtentheils Veranlassung gegeben haben, so
hat man sich darüber, wie folgt, verglichen:

Der Vergleich, der im Jahre 1552 zu Passau
eingegangen, und der darauf 1555 erfolgte Religionsfriede, so wie derselbe im Jahre 1566 zu
Augsburg, und in der Folge auf verschiedenen Reichs=
tagen bestätigt worden ist, soll, so wie damals einstimmig beschlossen worden, heilig gehalten
werden.

Der Termin der Restitution im Geistli-
chen, und was in Rücksicht dessen im Weltlichen ver-
ändert werden muß, soll der erste Januar des Jahres
1624 sein.

Man hat ferner für gut befunden, daß die
Unterthanen der Katholiken, welche der Augsburgischen
Confession zugethan sind, so wie auch die katholischen
Unterthanen der Augsburgischen Confessionsverwandten,

die im Jahre 1624 zu keiner Zeit die Ausübung ihrer Religion gehabt haben; ingleichen auch die, welche nach Publication des Friedens etwa eine andere Religion annehmen würden, sollen geduldet, und nicht gehindert werden, mit aller Gewissensfreiheit zu Hause ihre Andacht zu verrichten; oder in der Nachbarschaft, wo und wie oft sie wollen, der öffentlichen Religionsübung beizuwohnen, oder ihre Kinder auf fremden Schulen, oder von Hauslehrern unterrichten zu lassen, wenn nur dergleichen Unterthanen im Uebrigen ihre Pflicht erfüllen. Es mögen nun aber Katholiken oder Augsburgische Confessionsverwandte sein, so sollen sie nirgends wegen ihrer Religion verachtet, noch von Gemeinschaft, Erbschaften, Hospitälern oder andern Gerechtigkeiten, viel weniger von den öffentlichen Kirchhöfen und ehrlichen Begräbnissen ausgeschlossen werden.

Artikel 6.

Mit einmüthiger Uebereinstimmung Seiner Majestät, des Kaisers, und sämmtlicher Reichsstände ist für gut befunden worden, daß alle Rechte und Wohlthaten dieses öffentlichen Vertrages auch denjenigen unter den Augsburgischen Confessionsverwandten zukommen, welche Reformirte genannt werden.

Artikel 7.

Damit aber in Zukunft allen politischen Streitigkeiten vorgebaut werde, so sollen alle Churfürsten, Fürsten und Stände des Reichs, bei ihren alten

29*

Rechten und Freiheiten aller Art kraft gegenwärtigen Vergleiches dergestalt bestätigt sein, daß sie von Niemand, unter irgend einem Vorwande, eigenmächtig daraus vertrieben werden können oder sollen.

Artikel 8.

Ferner, weil die Königin von Schweden begehret, daß Ihr für die Abtretung der im Kriege eroberten Plätze Genüge geschehen, und für die Wiederherstellung des öffentlichen Friedens im Reiche gesorgt werde, so übergiebt Ihro Kaiserl. Majestät mit Einwilligung des Reiches und kraft dieser Verhandlung, der Königin und ihren Erben, Nachfolgern und dem Reiche Schweden folgende Länder mit vollem Rechte als beständiges und unmittelbares Reichslehn:

1. Das ganze Vorpommern mit der Insel Rügen. Nächst diesem in Hinterpommern: Stettin, Garz, Damm, Golnau und die Insel Wollin, sammt dem dazwischen laufenden Oderstrom und dem Meere (das frische Haf) und seinen drei Ausflüssen: Peine Swine und Divenau. Ferner die Stadt und den Hafen Wismar und die Festung Walfisch mit den Aemtern Poel.

2. Uebergiebt der Kaiser mit Bewilligung des Reichs der Durchl. Königin das Erzbisthum Bremen und das Bisthum Verden.

3. Nehmen der Kaiser nebst dem Reich wegen aller genannten Länder die Königin von Schweden und Ihre Nachfolger zu einem unmittelbaren Reichsstande an.

Artikel 9.

Als Entschädigung soll dem Churfürsten von Brandenburg, weil derselbe seinen Rechten auf Rügen und Vorpommern entsagt, das Bisthum Halberstadt zu einem beständigen Lehn gegeben werden. Ferner das Bisthum Minden, Camin und die Anwartschaft auf das Erzstift Magdeburg, sobald es durch den Tod des jetzigen Administrators, Herzog August zu Sachsen, vacant wird.

Artikel 10.

Sobald das Friedensinstrument unterschrieben ist, sollen alle Feindseligkeiten aufhören, und das, worüber man sich verglichen hat, sogleich zur Execution gebracht werden.

Endlich sollen wegen Abbankung der schwedischen Miliz alle Reichsstände, die Reichsritterschaft mit eingeschlossen, gehalten sein, fünf Millionen in der Reichsmünze in drei Terminen zu zahlen.

(Die übrigen Bestimmungen dieses Artikels bezogen sich auf die Wiedererstattung beweglicher Dinge: Geschütz, Archive, Mobilien ꝛc., so weit sie dem allgemeinen Kriegsrechte nicht unterlegen hatten.)

Ein besonderes Document: „Münsterischer Friedensschluß zwischen dem Kaiser und der Krone Frankreich" am 4. October 1648, bestimmte die näheren Verhältnisse und Bedingungen, unter welchen diese beiden Mächte den Frieden abschlossen. Hierauf weiter einzugehen, würde unserm Zwecke entgegen sein.

Betrachten wir die Resultate des dreißigjährigen Kampfes genauer, so sind sie allerdings für die protestantische Kirche von größter Wichtigkeit, besonders wenn man bedenkt, welche Absichten der Kaiser nach Erlassung des Restitutionsedictes hatte, und in welch' höchst trauriger Lage sich die Evangelischen im deutschen Reiche befanden. Erst aus dem Friedensschluß ersieht man deutlich, welche Freiheiten und Rechte ihnen abgegangen waren, und was erkämpft worden war. Es ist bereits früher schon darauf hingewiesen worden, daß die durch diesen Friedensschluß erlangten Vortheile mehr oder weniger das Werk Gustav Adolph's waren. Wäre er nicht herübergekommen, so war es gethan, nicht allein um die Freiheit des Glaubens und der Religion, sondern auch um die politische Selbständigkeit. Bei der Eifersucht und Unentschiedenheit der protestantischen Fürsten und Stände würde nie ein Zusammenwirken möglich gewesen sein, wenn nicht eine dritte Hand eingriff, und die Kräfte nach einem Ziele zu einigte. Wir haben zur Gnüge gesehen, welche Anstrengung es Gustav Adolph kostete, seine Verbindungen mit den protestantischen Ständen zu Stande zu bringen, und wie sie meist nur durch die größte Noth und Gefahr dazu gebracht werden konnten. Und wenn zu irgend einer Zeit, so war vor dem Erscheinen Gustav Adolph's der Kaiser in Deutschland übermächtig. Nicht allein an Mitteln war er reich, sondern auch an Ausführern seiner Beschlüsse. Selten haben sich in so kurzer Zeit so viele ausgezeichnete Naturen und Kräfte hervorgethan, als im dreißigjährigen Kriege.

Wallenstein, Tilly, Pappenheim, das waren
die von der Natur hochbegabten Geister, welche, zum
Theil durch Fanatismus und Glaubenseifer getrieben,
die Vernichtungspläne des Kaisers nur zu gut aus-
führten. Die Trümmer und Schutthaufen, womit
ihre Schaaren Deutschland besäet hatten, legten das
vollste Zeugniß ab, daß der eiserne Wille mit eiserner
Faust ausgeführt werden sollte!

Darum Dank dir, großer Held und König, daß
du herüber kamst auf deutsche Erde mit dem „kleinen
Häuflein," und mit deinem Siegesschwerte die Fesseln
zerschlugst, die man deinen evangelischen Glaubensbrüdern anlegen wollte. Du hast für das Höchste gekämpft, was es auf Erden giebt, und so lange in
deutscher Brust noch der evangelische Glaube lebt,
wird von Enkel zu Enkel die dankbare Nachwelt das
treu überliefern und fortpflanzen, was du gewollt,
erkämpft und wofür du dein königliches Leben hingegeben hast. —

Sechster Abschnitt.

Der evangelische Verein
der
Gustav Adolph=Stiftung.

———

Zwei Jahrhunderte waren vorübergerauscht, überreich an bedeutungsvollen, welterschütternden Ereignissen; blutige Kämpfe waren in der Nähe des alten Schwedensteins auf der Wahlstatt bei Lützen ausgekämpft worden. Nach langen, langen Kämpfen hatte sich der Friede wieder auf Deutschlands Fluren gesenkt, als das Jahr 1832 herbeikam, und mit ihm der Tag, an welchem Gustav Adolph zweihundert Jahre früher bei Lützen im Kampfe für Deutschlands Religionsfreiheit gefallen war.

Nicht unbemerkt sollte der 6. November dieses Jahres 1632 bleiben. Wenn auch an der Feier des Tages sich nur die in der nächsten Umgebung von Lützen Wohnenden betheiligten, so entsproß diesem Tage doch eine Idee, welche sich nach und nach verkörpernd, zu einem Ereigniß, zu einer Thatsache wurde, welche schon welthistorische Bedeutung gewonnen hat.

Am 5. November gegen Abend verkündigte das Geläute der Kirchenglocken von Lützen das Herannahen

des friedlichen Tages. Zweihundert Jahre waren vergangen, als der große König an diesem Abend in der
Ebene bei Lützen anlangte, um den blutigen Kampf
zu bestehen, aus dem er lebend nicht hervorgehen
sollte. — Am 6. November erscholl laut von den
Festfeiernden der evangelische Triumphgesang: „Eine
feste Burg ist unser Gott ꝛc.", welchen auch Gustav
Adolph mit den Seinen am Tage des Kampfes ange-
stimmt hatte. Aus allen Städten in der Nähe, namentlich aus Leipzig, waren Schaaren herbeigeeilt,
um auf Lützens blutgedrängten Fluren durch herzinnige
Theilnahme an der Feier des Siegestages dem zu
danken, der ihn durch seinen Tod weihete. Der fest-
lich geordnete Zug begab sich nach dem ehrwürdigen
Schwedenstein, welcher unter kirchlicher Feier bekränzt
wurde.

An diesem Tage war es, wo zuerst mehrere
Männer der Stadt Lützen und aus der nächsten Um-
gebung sich in ihrer Liebe und ihrem Dankgefühl gegen
Gustav Adolph zu dem Entschlusse vereinigten, einen
Verein zu bilden, welcher den Zweck haben solle, ein
dem großen König würdiges Denkmal zu errichten.
Beiträge dazu kamen sofort zusammen, besonders aus
Leipzig, welches seinen Sinn für alles Große und
Schöne auch hier bekundete. Von Leipzig aus kam
auch der Vorschlag, nach dem Vorbilde Englands eine
Sammlung zu veranstalten, zu welcher jeder Protestant
eine Kleinigkeit beitragen sollte. Obgleich dieser Vor-
schlag nicht in das Leben trat, so mehrten sich doch

die Beiträge zu dem Denkmal so, daß man an dessen
Ausführung mit Ernst denken konnte.

Am 6. November 1837 war der Tag, an welchem
das zur Erinnerung an Gustav Adolph's Fall bei
Lützen errichtete Denkmal eingeweiht wurde. Tau=
send und aber Tausend Menschen, selbst aus entfernten
Gegenden, waren herbeigeströmt, um der Feier beizu=
wohnen. Ein fast endloser Festzug ordnete sich in
Lützen, und zog gegen 10 Uhr hinaus auf die Wahl=
statt. In einem weiten Kreise ordneten sich die her=
beigeströmten Schaaren um das verhüllte Denkmal.
In jeder Brust lebte die Ueberzeugung von der Wich=
tigkeit des Augenblickes; jede Brust empfand mit
Schmerz und Wehmuth, daß hier die Stätte sei, wo
der Heldenkönig in der Blüthe seiner Jahre gefallen
war im Kampfe für Deutschlands Religionsfreiheit.

Da erscholl von den ungezählten Tausenden der
Festgesang*):

    In Ungewitter, Sturm und Nacht,
    Hat einst der Held sich aufgemacht,
     Für seines Gottes Sache.
   Er kam mit seinem tapfern Heer
   Wohlausgerüstet über's Meer,
    Beschirmt von heil'ger Wache.
      Wahrheit,
      Glauben
    Ohne Wanken;
    Lichtgedanken,
    Helle Kerzen,
  Trug er in dem starken Herzen.

_____

*) Wir theilen diesen sowohl, als auch Einiges aus der
Weiherede mit, und hoffen von dem Leser Dank zu erhalten, so
Schönes und Herrliches der Vergessenheit wieder entrissen zu haben.

Für Christuslehre, rein und klar,
Vertheidigt' er den Hochaltar
Mit seinem guten Schwerte.
Kreuz, Bibel, Kelch und Gotteshaus
Beschützte er im blut'gen Strauß;
War Hirt der kleinen Heerde.
Hier auch
Stand er,
Stand vor Allen,
Um zu fallen,
Um zu sterben, —
Und wir wurden seine Erben.

Froh dieser Erbschaft und bewußt,
Ertönt ihm heut' aus voller Brust,
Lob, Preis und Dank und Segen.
Ein Denkmal von des Volkes Hand,
Mit Friederich Wilhelm im Verband,
Soll an den Tag es legen.
Stehe,
Denkmal,
Auf dem Boden,
Wo dem Todten,
— Ruh' umfangen —
Sieg und Morgen aufgegangen.

Hierauf bestieg der evangelische Bischof der Provinz Sachsen, Dr. Dräseke, der weithin Gefeierte, den erbauten Rednerstuhl, und sprach zu der lautlos dastehenden, des Augenblicks sich ganz bewußten Schaar:

„So grüßen wir den Bau unserer Liebe, im Angesicht Dessen, „vor dem die Jahrtausende sind wie der Tag, der gestern vergangen ist."

„Stehe, Denkmal!" Denn das Leben steht nicht; es fährt dahin wie ein Strom. Sogar die

Unsterblichen sterben: Nur das Leblose steht, über-
lebend, um die Unsterblichen zu mahnen an das, was
nicht sterben kann.

„Stehe, Denkmal!" Nicht allein große Begebenheiten braucht die Welt, den Menschen zu erziehen
für seine große Bestimmung. Auch große Maalzeichen
thun Noth, an welchen wir ausruhen von großen
Geschicken, und für größere reifen.

So „stehe Denkmal" und stehe Rede; Rede
vor den nachfragenden Geschlechtern, Rede vom Königlichen Mann und Königlichen Werke; lautere, mäch-
tigere Rede, als der einfache „Schwedenstein" geführt hat.

„Stehe, Denkmal, auf dem Boden, wo dem
Todten Ruh' umfangen, Sieg und Morgen aufgegangen."

Wie heilig ist diese Stätte!

Zwar kein Kirchendach überwölbt sie. Doch ihre
Hallen sind hoch wie der Himmel, und weit wie die
Erde. Und selbst die kleine Menschenbrust dehnt sich
zum Dom aus, wo Erinnerungen walten, wie hier.
O wie heilig ist diese Stätte!

Oder suchet Ihr wirklich nach Altar und Opfer,
als könntet Ihr Beides nicht finden? — Sehet, hier
ist der Altar, — dies Monument. Sehet, hier sind
die Opfer, — Eure Herzen. Lichterloh brennt's darinnen, wie danksagender Weihrauch, wenn Ihr erwä-
get, wovon das Denkmal zeugt: was hier, was heute
vor 205 Jahren, was am 6. November 1632 geschah:

„Hier fiel Gustav Adolph." O wie heilig ist
diese Stätte!

„Hier fiel Gustav Adolph!" Der Sieg über
Tilly am 7. September 1631 hatte das Werk gegründet. Weiter führen sollte das folgende Jahr,
wo Wallenstein unserem Helden gegenüber stand.
Und hier, eben hier, wo wir stehen, stand der Held. —
Hier schwebte sein Genius über dem Heer. Hier ergriff sein Muth Mann für Mann. Hier strahlte er
als Feldherr an der Spitze. Hier kämpfte er als
Soldat im Getümmel. Hier ereilte ihn das Ver-
hängniß, — erst Armwunde, dann Todesstreich. Hier
sank er hinab vom Streitroß, um, aus neun Wunden
blutend, unter den Leichen der Wahlstatt sich zu verlieren. So fiel Gustav Adolph; hier! — — Es
war Mittag, als er so fiel. Doch im Leben des
Sterbenden war's kaum Mittag. Trug er auch zwanzig
Jahr schon die Krone: so war er doch noch nicht
vierzig Jahr alt. „Der Mensch ist in seinem Leben
wie Gras; er blühet wie eine Blume auf dem Felde.
Wenn der Wind darüber hinfährt, ist sie nimmer da
und ihre Stätte kennet man nicht mehr." Im höchsten Sonnenglanz aufsteigender Entwickelungen
fiel der Königliche Held. Fiel er: sagt das Wort.
Die That spricht anders. Denn nicht unterliegend fiel
er; er fiel als Ueberwinder. Wohl schien der Sieg
unentschieden; doch war er entscheidend. Wohl schwankte
die Waage lange, — und wer bürgt dafür, daß diese
Schlacht, wenn sie nicht das Leben gekostet hätte, mit
Sieg würde gekrönt worden sein? — Doch der Tod

des Feldherrn wurde ein begeisternder Engel für seine
Schaaren; zum Kampf, zu heißerem Kampfe rief der
Todesengel sie auf; und das Schlachtfeld mit seinen
Opfern war der Treue köstlicher Preis. Siegen hieß
hier fallen müssen. Aber auch: fallen hieß hier
siegen fallen. „Stehe, Denkmal, auf dem Boden,
wo dem Todten, Ruh' umfangen, Sieg und Morgen
aufgegangen." O wie heilig ist diese Stätte! Gewiß,
„die Stätte, da wir stehen, ist heiliges Land, und
der Herr ist an diesem Orte."

Denn, **was rief den Helden hieher?**
„**Er führte des Herrn Kriege,**" — ant-
wortet das Denkmal, aus den Tagen eines, auch Königlichen Siegers, aus David's Tagen. „Des Herrn
Kriege" riefen: darum kam Gustav Adolph.

Sein Ahnherr hatte in Schweden die Kirchenver-
besserung eingeführt. Auf ihrem Grunde stand Wasa's
Enkel, unser Held. Als daher das schreckliche Restitutionsedict von 1629 die Evangelischen zu vernichten
drohete: siehe! da bebte dem Helden unter den Füßen
der Grund und das Herz in der Brust. Wie wenn's
gerufen hätte: Komm herüber und hilf uns!
so war ihm zu Muth. — Krieg galt es. Es galt
für Gott und Gottes unverfälschtes Wort. Es galt
für die Gewissen und ihre theuer erkaufte Freiheit.
Es galt für die Kirche und ihr wieder angezündetes
Licht. Es galt für das Reformationswerk und seinen
Fortgang in den jungen Gemeinden. Krieg galt
es; des Herrn Krieg; Krieg in des Herrn Namen.

um des Herrn Willen, für des Herrn Wort. Da
kam zur Rettung der Retter. Da hielt ihn sein Thron
nicht. Da hielt ihn sein Volk nicht. Da hielt ihn
sein Haus nicht. Da hielt ihn sein Kind nicht. Des
Herrn Krieg zu führen, brach er auf, und kam.

Doch nicht blos für des Herrn Wort kriegte
Gustav Adolph, sondern auch in des Herrn Geist.
Von dem Herrn hoffte er die Hülfe, welche kein Mensch
leistet. In dem Herrn vertraute er seine Tapfern dem
Meer. Vor dem Herrn bog er sein Knie, als er
unsre Küste betrat. Zu dem Herrn rief er mit In-
brunst, so oft ihm bang werden wollte vor der Größe
seines Unternehmens. — Und wie das Haupt, so
die Glieder. Unter seinen Heerschaaren: nein, da
wurde nicht geflucht und geschworen, geschwelgt und
gepraßt. Auf seinen Heerzügen: nein, da wurde
nicht gesengt und gebrannt, geraubt und gemordet.
Die Furcht Gottes beseelte den Feldmeister und das
Feldlager. Und wie Morgenandacht den heißen Tag
weckte, so weihete Abendgebet die müde Nacht ein.
Gott mit uns! war der Wahlspruch, wenn's in die
Schlacht ging. Gott die Ehre! war das Feldgeschrei, wenn Erfolge den Lauf gekrönt hatten. Für
des Herrn Wort kriegte Gustav Adolph in des
Herrn Geist.

Namentlich in diese Gegend und für dieses
Mal: was rief den Krieger des Herrn? Nach den
fruchtlosen Anstrengungen bei Nürnberg, was gebot
ihm, den schon eingeschlagenen Weg nach Schwaben
zu verlassen, und hieher zu eilen? Dein Schutz,

du heilige Wiege des neugeborenen Glaubens, theures Sachsenland; Dein Schutz gegen Wallenstein's Winterquartiere! „Ehe ich Sachsen lasse, will ich mein Leben lassen!" sprach der Krieger des Herrn. Darum kam er, wie für des Herrn Wort, und in des Herrn Geist, so auf des Herrn Wink, und schlug die Schlacht, in der er sein Leben lassen sollte, **die Lützener Schlacht.**"

Als der Augenblick nahete, in welchem die Hüllen von dem Denkmal fallen sollten, brach der begeisterte Redner in die Worte aus:

„Und nun, auf! und enthülle dich, Denkmal! Solchem Gelübde darfst du zuschauen; es ist deiner würdig. Für solche That sollst du begeistern; dazu bist du bestimmt. Ja, wirf ab deine Hüllen vor Mitwelt und Nachwelt, Monument Gustav Adolph's, und sei den kommenden Geschlechtern ein Zeuge seines Kampfes und Todes für die Freiheit der evangelischen Kirche!"

Weithin verkündete der Donner der Kanonen die Enthüllung; die Decken fielen herab, und im prangenden Sonnenglanze stand das Denkmal da, errichtet über dem ehrwürdigen Schwedenstein. Der Weihe-Redner aber schloß die Feier mit den Worten:

„O wie viele Augen in Deutschland möchten auch sehen, Ihr Tausende, was Ihr jetzt sehet, und sehen es nicht! — Wohlauf denn! Sehet für die Abwesenden mit, und bringet ihnen zu Haus ihr Theil an der Gotteskraft, die von diesem Maalzeichen ausgeht. Du aber, Monument Gustav Adolph's, sei ein Leuchter im Gottestempel dieser herrlichen Erbe, und wirf deinen Glanz weithin! Den Schwedenstein, welcher nun in dich aufgenommen, haben die Jahrhunderte nicht verwittert; stehe auch du, und überdaure der Zeiten Sturm. Und wie du von Pilgern erbaut bist: erbaue die Pilger wieder. Wer hieher kommt, und dich betrachtet, an der Seite des treuen Kriegsknechts, dem deine Bewachung als die letzte Wache, die er im Leben thun soll, von der Gnade seines dankbaren Monarchen übertragen ist: Den erinnere, daß diesseit und jenseit der Meere die Kinder des Reichs heimisch sind; — Den begeistre, des Herrn Kriege zu führen, wo die Ehre des Herrn ruft; — Dem bethätige des Glaubens weltüberwindende Gewalt und überirdische Hoheit; — Den taufe mit dem Geiste, nicht der Furcht, sondern der Kraft und der Liebe und der Zucht: — damit Keiner von hinnen gehe, Keiner! ohne neu verbunden zu sein mit dem auserwählten Geschlechte, dem königlichen Priesterthum, dem heiligen Volk, dem Volk des Eigenthums, das da verkündiget die Tugenden Dessen, der uns berufen hat von der Finsterniß zu Seinem wunderbaren Licht. Amen."

Fest = und Dankgesänge beschlossen die erhebende Feier*), welche einen unauslöschlichen Eindruck auf Aller Herzen gemacht hatte; und dieser bleibende Ein-

---

*) Das Denkmal enthält auf der Vorderseite die Inschrift: „Hier fiel Gustav Adolph den 6. November 1632." Die drei übrigen Seiten enthalten Gustav's Wirken bezeichnende biblische Stellen, (1. Sam. 25, 28; 1. Joh. 5, 4; 2. Tim. 1, 7.) an welche der geistreiche Redner seine Worte geknüpft hatte.

30

druck war zunächst die Ursache, daß das aus der Gründung des Denkmals nach und nach sich weiter ausbreitende Werk der Gustav Adolph=Stiftung so großen Anklang, so reiche Theilnahme und Unterstützung fand.

Schon bei der Feier des Todestages Gustav Adolph's, am 6. November 1832, war von vielen Seiten her die Ansicht ausgesprochen worden, daß die Errichtung eines Denkmales wohl nicht genügen möge, um das Dankgefühl Deutschlands für die Erkämpfung unserer Religionsfreiheit zu bezeugen. Nach mancherlei Vorschlägen gewann der allgemeine Geltung, einen Verein zu bilden, welcher Gustav Adolph's Zweck: „bedrängten Glaubensverwandten Hülfe zu bringen," wieder aufnehmen und verfolgen sollte. Unter dem Wahlspruche: „Lasset uns Gutes thun an Jedermann, allmeist aber an den Glaubensgenossen," bildete sich der Verein, welcher seinen Sitz in Leipzig hatte, und lud am 9. December 1832, und wiederholt am 12. Januar 1833 zur Theilnahme ein. In Sachsen war es zunächst Dresden, wo sich schon im Februar desselben Jahres 1833 ein neuer Verein gründete. Beide Vereine wirkten nun unter dem Namen der „Gustav Adolph=Stiftung" fort, und wurden als solche am 4. October 1834 von dem königl. sächs. Cultusministerium anerkannt, und ihre Statuten bestätigt. Am 6. November 1834 traten diese in Kraft; die Leitung des Ganzen verblieb dem Leipziger Hauptverein, welcher schon über ein Vermögen von mehr als 4000 Thaler zu verfügen hatte. In

Sachfen bildeten fich immer mehr Zweigvereine; doch
mußten die Kräfte nur noch schwach erfcheinen, der großen Menge hülfsbedürftiger evangelifcher Gemeinden
gegenüber.

Seit dem Jahre 1842 nahm auch Süddeutfchland
an der Guftav Adolph=Stiftung Theil; zu Frankfurt am Main bildete fich der erfte Verein. Am 16.
September 1842 fand in Leipzig eine allgemeine
Verfammlung von Ausfchußmitgliedern aller bis dahin
beftehenden Vereine ftatt. Hier wurde befchloffen, daß
die Guftav=Adolph=Stiftung mit allen ihren Vereinen
ein großes Ganze unter dem Namen

Evangelifcher Verein der Guftav= Adolph=Stiftung

bilden follte, deffen Zweck fei: bedrängten Glaubens=
genoffen in und außerhalb Deutfchland Hülfe und
Unterftützung zu gewähren.

Als Hauptvereine wurden Leipzig, Dresden
und Darmftadt anerkannt, bis auf der im nächften
Jahre zu Frankfurt zu haltenden Hauptverfammlung
neue Statuten entworfen fein würden.

Faft in allen Staaten Deutfchlands breitete fich
nun der Verein aus, und bald hatten fich fchon über
30 Nebenvereine gebildet.

Am 21. und 22. September 1843 fand nun in
Frankfurt am Main jene Hauptverfammlung
ftatt, durch deren Befchluß die „Stiftung" eine
neue Organifation erhielt. Faft alle namhaften Vereine hatten Abgeordnete gefandt, um an der Hauptverfammlung Theil zu nehmen.

30*

Die neuen, in 30 Paragraphen enthaltenenen Statuten enthielten unter Anderm folgende wesentliche Bestimmungen:

§. 1.
Wesen und Zweck des Vereins.

Der evangelische Verein der Gustav=Adolph=Stiftung ist eine Vereinigung aller derjenigen Mitglieder der evangelisch= protestantischen Kirche, welchen die Noth ihrer Brüder, die der Mittel des kirchlichen Lebens entbehren, und deßhalb in Gefahr sind, der Kirche verloren zu gehen, zu Herzen geht, und hat also eingedenk des apostolischen Wortes, Gal. 6, 10.: „Lasset uns Gutes thun an Jedermann, allermeist aber an den Glaubensgenossen." zum Zwecke, die Noth dieser Glau= bensgenossen in und außer Deutschland, sofern sie im eignen Vaterlande ausreichende Hülfe nicht finden können, nach allen Kräften zu heben.

Die Wirksamkeit des Vereins umfaßt lutherische, refor= mirte und unirte, so wie solche Gemeinden, die ihre Ueber= einstimmung mit der evangelischen Kirche sonst glaubhaft nach= weisen.

§. 4.
Unterstützungsmittel.

Die Mittel zur Unterstützung werden erlangt durch die jährlichen Zinsen von Capitalfonds des Vereins, so wie durch jährliche Geldbeiträge von vollkommen beliebiger Größe, durch Geschenke, Vermächtnisse ꝛc.

§. 5.
Form des evangelischen Vereins der Gustav-Adolph-Stiftung.

Die Gesammtheit der regelmäßig beisteuernden Mitglieder verbindet sich zu Vereinen (Zweig= oder Hülfs= und Haupt= vereinen). Der gemeinsame Mittelpunct aller einzelnen Ver= eine ist der Centralvorstand, welcher seinen fortwährenden Sitz in Leipzig hat.

§. 8.

Hauptvereine.

Es soll in jedem Staate, in größeren Ländern höchstens
in jeder Provinz, ein Verein als Hauptverein anerkannt
werden, an den sich die andern dortigen Vereine als Zweigvereine anzuschließen haben.

§. 9.

Zweigvereine.

Alle übrigen Vereine stehen mit dem Centralvorstande durch
den Hauptverein, an welchen sie sich als Zweig= oder Hülfs=
vereine angeschlossen haben, in Verbindung, und sind durch
Letzteren auf den Hauptversammlungen vertreten. Sie können
sich aber unter besonderen Umständen, und namentlich, wenn
ihnen der Anschluß an einen Hauptverein erschwert ist, auch
unmittelbar mit dem Centralvorstande in Verbindung setzen.

§. 11.

Verfahren mit der jährlichen Einnahme.

Alle Einnahmen des Vereins zerfallen in drei gleiche Theile.

Hinsichtlich des ersten Drittheils steht jedem Vereine die
unmittelbare Verfügung zu.

Das zweite Drittheil sendet er mit allenfallsigen Bestimmungen über dessen Verwendung, die jedoch nur in nicht
protestantischen Gegenden, mögen sie im eignen, oder im Auslande sein, geschehen darf, spätestens bis zum 15. August an
den Centralvorstand.

Das letzte Drittheil wird bis zu derselben Zeit dem Centralvorstande, je nach dem Willen des einsendenden Vereins zur
Capitalisirung oder zur sofortigen Verwendung durch den Centralvorstand übergeben.

§. 12.

Das Capitalvermögen des Central-
vorstandes.

Das Capitalvermögen des evangelischen Vereins der Gustav=
Adolph=Stiftung wird gebildet:

a) durch den Fonds der bis jetzt bestehenden Gustav=Adolph=
Stiftung, welcher mit dem Tage, wo der Centralvorstand des

evangelischen Vereins der Gustav-Adolph-Stiftung eintritt, in das Eigenthum dieses Vereins übergeht.

b) Durch die §. 11. erwähnten Zuflüsse.

Nur die jährlichen Zinsen des Capitalvermögens sind zu verwenden. Dasselbe ist in sichern Hypotheken oder Staatspapieren, oder den letztern gleich zu achtenden Effecten zinsbar anzulegen, und es sind die bezüglichen Documente bei dem Stadtrathe von Leipzig zu deponiren.

§. 13—18.
Wahl, Einrichtung und Stellung des Centralvorstandes.

Sämmtliche Hauptvereine wählen durch ihre Abgeordneten in den Hauptversammlungen nach Stimmenmehrheit den Centralvorstand, welcher aus 18 Mitgliedern besteht. Dieser wählt aus seiner Mitte einen Vorsitzenden, einen Secretair und einen Cassirer, und für jeden derselben zwei Stellvertreter, welche ihren wesentlichen Aufenthalt in Leipzig haben müssen. Die übrigen 9 Mitglieder müssen außerhalb Leipzig gewählt werden.

Der Centralvorstand vertritt den Gesammtverein in jeder Beziehung nach außen, und besorgt die allgemeinen Angelegenheiten des Innern. Sämmtliche Mitglieder verwalten ihr Amt unentgeltlich.

§. 23, 24.
Verwaltungsjahr und Hauptversammlungen.

Das Verwaltungsjahr beginnt am 6. November, als dem Todestage Gustav Adolph's. An diesem Tage hat der Centralvorstand Rechnung abzulegen, und über die Erfahrungen des Gesammtvereins Bericht zu erstatten.

Alle drei Jahre wird, abwechselnd in einer andern Gegend Deutschlands, eine Hauptversammlung von Abgeordneten der Hauptvereine und des Centralvorstandes gehalten. Die Beschlüsse werden nach Stimmenmehrheit gefaßt.

Nachdem diese Statuten von den versammelten Abgeordneten am 22. September 1843 zu Frankfurt angenommen worden waren, galt der evangelische Verein der Gustav-Adolph-Stiftung für gegründet. Am 6.

November stattete der bis dahin dirigirende Leipziger Hauptverein seinen letzten Bericht ab, und übergab das Vereinsvermögen von ungefähr 20,000 Rthlrn. nebst dem Archiv an den Centralvorstand.

Immer weiter und weiter hat sich nun der evangelische Verein der Gustav-Adolph-Stiftung verbreitet; in allen deutschen Bundesstaaten ist die lebhafteste Theilnahme erwacht, und überall bilden sich Zweigvereine. Nur Baiern ist durch den Willen seines Königs von dem Vereine ausgeschlossen, und darf sich in keiner Beziehung an demselben betheiligen; nicht einmal Hülfe annehmen dürfen die gedrückten protestantischen Gemeinden. — Von großer Wichtigkeit war noch in letzter Zeit der Anschluß Preußens an den Gesammtverein.

Und so steht diese ehrwürdige Stiftung da, ausgebreitet schon in allen Ländern deutscher Zunge, und sucht nach Zweck und Ursprung vergebens ihres Gleichen in der Geschichte. Bald wird sie, es kann und wird nicht fehlen, alle christlichen Gemeinden evangelischen Bekenntnisses umfassen, und Länder und Meere auf dem Erdball siegreich überschreiten. Wie der Dank und die Liebe gegen Gustav Adolph die treuen Landleute antrieb, das Felsstück an den Ort zu wälzen, wo der königliche Sieger und Held gefallen war, so trieb der Dank und die Liebe zwei Jahrhunderte später die Nachwelt an, ein wenn auch ehernes, aber doch vergängliches Denkmal über dem einfachen Steine zu errichten. Unvergänglich aber, weil geistiger Natur, ist die Stiftung, welche sich über dem Denkmale gewölbt hat zu einem unsichtbaren Dome, der alle um-

schließen wird, denen Dank und Liebe gegen den Vertheidiger evangelischer Freiheit in der Brust glühen. Segen
geht aus von der ehrwürdigen Stiftung nach allen
Seiten hin durch Unterstützungen, welche sie unsern bedrängten Glaubensgenossen gewährt. Noch größer aber
dürfte der Segen sein, der von ihr dadurch ausgeht,
daß sie es ist, welche die Christen evangelischen Bekenntnisses in allen Ländern für e i n e n Zweck zu einigen sucht. In ächt brüderlichem, christlichem und deutschem Geiste haben sich die Bewohner aller Gauen
Deutschlands in dem evangelischen Verein der Gustav-
Adolph-Stiftung geeinigt; alle Schranken, welche Vorurtheil, Selbstsucht oder Unentschiedenheit so häufig in
den Weg legen, sind gefallen, und die Sonne der Freiheit und Einigkeit strahlt über den Verein segnend
herab. Eine S c h u t z w e h r, eine große Schutzwehr kann
der evangelische Verein der Gustav-Adolph-Stiftung
werden gegen alle U e b e r g r i f f e der gegenüberstehenden
Kirche; gegen alle Versuche, die evangelische Glaubensfreiheit zu gefährden. Und so möge denn dieser G e i s t
der Einheit und Einigkeit, — den Gustav Adolph
so schmerzlich vermißte, den er Deutschland so innig
wünschte und demselben zu erkämpfen suchte, fort und
fort in der Stiftung walten, die seinen Namen trägt.
Denn auch hier, wie überall gilt es: „Der G e i s t ist
es, der da lebendig macht."

Denkmal Gustav Adolph's
bei Lützen.

Google

Inhaltsübersicht.

Erstes Buch.

Geschichte Gustav Adolph's bis zu seinem Aufbruche nach Deutschland.

Erster Abschnitt.
Das Haus Wasa.

Zweiter Abschnitt.
Gustav Adolph bis zu seinem Regierungsantritt, am 13. December 1611.

Dritter Abschnitt.
Gustav Adolph bis zum Frieden zu Stolbowa, am 27. Februar 1617.

Zweites Buch.

Geschichte Gustav Adolph's bis zur Schlacht
bei Breitenfeld, am 7. September 1631.

Drittes Buch.

Geschichte Gustav Adolph's von der Schlacht bei Breitenfeld bis zu seinem Tode in der Schlacht bei Lützen, am 6. November 1632.

Erster Abschnitt.

Gustav Adolph's Siegeszug in Franken. Eroberung von Mainz, am 13. December 1631.

Zweiter Abschnitt.

Erfolge der schwedischen Waffen an andern Orten. Wallenstein's Wiederauftreten. Verhandlungen.

Viertes Buch.

Ausgang und Folgen des Kampfes für Deutschlands Religionsfreiheit.

Verbesserungen.

Seite 132 ist in der Ueberschrift zu dem ersten Abschnitt
statt 1631 zu lesen 1630.
Noch sind aus Versehen in dem Bogen 28 die Seitenzahlen
431 und 432 wiederholt worden.

Druck von Friedrich Andrä in Leipzig.

tized by Google